L'IMPRESSIONNISME

L'IMPRESSIONNISME

par Jean Clay

Préface de René Huyghe
de l'Académie française
professeur au Collège de France

Maquette de Jean-Louis Germain

HACHETTE RÉALITÉS

Nous voulons exprimer nos remerciements pour l'aide qu'ils nous ont apportée à :

M. Jean Chatelain, directeur des Musées de France,
M. André Parrot, directeur du musée du Louvre,
M. Michel Laclotte, conservateur en chef du département des peintures du musée du Louvre,
M. Maurice Sérullaz, conservateur en chef au cabinet des Dessins,
Mme Hélène Adhémar, conservateur au musée du Jeu de Paume,
M. Foucart, conservateur au service de la documentation
des peintures du musée du Louvre,
Mlle Adeline Cacan, conservateur au musée du Petit Palais,
M. Jean Leymarie, conservateur en chef au musée national d'Art moderne,
Mme Cécile Goldscheider, conservateur au musée Rodin,
M. Jacques Carlu, conservateur au musée Marmottan,
Mme Dane, conservateur au musée Galliera,
M. François Mathey, conservateur au musée des Arts décoratifs,

ainsi qu'à MM. les Conservateurs des musées Gustave-Moreau à Paris,
Toulouse-Lautrec à Albi, Eugène-Boudin à Honfleur, Masséna à Nice
et des musées des Beaux-Arts d'Amiens, de Bordeaux, d'Orléans,
de Lyon, de Rouen et de Tournai.

Nous exprimons aussi nos vifs remerciements à M. Daniel Wildenstein, de l'Institut,
à M. Charles Durand-Ruel et à M. François Daulte
dont les conseils nous ont été particulièrement précieux.

Nous remercions également MM. les Conservateurs des musées suivants :
Allemagne - Brême, Kunsthalle ; Dresde, Gemäldegalerie ;
Essen, Folkwang Museum ; Hambourg, Kunsthalle ; Mannheim, Kunsthalle ;
Munich, Neue Pinakothek ; Stuttgart, Staatsgalerie.
Autriche - Vienne, Kunsthistorisches Museum, Österreichische Galerie.
Belgique - Bruxelles, Musées royaux des Beaux-Arts.
Brésil - Sao Paulo, Musée d'art.
Cànada - Ottawa, Galerie nationale. — Espagne - Madrid, musée du Prado.
États-Unis - Baltimore, Museum of Art ; Bloomington,
Indiana University Art Museum ; Boston, Museum of Fine Arts ;
Buffalo, Albright-Knox Art Gallery ; Cambridge, Fogg Art Museum ;
Chicago, Art Institute ; Cincinnati, Art Museum ; Cleveland, Museum of Art ;
Colombus, Gallery of Fine Arts ; Denver, Art Museum ;
Kansas City, Gallery of Art ; Los Angeles, County Museum of Art ;
New York, Frick Collection, Guggenheim Museum, Metropolitan Museum of Art,
Museum of Modern Art ; Philadelphie, Museum of Art ;
Pittsburgh, Museum of Art ; Saint-Louis, City Art Museum, West Palm Beach,
Norton Gallery of Art ; Washington, National Gallery of Art, Freer Gallery of Art,
Phillips Collection ; Williamstown, Sterling and Francine Clark Institute.
Grande-Bretagne - Birmingham, Museum and Art Gallery ;
Cambridge, Fitzwilliam Museum ; Londres, Institut Courtauld,
National Gallery, Tate Gallery, Victoria and Albert Museum,
Coll. reine mère Elizabeth d'Angleterre.
Hollande - Amsterdam, Stedelijk Museum ; La Haye, Gemeentemuseum ;
Mauritshuis ; Otterlo, Kröller-Müller ; Rotterdam, musée Boymans van Beuningen.
Norvège - Oslo, musée Munch, Galerie nationale.
Portugal - Lisbonne, Fondation Calouste Gulbenkian.
Suède - Stockholm, Musée national.
Suisse - Bâle, musée des Beaux-Arts, galerie Beyeler ;
Berne, musée des Beaux-Arts ; Lausanne, galerie Vallotton ;
Saint-Gall, musée des Beaux-Arts ; Winterthur, fondation Oskar Reinhart ;
Zürich, Kunsthaus, fondation Emil Georg Bührle.
Tchécoslovaquie - Prague, Galerie nationale.
U.R.S.S. - Leningrad, musée de l'Ermitage ; Moscou, Musée d'art, musée Pouchkine.

Nous exprimons enfin notre gratitude aux collectionneurs
qui ont bien voulu nous autoriser à reproduire des tableaux
leur appartenant, en particulier :
M. Pierre Angrand, Paris ; M. Walter Bareiss, Munich ; M. Pierre Berès, Paris ;
Mme Huguette Berès, Paris ; M. Nathan Cummings, New York ; M. Jean Dauberville, Paris ;
M. Charles Durand-Ruel, Paris ; Mme Maria Fisher, Baden-Baden ; M. Gabriel Fodor, Paris ;
M. Hans Hahnloser, Berne ; M. Holliday, Indianapolis ; M. Jaggli Hahnloser, Winterthur ;
Mr and Mrs Powell Jones, Gates Mills ; M. Jacques Koerfer, Berne ; Mrs Kramarsky, New York ;
Mrs Albert Lasker, New York ; M. Pierre Lévy, France ; Mr and Mrs Alexander Lewyt, New York ;
Mrs Barnett Malbin, Birmingham ; Mme Nora, Paris ; Mme Jeannette Ostier, Paris ;
Mr and Mrs Peralta-Ramos, New York ; M. Oskar Reinhart, Winterthur ;
M. Emery Reves, Paris ; Mr and Mrs Germain Seligman, New York ;
Mme Ginette Signac, Paris ; Mme Arthur Stoll, Arlesheim ;
la baronne Fiona Thyssen-Bornemisza, Lugano ;
Mme Walter Guillaume, Paris ; Mrs Johana Weckman, Helsinki,

ainsi qu'aux galeries Wildenstein et Denise René à Paris,
et à la Galleria d'Arte Moderna à Milan.

Préface

Les impressionnistes ont tenté d'introduire dans la peinture le regard rendu à son autonomie, délié de toute attache culturelle ou intellectuelle, on dirait presque mentale. Cette volonté de se soumettre à la vision quasi physiologique était, pour eux, l'extrême pointe d'un réalisme intransigeant qu'en fait elle a tué. Càr du regard pur à la peinture pure il n'y avait qu'un pas, tôt franchi par l'art moderne.

Que restait-il, pour les contemporains, du monde extérieur, dès lors qu'ils ne le reconnaissaient plus ? Et Kandinsky découvrait l'art abstrait devant les *Meules* de Monet ; il lui suffisait de les retourner de façon que leurs dernières amarres avec le réel identifiable fussent tranchées.

Mais il n'était point si facile de dépouiller la perception de ce qu'elle sait afin de retourner à la sensation ingénue, comme les impressionnistes se targuaient de le faire. La psychologie moderne l'a démontré. En réalité l'homme est préparé à ce qu'il va voir ; il y reconnaît ce qu'il sait déjà, et presque ce qu'il y cherche. Son regard est aussi chargé de ce qu'il porte dans son cerveau que de ce qu'il reçoit du monde extérieur. Les contemporains furent d'abord déroutés par la version offerte par les impressionnistes, parce qu'elle s'était dépouillée de toute allusion aux formes et à leurs contours, repères accoutumés permettant de définir les objets et les notions qui y étaient attachés. Il suffit d'une ou deux générations pour que le spectateur fût éduqué et désormais apte à rattacher aux seules couleurs et à leur rassemblement la faculté de situer et de définir les choses. Les jeux chromatiques étant retombés sous les chaînes de l'accoutumance, le public cessa d'être désemparé et apprit à leur rattacher *l'idée* du spectacle qu'ils enregistraient ; dès lors l'impressionnisme retournait au réalisme à qui chacun s'étonne aujourd'hui qu'on ait pu l'opposer. Ainsi s'est-il éventé et nous ne le connaissons plus dans sa force neuve et révolutionnaire de rupture.

Il la retrouve ici : qu'on découpe le tableau, sur qui s'était refermé le piège de l'ensemble ; qu'on ouvre la cage à l'envol des détails, qu'on agrandisse ceux-ci jusqu'à les désolidariser de leurs voisins qui, comme des écoliers complices, soufflent la solution — et l'impressionnisme sera retrouvé dans sa pureté et son audace...

Ce livre restitue à l'impressionnisme sa vertu première qui fut de rendre à la vision une sorte de virginité, d'en faire une découverte plus qu'une reconnaissance, donc un enrichissement. Il met en évidence les moyens par lesquels la nouvelle école s'appliqua à trancher les amarres qui jumelaient les aspects offerts par la nature et les habitudes mentales. Tous les repères familiers furent éliminés : auparavant le tableau tenait de la scène théâtrale ou de la fenêtre ouverte; le peintre commençait par cadrer le spectacle; il le cadrait dans sa stabilité correspondant aux axes vertical et horizontal de notre équilibre; à l'intérieur de l'espace ainsi défini et considéré comme un vide en attente, les corps et les objets qui y étaient installés gardaient, grâce au contour et au modelé, l'autonomie d'acteurs introduits et groupés par le metteur en scène; le recul supposé du spectateur, les groupant dans un champ unifié, les soumettait à une échelle semblable, commun dénominateur facilitant leur appréhension et leur compréhension. La mémoire et l'accoutumance avaient autant de part que l'œil.

L'impressionniste soudain, imitant tel Degas les hasards de l'objectif, tranche, découpe, fait basculer, néglige l'autonomie des éléments, éparpille des taches dans de la lumière — contredit le cérébral par l'optique. Son tableau cesse alors d'être reconnu, il commence donc à être connu dans sa vérité de choc. Ce volume permettra de le découvrir tel qu'il fut, tel qu'il est, dans son effort pour faire sauter les bandelettes qui donnaient à la peinture la forme compacte et immobile de la momie : il le rendra aux jaillissements et aux impulsions de sa vie intransigeante.

René Huyghe
de l'Académie française
professeur au Collège de France

Introduction

En 1872, au Havre, Monet peint de sa fenêtre une vue du port dans la brume. Exposé chez Nadar deux ans plus tard sous le titre *Impression, soleil levant*, le tableau suscite l'ironie d'un nommé Leroy, chroniqueur au *Charivari*, qui parle par dérision d'« école impressionniste ». Le sort en est jeté : c'est ainsi qu'on qualifiera désormais le groupe de jeunes peintres qui, autour de Monet, s'apprête à renverser quatre siècles de tradition.

« Toujours les critiques ont fait avec orgueil les plus pénibles aveux », écrivait Félix Fénéon. Leroy se vantera beaucoup, les années passant, d'avoir baptisé la nouvelle école. En fait, quand il emploie le terme pour la première fois, celui-ci traîne depuis quinze ans dans les ateliers et les brasseries. Baudelaire, Corot, Daubigny, Boudin, Jongkind, Manet et leurs amis parlent à tout moment d'*impression*. Restait à en faire le nom d'un mouvement. Cent ans après Leroy, ce nom tient toujours. Cent ans qui ont suscité cent histoires de l'impressionnisme. Ce livre n'est pas le cent unième. Le déroulement chronologique et anecdotique de l'école du plein air et des groupes qui lui sont associés a été reconstitué de main de maître par John Rewald dans deux ouvrages foisonnants de détails, diffusés aujourd'hui en « Livres de poche ». Nous y renvoyons nos lecteurs. Il nous a paru plus utile de tenter une approche nouvelle. Disposant d'un matériel iconographique considérable — près de cinq cents documents, presque tous en couleur, nombre atteint pour la première fois dans un livre consacré à l'impressionnisme — nous avons traité cette matière splendide en la classant par catégories esthétiques, par problèmes plastiques. Nous avons raisonné en termes de *formes* et d'*espace*, distribuant les tableaux autour des six grandes préoccupations picturales qui caractérisent l'impressionnisme. Par l'accumulation systématique des tableaux sur un même thème iconologique — écrasement de la perspective, décentrage, etc. — nous espérons avoir fait ressortir ce qui est proprement le langage de ces peintres, l'innovation qu'ils ont apportée dans le traitement de l'espace, de sorte qu'avant de se laisser simplement submerger par la beauté des œuvres le spectateur puisse en saisir les mécanismes.

Ce classement exclut à la fois les chapitres monographiques — centrés sur un peintre — et un respect trop scolaire de la chronologie. Il écarte également les césures classiques : impressionnisme et post-impressionnisme, qui ont leur part d'arbitraire. Si Monet et ses amis s'attachent plus particulièrement à rendre le fugace, l'instant, l'impression, d'autres partis pris, tout aussi déterminants, sont communs aux deux générations. On ne s'étonnera pas de trouver côte à côte un Vuillard et un Caillebotte, un Monet et un Gauguin. Ce qui lie ces tableaux, en l'occurrence, c'est par exemple la perspective cavalière, ou tel usage nouveau du gros plan. Enfin, beaucoup de ces œuvres devraient logiquement figurer dans plusieurs de nos catégories. Un Van Gogh peut être à la fois décadré, violemment coloré et en même temps tributaire des techniques divisionnistes. On s'est chaque fois efforcé de classer le tableau selon son caractère dominant.

La peinture est avant tout un système de signes qui renvoie à la psychologie de l'époque qui l'a produite. Elle déchiffre et elle exprime le rapport au monde d'une société. Au temps des impressionnistes, cette fonction de la peinture est obscurcie par l'académisme. En 1884 — vingt et un ans après l'*Olympia* de Manet —, le sujet imposé aux Beaux-Arts pour le prix de Rome est ainsi formulé : « Lucrèce s'étant donné la mort, Brutus retire le poignard dont elle s'est frappée et, le tenant, jure de poursuivre Tarquin et sa race et de ne plus souffrir de rois dans Rome. Auprès de la morte, on figurera Collatin son époux, Luciolus son père et Valerius Publicola, répétant tous le serment de Brutus. » C'est l'époque de Bouguereau — « le Raphaël du Bon Marché » — et de ses pairs. La vision du monde qu'ils proposent a sa cohérence. Du style officiel, on peut dire ce que Roland Barthes écrivait du passé simple dans le roman : « Il est l'expression d'un ordre et par conséquent d'une euphorie. » Rien ne bouge, le monde est immuable, sans contradictions. Le peintre a mission de rassurer et d'escamoter les tensions du réel. L'académisme respecte scrupuleusement des méthodes vieilles de quatre siècles. Et d'abord la perspective. Les objets sont centrés, le tableau est une composition close sur elle-même, chaque détail participe de l'ordonnance de l'œuvre. Ces objets sont séparés les uns des autres, compacts, solides, denses, les matières ne se confondent pas. La nature : un catalogue de différentes substances et marchandises dont le peintre rend compte grâce à l'habileté sans mystère de sa pratique. La lumière éclaire l'objet sans tenter de le dissoudre ni de le confondre avec les autres échantillons présentés. La couleur est un élément de documentation supplémentaire sur l'identité de ces objets. Une fois pour toutes les feuilles sont vertes, les pommes rouges et les cruches marron.

C'est ce schéma statique, reflet d'une société qui se veut éternelle, que l'impressionnisme va faire exploser, balayant du même coup une conception de l'espace et de la matière totalement inadaptée à l'évolution scientifique et technique du XIXᵉ siècle. Cette *déconstruction* de la grille classique s'articule autour de six axes principaux, qui correspondent aux six chapitres de notre ouvrage.

✴ A partir de Degas, le point de vue de l'artiste se déplace, il désaxe et fractionne le champ visuel. Le peintre questionne par des angles singuliers, des exagérations de perspectives, des décentrages la nature qui l'entoure.

✴ Objets et paysages s'interpénètrent. C'est la dématérialisation. Les composantes disparates de la réalité fusionnent dans la lumière. Textures et matières perdent leur densité. Elles ne sont plus solides, compactes, elles se confondent dans un ordre plus grand : le rayonnement ondulatoire.

✴ La couleur conquiert son autonomie. A travers Manet, Gauguin, Van Gogh, elle a de moins en moins une fonction descriptive et tend à devenir le sujet principal du tableau. Ce qui importe désormais, c'est l'impact direct du rayonnement chromatique sur le spectateur, abstraction faite de l'anecdote figurative.

✴ L'artiste ne cherche plus à *composer* son œuvre. Au lieu d'être un ensemble de formes qui s'équilibrent au sein de la toile, le tableau devient un morceau de nature qui se prolonge au-delà du cadre. Le détail envahit tout le champ visuel. On s'acharne sur une parcelle limitée du monde naturel dont on analyse les lois — lumière, reflets, ombres, etc.

* Le peintre écrase la perspective et ramène l'espace vers les deux dimensions. A travers Cézanne, Gauguin, Bonnard, Vuillard nous voyons s'estomper la profondeur. Le paysage se verticalise. La peinture s'apparente à la frontalité de son support.

* L'artiste sollicite le nerf optique du spectateur. Il joue avec nos réflexes rétiniens, nous impose certaines associations, certains heurts entre les couleurs. Par l'organisation méthodique de ses effets, il engage et perturbe notre système visuel. C'est le début de ce qu'on appellera l'« op art ».

Ces six analyses sont précédées d'un aperçu sur les rapports entre la recherche artistique et les conditions socio-politiques pendant le second Empire et la IIIᵉ République. On tente d'y montrer comment, de 1870 au début du XXᵉ siècle, les peintres ont été, malgré eux, amenés à se constituer en *contre-société*.

Dans le corps des chapitres, les notices qui accompagnent les illustrations sont composées de telle sorte qu'elles reflètent, dans la mesure du possible, un double point de vue : on y trouvera simultanément le regard de l'époque — déclarations de contemporains, de critiques, d'amis — et le regard actuel, tel qu'il a été façonné par les diverses formes de l'art du XXᵉ siècle. Certes, la connaissance du passé aide à mieux comprendre le sens et l'origine d'un mouvement : Barbizon introduit à l'impressionnisme. Mais, inversement, Picasso nous éclaire sur Cézanne, Matisse sur Gauguin, Kandinsky sur Monet. En explorant le langage de leurs prédécesseurs, en poussant plus loin leurs analyses, les peintres sont finalement les meilleurs critiques.

Tel est le principe qui sous-tend cet ouvrage. On y remarquera des œuvres du XXᵉ siècle, parfois de ces dernières années. C'est l'impressionnisme vu d'aujourd'hui que nous montrons, l'impressionnisme tourné vers nous.

Éléments bibliographiques

On trouvera dans les deux livres généraux de John Rewald, Histoire de l'impressionnisme *et* Histoire du post-impressionnisme *(édition complète chez Albin Michel) des bibliographies abondantes et précises qui permettent de s'orienter sans peine dans un siècle de littérature critique. Nous nous bornerons à mentionner ici quelques titres de livres et de catalogues récemment parus ou réédités, qui ne figurent donc pas chez Rewald.*

Rappelons d'abord les ouvrages fondamentaux de Pierre Francastel : Peinture et société *(1951). Introuvable quinze ans durant, réédité en 1965. Gallimard, collection Idées.*

La réalité figurative, *qui contient un important article sur l'impressionnisme. Gonthier (1965).*

Études de sociologie de l'art. *Avec un article de 1952 où l'auteur reprend et développe l'argumentation de* Peinture et société. *Denoël-Gonthier, collection Médiations.*

Autres ouvrages consultés.

Le *Journal de l'impressionnisme, par Maria et Godfrey Blunden, riche en documents et en détails sur la vie quotidienne des peintres.*

Les auteurs n'ont pas omis de signaler l'inter-relation du politique et du culturel. Skira (1970).

Bonjour, Monsieur Courbet ! *par Maurice Choury. Éditions sociales (1969).*

Tout l'œuvre peint de Manet, *par Rouart et Orienti. Flammarion (1970).*

Manet, *par Anne Coffin Hanson. Catalogue de l'exposition de Philadelphie (1966).*

Mon salon, Manet, *par Émile Zola. Présentée par Antoinette Ehrard, la réédition d'une série de textes fameux. Garnier-Flammarion (1970).*

Drawings by Degas, *par Jean Sutherland Boggs. City Art Museum of St. Louis, U.S.A. (1966).*

Cézanne et l'expression de l'espace, *par Liliane Brion-Guerry. Réédition d'une étude approfondie sur les étapes de la spatialité cézannienne dans ses rapports avec les solutions médiévale, renaissante, chinoise, etc.*

Gauguin, *par Françoise Cachin. Hachette, collection Livre de poche (1968).*

Gauguin and the Pont-Aven Group, *par Denys Sutton. Catalogue de la Tate Gallery (1966).*

Gauguin *(1961) ;* Toulouse-Lautrec *(1962) ;* Cézanne *(1966) ;* Van Gogh *(1968) ;* Renoir *(1970). Cinq ouvrages collectifs, abondamment illustrés, publiés par les éditions Hachette-Réalités.*

Pierre Bonnard, *par Denys Sutton. Catalogue de la Royal Academy of Art, Londres (1966).*

Les Œuvres plus que complètes *de Félix Fénéon. Le meilleur témoin du divisionnisme. Avec une présentation très documentée de Joan Halperin (deux volumes). Librairie Droz, Genève (1970).*

Le néo-impressionnisme, *ouvrage collectif dirigé par Jean Sutter. Le plus complet à ce jour, avec une importante étude de Robert Herbert sur les théories de Seurat. Ides et Calendes.*

Neo-impressionism, *par Robert Herbert. Catalogue de la vaste exposition organisée au musée Guggenheim de New York (1968).*

Paul Signac, *de Françoise Cachin, avec des documents de première main. Bibliothèque des Arts (1971). Voir, du même auteur, son introduction à l'ouvrage théorique de Paul Signac :* D'Eugène Delacroix au néo-impressionnisme ; *et, sous le titre* Au-delà de l'impressionnisme, *son recueil de textes de Fénéon. Tous deux aux éditions Hermann.*

Signac, *par Marie-Thérèse Lemoyne de Forges. Cent quarante œuvres analysées en détail. Catalogue de l'exposition du Louvre (1963).*

Maurice Denis, *par Anne Bayez. Catalogue du musée du Louvre (1970).*

The Artist and Social Reform, France and Belgium. 1885-1898, *par Eugenia W. Herbert. Une somme sur les rapports de l'artiste et de la politique à la fin du XIXᵉ siècle. Yale University Press (1961).*

Naissance des artistes indépendants, *par Pierre Angrand. Une chronique allègre sur les origines du Salon qui, en 1884 et en 1886, lança Seurat. Nouvelles Éditions Debresse (1965).*

Impressionnistes et symbolistes devant la presse, *par Jacques Lethève. Le pour et le contre, à travers les journaux. Armand Colin (1959).*

Il sacro e il profano nell'arte dei simbolisti. *Plus de trois cents documents sur le symbolisme européen en peinture. Galleria civica d'Arte moderna, Torino (1969).*

Esthètes et magiciens, *par Philippe Jullian. La chronique des années « mauves ». Librairie académique Perrin (1969).*

Les événements, les hommes.

Sedan, 1er septembre 1870. La capitulation de l'armée impériale.

Le siège :
on tue et on mange les animaux du zoo.

Napoléon III pose pour un tableau équestre.

Assiette de propagande anticommunarde :
la chute de la colonne Vendôme, le 16 mai 1871.

Le blocus de Paris. Sortie des fusiliers marins le 21 décembre 1870.

Haïs, vilipendés, traités d'« aliénés », de « singes », de « communards » — pourquoi ? Pourquoi cette rage à l'égard d'un petit groupe de peintres apparemment inoffensifs ? On regarde ces tableaux paisibles, ces charmants paysages d'Ile-de-France, ces jeunes femmes souriantes. Où est le mal ? Où est « la flétrissure morale » dénoncée par Gérome ? « L'effroyable spectacle de la vanité humaine s'égarant jusqu'à la démence » ? (Albert Wolff dans le Figaro). Un siècle après publication, le florilège des textes écrits contre les impressionnistes reste un sujet d'effarement. On ne leur reproche pas seulement d'être des incapables, des nullités. Ils sont des pourrisseurs, des anarchistes, les complices de l'extrémisme. Jules Claretie, en 1865, à propos de Manet : « Qu'est-ce que cette odalisque au ventre jaune, ignoble modèle ramassé je ne sais où, et qui a la prétention de représenter Olympia ? Olympia ! Quelle Olympia ? Une courtisane, sans doute. Ce n'est pas à M. Manet qu'on reprochera d'idéaliser les vierges folles, lui qui en fait des vierges sales. » Onze ans plus tard, le Constitutionnel, à propos de la deuxième exposition impressionniste : « Nous tenons à dégager complètement notre responsabilité de ces doctrines que nous regardons comme singulièrement dangereuses, et envers lesquelles nous sommes bien décidés à nous montrer nous-mêmes toujours intransigeants. » Thème

repris par le Moniteur : « Les intransigeants de l'art donnent la main aux intransigeants de la politique, il n'y a rien là que de très naturel. » Quinze ans passent encore. Gérome, en 1894, à propos du legs Caillebotte : « Ils font de la peinture sous eux, vous dis-je. On blague, on dit : " Ce n'est rien, attendez... " Eh bien non, c'est la fin de la nation, de la France. » Enfin Rochefort, en 1903, après l'affaire Dreyfus : « Quand on voit la nature comme l'interprétaient Zola et ses peintres ordinaires, il est tout simple que le patriotisme et l'honneur vous apparaissent sous la forme d'un officier livrant à l'ennemi les plans de la défense du pays. L'amour de la laideur physique et morale est une passion comme une autre. »
D'où sortaient donc ces « traîtres », ces hors-la-loi ? De la canaille, de la lie du peuple ? Presque tous sont de bonne souche bourgeoise. Les familles Manet et Degas appartiennent à l'aristocratie financière ; Lautrec à la haute noblesse. Berthe Morisot est fille de magistrat. Les parents de Cézanne et Bazille : des notables du Midi ; ceux de Monet, Pissarro, Cross, Signac : des commerçants aisés. Seul Renoir est d'origine modeste ; formé très tôt à gagner sa vie, il se débrouillera mieux que les autres.
Sont-ils des agités de la politique ? Encore moins. En 1870, Monet et Pissarro s'enfuient à Londres. Cézanne se cache

Affiche de la Commune, mai 1871.

« La Barricade », lithographie de Manet.
L'attitude du peloton est inspirée
de « l'Exécution de l'empereur Maximilien » (voir p. 226).

La rue de Rivoli à la fin de l'insurrection, mai 1871.

Exécution de trois chefs de la Commune : Rossel, Ferré et Bourgeois. Novembre 1871.

*La guerre,
la chute de l'Empire,
la Commune créent un climat
d'intolérance qui proscrit
les idées nouvelles.*

à l'Estaque. Manet, garde national, n'oublie pas ses pinceaux : « Mon sac de soldat, écrit-il à sa femme, est pourvu de tout ce qu'il faut pour peindre et je vais commencer bientôt à faire quelques études d'après nature. » Berthe Morisot dira qu' « il a passé le temps du siège à changer d'uniforme ». Pendant la Commune, Sisley travaille sur le motif à Louveciennes, non loin de Renoir qui vit chez sa mère. Degas se repose à la campagne dans la propriété de ses amis Valpinçon, riches collectionneurs, possesseurs du *Bain turc*. Manet est à Bordeaux ; Berthe Morisot est à Saint-Germain, aux côtés de Puvis de Chavannes. Otez deux lithos de Manet, rien ne transparaît dans leur œuvre de la grande empoignade qui ensanglante Paris en 1871.

Loin de cracher sur les institutions officielles, les impressionnistes souffrent mille morts de ne pas en être. C'est faute de mieux qu'ils pratiquent le dépit amoureux. Certains font des pieds et des mains pour séduire le jury. Renoir refuse « de jouer les martyrs ». A la fin du compte, ils auront tous exposé au moins une fois dans ce que Cézanne appellera, non sans envie, « le salon de Bouguereau ». Manet rêve de Légion d'honneur. Il l'aura. « Le Salon est le vrai terrain de lutte. C'est là qu'il faut se mesurer », explique-t-il. Repoussé en 1869, Monet écrit : « Ce fatal refus me retire presque le pain de la bouche, et malgré mes prix peu élevés,

marchands et amateurs me tournent le dos. Cela surtout est attristant de voir le peu d'intérêt qu'on porte à un objet d'art qui n'a pas de cote. » La consécration officielle est le seul moyen de vivre de son art. Mais par-delà l'urgence des problèmes matériels, la plupart des impressionnistes continueront d'espérer une reconnaissance, même tardive, de leurs confrères académiciens. Élevés dans le mythe de l'institution, ils tolèrent mal qu'elle les repousse. Leur public, c'est cette bourgeoisie aisée dont ils sont issus et qui maintenant les tourne en dérision.

Aussi est-ce la mort dans l'âme — et non sans débats — qu'ils se décideront à exposer séparément, stupéfaits du scandale qu'ils provoquent. (D'ailleurs aucun, sauf Pissarro, ne participera à la totalité des manifestations impressionnistes.) Mais comment montrer son travail ? Comment se faire connaître ? Loin de se réjouir de la réputation tapageuse qu'on leur fait, ils s'en désolent. Au reste, ce sont des modèles de vertu. Travailleurs infatigables, ascétiques, sur le terrain par tous les temps, faisant des journées de quinze heures, sacrifiant famille et confort à leur vocation, ils possèdent les qualités qui ont assuré le triomphe du petit et du gros commerce dont ils sont issus. Ils vouent à la peinture la même obstinée patience qu'un Boucicaut à l'édification de son empire de la frivolité. Pourtant il y a

Le général Boulanger,
porté par
le mécontentement populaire
et l'esprit de revanche,
menace
le régime parlementaire
d'un coup d'État en 1889.

Un scandale financier
éclate pendant la construction
du canal de Panama.
Plusieurs parlementaires
sont compromis.

En 1887,
Jules Grévy
est contraint
de démissionner
de la présidence
de la République :
son gendre
trafiquait sur
les décorations
nationales.

La IIIe République poursuit la politique d'expansion coloniale.
Après la Cochinchine, conquise par l'Empire, c'est l'opération du Tonkin (1882-1885).

quelque chose en eux qui reste intolérable, inassimilable, qui les écarte et qui les chasse. Qu'est-ce donc qui les rend si exaspérants pour leur milieu, pour leurs semblables ? Pendant des siècles depuis la Renaissance l'art et la société marchande ont vécu en bonne intelligence. Mieux : dans leur forme moderne, ils sont nés en même temps. Le capitalisme urbain, commercial et bancaire, qui prend son essor dans les cités italiennes des XIVe et XVe siècles, est contemporain de l'invention de la perspective linéaire et du schéma spatial euclidien proposés par les frères Van Eyck, Masolino, Uccello, Brunelleschi et codifiés par Alberti. « Dès le XVIe siècle, note Pierre Jeannin, le constant maniement des mesures et le calcul développent une aptitude plus grande à penser la quantité. » La rationalité des marchands supplante les conceptions magiques du monde médiéval. Comptabilité, stockage, circulation de la marchandise exigent des manuels d'arithmétique, des tables de conversion. Ce qui naît ici, c'est l'esprit de précision. Or, cette conception arithmétique et quantifiée du monde physique, propre à la bourgeoisie d'affaires des XVe et XVIe siècles, correspond très précisément aux méthodes projectives de la peinture renaissante. La perspective est, elle aussi, une réduction du monde à un tracé régulateur quantifiable, l'expression d'un rationalisme. D'un côté, nous voyons le peintre

enfermer son paysage dans le carcan d'une règle unitaire qui fait entrer dans un seul ordre commun l'innombrable diversité de la nature. De l'autre, nous voyons le marchand contrôler, comptabiliser, classer ses produits et organiser la planète comme un immense trafic de denrées. Par-delà la différence des buts et des moyens, le comportement est le même. Le peintre et le marchand voient le monde comme un objet à déchiffrer et à changer. Ils font confiance à l'individu pour opérer ces mutations.
La Renaissance exalte l'initiative individuelle, le héros, le grand capitaine, l'homme d'action et l'homme d'affaires. Dans les *Présentations au saint*, le donateur occupe peu à peu toute la place — d'où bientôt le portrait de chevalet. Mais surtout : le système visuel de l'époque — fondé sur le point de vue unique et l'organisation hiérarchique de l'espace à partir de l'œil du peintre — est un anthropocentrisme, une apologie de la personne. Le négoce, de son côté, est dominé par des individus d'une imagination prodigieuse. Rien ne les arrête. Jamais l'esprit d'entreprise, l'audace, la puissance de travail n'ont été plus grands. Il faudrait être aveugle pour ne pas voir chez un Jacob Fugger, banquier d'Augsbourg, une « créativité » en pleine expansion, une capacité révolutionnaire de transformer la matière et la société. Les modèles qui s'élaborent à Nuremberg, Augsbourg,

Les anarchistes appliquent « la propagande par le fait ».
Vaillant jette une bombe à l'Assemblée nationale (ci-dessus) ;
Caserio assassine le président Sadi Carnot le 24 juin 1894
(à gauche) ;
Ravachol est arrêté en décembre 1893 après plusieurs attentats
(à droite).

Nourri des idées de Marx et de Proudhon,
le mouvement ouvrier s'organise
en partis et en syndicats.

*Les scandales financiers
et les aventures coloniales
empoisonnent
l'atmosphère politique,
favorisant l'expansion
des idéologies socialistes
et libertaires.*

Anvers, Bruges, Lyon, Genève, Lisbonne, Séville, etc.
vont littéralement bouleverser le visage de la planète.
C'est le capitalisme moderne qui s'invente ici, même si son rôle
dans une production globale dominée par les structures
féodales est encore très minoritaire.
Les marchands, comme les artistes, ont les yeux tournés vers
les continents inexplorés. Chez Dürer, note Pierre Jeannin,
« le goût de l'exotisme, la curiosité pour les objets étranges
rapportés d'outre-mer, expressions d'une recherche
passionnée de l'inconnu, s'accordent parfaitement à cette
mentalité de la découverte qui pousse l'aventure vers des
horizons toujours plus lointains, prometteurs de plus grands
profits ». Le marchand et le peintre attendent côte à côte,
sur le quai, des nouvelles des continents vierges.
Rien donc d'insolite dans la sympathie qui unit l'artiste au
négociant. Ils ont la même vision du monde. La peinture la
plus avancée se sent en accord avec la classe montante,
dynamique, prodigieusement inventive du grand commerce
international. Cette harmonie durera trois cents ans. Tout
se gâte avec le romantisme. Au soir de la chevauchée
napoléonienne, l'artiste ne se reconnaît plus dans l'univers
qui s'élabore autour de lui. Dans un premier temps, il
le condamne au nom de valeurs aristocratiques héritées de
la tradition. Son dégoût est une nostalgie. La république

bourgeoise naissante ressemblait à Saint-Just. Elle a
maintenant les traits moins exaltants de M. Bertin. Chez
Stendhal, le héros balance sans cesse de l'intérêt à la passion.
La passion l'emporte. Chez Balzac, c'est déjà le contraire :
les hommes de cœur y sont écrasés par les hommes d'argent.
Delacroix traverse comme un fantôme une société dont les
motivations lui échappent. « Ce qu'il y a de réel en moi,
écrit-il, ce sont ces illusions que je crée avec ma peinture.
Le reste est un sable mouvant. » Rejeté de la communauté, il
s'enferme dans son atelier. Il sera refusé six fois à l'Académie.
Pendant ce temps-là, le monde change, le rythme s'accélère.
La France foncière cède le pas à la bourgeoisie
commerçante sous l'égide du Roi citoyen — c'est précisément
ce que raconte Balzac. Puis la bourgeoisie commerçante se
transforme en bourgeoisie industrielle. L'usine supplante
l'atelier et la manufacture. C'est la troisième étape. Nous
entrons dans Zola. Les quelque vingt années du second Empire
sont décisives pour la mutation du pays : essor de la
métallurgie, construction des grands axes ferrés, fondation
des grandes banques (Crédit Lyonnais en 1863 ; Société
Générale en 1864), des grands magasins, des grands journaux
économiques ; généralisation de l'hélice, du navire métallique,
du télégraphe. Le cadre juridique de la société anonyme,
pilier de la libre entreprise, est tracé par les lois de 1863

Cormon. « La Fuite de Caïn ». 1880.

Ernest Meissonier. « Les Amateurs de peinture ». 1860.

Jules Garnier. « Le Constat d'adultère ». 1883.

Winslow Homer. Copistes dans la Grande Galerie du Louvre. 1867.

et de 1867. L'industrie se donne à elle-même des fêtes gigantesques où elle découvre, émerveillée, sa puissance. L'Exposition universelle de 1867 marque l'apogée de l'Empire et confirme Paris dans son rôle de capitale du luxe et de la mode. Celle de 1889, surmontée par la tour Eiffel, célébrera les noces des arts et de l'industrie en même temps que les conquêtes coloniales, promesses de matières premières et de marchés.

Mais l'industrialisation de plus en plus accélérée qui caractérise la deuxième partie du XIXe siècle engendre des processus inquiétants, mal connus et mal contrôlés. D'abord l'apparition d'un prolétariat souvent combatif qui tente très vite de s'organiser. Il y a des heurts sanglants dans la Loire en juin 1869, dans l'Aveyron en octobre, en Saône-et-Loire au printemps 1870. La Ire Internationale est de 1864. *Le Capital* est publié en France, par fascicules, en 1872. Les villes se gonflent de déracinés. Le Creusot passe de 9 000 habitants en 1852 à 25 000 en 1869. Pareil pour les mines du Nord et du Massif central. A Paris, qui abrite 2 000 000 d'habitants en 1870, la population ouvrière ne cesse d'augmenter. Ils sont 500 000 à la fin de l'Empire, dont 112 000 femmes. Ils gagnent 2 francs par jour pour treize heures de travail ; 500 francs par an, en comptant la morte saison. Or une mansarde coûte 120 francs de loyer. La colère

couve. La peur aussi. Entre 1827 et 1851, les barricades se sont élevées à neuf reprises dans les rues de la capitale. On tente d'écarter cette masse mécontente, menaçante. Dans le Paris de Balzac, les classes sociales cohabitaient encore verticalement : en bas la boutique ; au milieu l'appartement bourgeois, sous les combles les pauvres. Napoléon III décide de favoriser une séparation qui sera cette fois horizontale. Haussmann éventre les vieux quartiers, installe les gares au débouché de ses nouvelles voies de circulation. Il écarte du centre urbain les populations laborieuses et les pousse vers Belleville, Ménilmontant, Levallois, etc. « Un des sens de la Commune, écrit Henri Lefebvre, c'est le retour en force vers le centre urbain des ouvriers rejetés vers les faubourgs et les périphéries, leur reconquête de la Ville, ce bien entre les biens, cette valeur, cette œuvre qui leur avait été arrachée. »

Il faut percevoir ce climat d'insécurité, de tension sociale permanente pour comprendre la mentalité des hommes qui, dans les années 1870, se sont vu proposer, sous le titre d'impressionnisme, une esthétique nouvelle. Le public qui constitue la clientèle potentielle de Monet et de ses compagnons est psychologiquement sur la défensive. Nous ne sommes plus devant les banquiers triomphants de l'époque Médicis

Fernand Khnopff. « L'Art, la caresse, la sphinge ». 1896.

LE PEINTRE IMPRESSIONNISTE.
— Madame, pour votre portrait il manque quelques tons sur votre figure. Ne pourriez-vous avant passer quelques jours au fond d'une rivière?

Léon Gérome. « Jeunes Grecs faisant battre des coqs ». 1846.

Édouard Detaille.
« Reddition de la garnison d'Huningue ». 1892.

L'art pompier
occupe le devant de la scène.
Il règne à l'Institut
et aux Beaux-Arts.
Il mène une guerre haineuse
contre l'impressionnisme.

ou Fugger. Nous sommes devant une classe dirigeante aux prises avec une industrialisation qui s'emballe, qui a sa propre dynamique, qui fait surgir de nouvelles couches sociales et de nouvelles concentrations urbaines. Les relations interpersonnelles, les vieilles hiérarchies communales, l'équilibre ville-campagne, tout se déchire. C'est l'échelle qui change. La société industrielle crée son propre paysage — celui de *Germinal* — et son propre type d'homme : le prolétaire. « Jusqu'alors, écrit Roland Barthes, c'était l'idéologie bourgeoise qui donnait elle-même la mesure de l'univers, le remplissant sans contestation [...] Dorénavant, cette même idéologie n'apparaît plus que comme une idéologie parmi d'autres possibles ; l'universel lui échappe, elle ne peut se dépasser qu'en se condamnant. »
Chez tous, un souvenir commun : février et juin 1848. C'est très récent : vingt-deux ans entre 1870 et la fuite de Louis-Philippe, le même temps qui nous sépare aujourd'hui de la Libération de Paris en 1944. Ça commence comme une crise ministérielle. Ça tourne à l'émeute, ça jette par terre une dynastie. Ce qu'on découvre ce jour-là dans la rue, c'est l'inconnu, *l'innommable*. L'historien d'art Henri Focillon, dans son livre sur la peinture au XIXe siècle, a fort bien décrit cette stupeur : « Les clubs voyaient se produire des orateurs et des chefs qui n'avaient rien de commun avec les partis

connus, avec l'opposition classée, mais qui semblaient sortir des cryptes les plus secrètes de l'inquiétude et de la misère du peuple, mêlés à des prophètes et des cabotins, aux adeptes des religions les plus étranges. Les associations ouvrières elles-mêmes n'étreignaient qu'une partie des masses. De février à juin, ce qui monte des profondeurs, ce qui paraît à l'évidence au grand jour, et pour la première fois, sur la place publique, ce n'est pas seulement une génération nouvelle, c'est un monde inconnu, tumultueusement levé, non pour défendre ses droits mais pour les créer, pour en imposer l'autorité, pour donner à la vie en société et à l'organisation du travail des assises nouvelles. Les légions de Cavaignac l'écrasèrent sur les barricades pour défendre l'ordre et la légalité, les bourgeois et les paysans épouvantés acceptèrent la dictature bonapartiste [...] Mais le réveil et la défaite du peuple avaient changé le cours du siècle, moins par les conséquences politiques que par l'avènement d'une idée nouvelle de l'homme et de l'homme moderne. » La crise de 1848 ruine les illusions du libéralisme. Il y a une guerre sociale qui couve, qui peut ressurgir à tout moment. Il faudra rien de moins qu'un « homme providentiel » pour rassurer la bourgeoisie, mettre fin à une tension insupportable. L'oligarchie financière, monarchiste sous Louis-Philippe, devient bonapartiste en 1851. Seul un

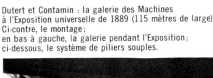
Dutert et Contamin : la galerie des Machines
à l'Exposition universelle de 1889 (115 mètres de large).
Ci-contre, le montage ;
en bas à gauche, la galerie pendant l'Exposition ;
ci-dessous, le système de piliers souples.

Locomotive Johnson. 1889.

Édification du viaduc de Garabit (459 mètres de portée),
par Gustave Eiffel. 1884.

pouvoir fort peut contenir les impatiences et les injustices nées de la révolution industrielle. « Dans toutes les Bourses d'Europe, écrit l'*Economist* quatre jours avant le coup d'État du 2 décembre, le Président est actuellement reconnu comme la sentinelle de l'Ordre. »
Et voilà que tout recommence en 1870 : la déconfiture de l'Empire, ridiculisé par une défaite pitoyable, le siège de Paris, la famine (5 000 morts en août, 12 000 en décembre, 19 000 en janvier). Enfin la Commune, précédée ou accompagnée de flambées à Lyon, Marseille, Toulouse, Le Creusot, Saint-Étienne. La panique des esprits, l'horreur devant le désordre, on ne les lit pas seulement dans les communiqués des versaillais. Les libéraux, les républicains y vont de leur commentaire. Zola, l'ami et le défenseur de Manet, traite les communards de « bêtes enragées », de « fous furieux ». « Les cadavres, écrit-il au lendemain des massacres, sont restés de la sorte un peu partout, jetés dans les coins, se décomposant avec une rapidité étonnante, due sans doute à l'état d'ivresse dans lequel ces hommes ont été frappés. » Flaubert écrit à George Sand, le 18 octobre : « Je trouve qu'on aurait dû condamner aux galères toute la Commune et forcer ces sanglants imbéciles à déblayer toutes les ruines de Paris, la chaîne au cou, en simples forçats. » Courbet, membre minoritaire de

la Commune, est arrêté le 7 juin et bientôt conduit à Versailles pour être jugé. Barbey d'Aurevilly : « Il faudrait montrer à toute la France le citoyen Courbet scellé dans une cage de fer sous le socle de la Colonne. On le ferait voir pour de l'argent. » Alexandre Dumas fils, le 14 juin : « De quel accouplement fabuleux d'une limace et d'un paon, de quelles antithèses génésiaques, de quel suintement sébacé peut avoir été générée, par exemple, cette chose qu'on appelle M. Courbet ? Sous quelle cloche, à l'aide de quel fumier, par suite de quelle mixture de vin, de bière, de mucus corrosif et d'œdème flatulent a pu pousser cette courge sonore et poilue, ce ventre esthétique, incarnation du Moi imbécile et impuissant ? »
C'est le ton des intellectuels. Celui des vainqueurs est moins littéraire : trente mille exécutions. Par un réflexe naturel de conservation, le capitalisme financier et industriel qui va de plus en plus contrôler la production en France, à la fin du XIXe siècle, qui dispose, grâce au progrès technique, d'une maîtrise sans cesse croissante de la matière, qui règne à l'intérieur sur des empires économiques et à l'extérieur sur les empires coloniaux, ne peut que s'opposer à tout ce qui nie sa pérennité. Il s'éprouve comme terme et finalité de l'histoire. C'est ici que nous retrouvons l'esthétique. On a maintes fois observé combien l'image que souhaitaient donner d'elles-

La tour Eiffel (7 000 tonnes de métal).
Trois étapes de la construction. 1889.

*Le progrès technique,
la révolution industrielle et métallurgique
accentuent les distorsions
de la société française.*

Dog-car à vapeur de Dion-Bouton. 1885.

L'Exposition universelle de 1889.
Inauguration du Palais des Industries diverses.

mêmes les classes dirigeantes au temps de Napoléon III et de Jules Grévy était fixée sur le passé. Ce siècle-là ne vit pas dans ses meubles. Les capitaines d'industrie vont chercher leurs symboles culturels chez Louis XV. Ils veulent un décorum qui exprime continuité, stabilité, éternité. D'un côté ils façonnent les instruments d'une société moderne par leur dynamisme technique ; de l'autre ils collectionnent des images rassurantes qui ont pour fonction de signaler leur appartenance « de droit divin » aux élites du pays. « A son comptoir, note Walter Benjamin, l'homme privé tient compte du réel ; à son intérieur il demande de l'entretenir dans ses illusions [...] Pour donner figure à son ambiance privée il refoule société et affaires. Ainsi naissent les fantasmagories de l'intérieur. » Il s'agit à la fois d'ennoblir le présent et d'embourgeoiser le passé. A l'instar de Louis Napoléon, tenu d'adopter le style oratoire tranchant et les rituels à grand spectacle de son oncle, les nouveaux riches des années 1870 collectionnent les « signes extérieurs » de distinction qui doivent légitimer leur accès à la tête des affaires. « M. Prudhomme, écrit Zola en 1868, est le mécène contemporain. » La dictature exercée par Ingres de 1840 à sa mort en 1867 — il est président de l'École des beaux-arts en 1850, sénateur en 1862 — viendra en grande partie de sa référence permanente au passé. Ses propos rassurent.

A l'entendre, il faut copier scrupuleusement la nature... mais à la façon des Anciens. Ils l'ont comprise une fois pour toutes. Personne ne pourrait mieux faire : « Les figures antiques ne sont belles que parce qu'elles ressemblent à la belle nature. Et la nature sera toujours belle quand elle ressemblera aux belles figures antiques. » Ce qui s'affirme dans ce postulat ce n'est pas seulement l'idolâtrie du canon grec. C'est bien davantage l'idée que la réalité physique a été explorée définitivement cinq siècles avant J.-C. Inutile d'y revenir : les rapports psychosensoriels de l'homme avec le monde ont été déterminés à jamais. Par un trait propre à l'esprit pseudo-rationaliste du XIXe siècle, on enferme le réel dans un carcan réglementaire considéré comme immuable. On évacue le temps et l'histoire. On fixe des normes et on affirme qu'elles valent pour toujours. Le paradoxe est qu'une pensée aussi profondément statique ait été considérée comme la plus juste dans une époque en proie à une accélération technique et scientifique prodigieuse, une époque où s'affirme le goût de l'enquête et de l'analyse, où Claude Bernard invente la médecine expérimentale et où Taine écrit : « De tout petits *faits* bien choisis, importants, significatifs, amplement circonstanciés et minutieusement notés, voilà aujourd'hui la matière de toute science. » Ces contradictions marquent bien la fonction

Manet photographié par Nadar.

Berthe Morisot en 1875.

L'atelier Nadar, 35, boulevard des Capucines,
où se déroula, en 1874,
la première exposition
impressionniste.

Henri Fantin-Latour.
« L'Atelier aux Batignolles ». 1870.
Manet entouré de Schelderer, Renoir, Zola, Maître,
Bazille, Monet (de gauche à droite).

Edgar Degas,
presque aveugle,
à Paris pendant la guerre.
Ci-contre :
boulevard de Clichy ;
ci-dessous :
dans un jardin.

réelle de l'art en cette période de mutation : tranquilliser, enraciner, faire le lien avec le passé. Il faudra Maurice Denis et Picasso pour apercevoir dans la peinture d'Ingres d'autres mérites formels que ceux de Phidias, de Raphaël ou de Bronzino. L'auteur du *Bain turc* (« le petit éléphant bourgeois » dont parlait Théophile Silvestre) fascinera Degas, Seurat et le XXᵉ siècle par la splendeur abstraite de ses contours, la complexité musicale de ses rythmes, par sa façon incomparable d'équilibrer l'observation et la géométrie. S'il a duré, c'est qu'il aura passé sa vie à violer les règles dont il était pourtant l'ombrageux défenseur.

Ingres mis à part, la postérité du néo-classicisme est un désastre. Gérome, Boulanger, Couture, Cabanel, Henner, Bouguereau, Jules Lefebvre, Bonnat — ce sont ces noms qui occupent les cimaises au temps des impressionnistes, qu'ils poursuivront, pour la plupart, d'une haine féroce. Partout : l'éclectisme. Tous les styles historiques se mêlent, toutes les mixtures, toutes les séductions. Des recettes tirées du Corrège viennent amollir les galbes « romains » ; le souvenir de Van Dyck allonge le cou des reines du calicot. La mode antique sévit pendant tout le second Empire. Derrière l'invasion des Daphné, des Galatée, des Vénus, des satyres, des bacchantes règne le prosaïsme le plus quotidien. « Il ne s'agit, remarque Baudelaire, que de

transposer la vie commune et vulgaire dans un cadre grec [...] Nous verrons donc des moutards antiques jouer à la balle antique et au cerceau antique avec d'antiques poupées et d'antiques joujoux. » Meissonier — « le géant des nains », disait Degas — passera, selon la conjoncture, de la scène de genre hollandaise au tableau d'histoire, de la saynète Louis XV au coucher de soleil vénitien. Mais quel que soit le genre — polisson, édifiant ou mondain — une règle : la précision maniaque du détail. « Quand un tableau sort des mains de M. Meissonier, écrit Théophile Gautier, c'est à coup sûr qu'il ne peut plus être poussé plus loin. Et en effet, il peut alors défier le monocle de l'amateur le plus difficile et aller s'accrocher tranquillement au mur entre les maîtres précieux, rares et recherchés. » Dans le fini d'un tableau, le bourgeois, rassuré, constate « la belle ouvrage ». Il compte en heures de travail. Rien ne l'inquiète comme le style esquissé, bâclé. Mais attention : précision n'est pas réalisme. Quoi de plus précis qu'un Courbet ? « Nul n'a peint comme lui, écrit Focillon, les chairs, les étoffes, les pelages, les rochers, tout ce qui pèse, tout ce qui se tient, un corps de femme épanoui, dru et doux, un paysage de son pays, dans sa compacité forte. » Or cela déplaît. Dans une société qui fera d'Offenbach son Lulli, de Garnier son Mansart et de Barbedienne son

Auguste Renoir.

Renoir peignant à Fontainebleau. Septembre 1901.

Renoir et Mallarmé photographiés par Degas. Vers 1890.

Degas à la campagne chez les Fourchy.

Renoir et son modèle Gabrielle.

Parce que « l'ordre est un tout »,
Manet, Degas, Renoir,
bourgeois paisibles,
sont mis au ban
de la société artistique.

Michel-Ange, Courbet exaspère. Il est *trop* vrai. Il en rajoute. Il montre les choses telles quelles, sans maquillage culturel. Lui-même ressemble à tout ce qu'on voudrait oublier : fils de cultivateurs cossus, petit-fils de jacobins, braillard, du foin dans les bottes, plus peuple que nature. *L'Enterrement à Ornans* est traité par le ridicule. L'empereur aurait, dit-on, frappé d'un coup de cravache ses *Baigneuses*, trouvées « triviales ». Courbet est sacré « chef d'école de l'ignoble ». « Sous le prétexte de réalisme, écrit Théophile Gautier, il calomnie affreusement la nature. La nature même la moins choisie n'est ni si laide, ni si disgracieuse, ni si barbouillée. » Réaction identique face à la douce école de Barbizon avec ses sous-bois et ses troupeaux de vaches qui rappellent Hobbema ou Potter. Pour le comte de Nieuwerkerke, directeur impérial des Beaux-Arts : « C'est de la peinture de démocrates, de ces hommes qui ne changent pas de linge, qui veulent s'imposer aux gens du monde ; cet art me déplaît et me dégoûte. » On hait cette modernité que réclame Baudelaire au même moment et que le poète ne trouvera que chez deux incompris : Guys et Manet. De ce dernier *le Déjeuner sur l'herbe*, roide, froid, réaliste, scandalise l'empereur en 1863, l'année même où il achète à Cabanel une *Naissance de Vénus* lascive, étirée sur une crête de vague. Écrivain célèbre, Paul de Saint-Victor explique

en 1855 — l'année où Pissarro débarque à Paris : « Nous préférons le *Lucus* sacré où voyagent les faunes à la forêt où travaillent les bûcherons ; la source grecque où se baignent les nymphes à la mare flamande où barbotent les canards ; et le pâtre demi-nu qui pousse de sa houlette virgilienne ses béliers et ses chèvres dans les voies géorgiques du Poussin, au paysan qui monte en fumant sa pipe dans le petit chemin de Ruysdaël. »

Cette noblesse de carton-pâte, c'est l'esprit du temps. Monet, élève de l'atelier Gleyre, s'entend dire : « Ce n'est pas mal mais le sein est trop lourd, l'épaule trop puissante, et le pied excessif.
— Je ne peux dessiner que ce que je vois, répliquai-je timidement.
— Praxitèle empruntait les meilleurs éléments de cent modèles imparfaits pour créer un chef-d'œuvre, riposta sèchement Gleyre. Quand on fait quelque chose, il faut penser à l'antique ! »
« Le soir même, je pris à part Sisley, Renoir et Bazille :
— Filons d'ici, leur dis-je. L'endroit est malsain : on y manque de sincérité. »
Cette sincérité, ils la chercheront en vain. Ils pressentiront vaguement, petit à petit, que cet art officiel qu'on leur oppose

Camille Pissarro. « Autoportrait ». 1877.

Alfred Sisley.

Camille Pissarro dans son atelier d'Éragny. Vers 1897.

Le bassin des Nymphéas à Giverny.

Monet, Pissarro, Sisley :
le trio de l'impressionnisme classique.
Ils passeront leur vie
au cœur de la nature, à scruter
les moindres métamorphoses
de la lumière.

partout est un masque, une façade en stuc, un camouflage à l'abri duquel se perpétuent et se développent les mécanismes très prosaïques, impitoyables, souvent inhumains de la compétition économique, de la lutte pour le profit. L'Empire et la IIIᵉ République sont d'autant plus « grecs » que se consolide d'autre part une société matérialiste où les clans qui se disputent les places — légitimistes, bonapartistes, républicains modérés, centre gauche — ont tous la même conception égoïste du pouvoir. « Le personnel républicain [des années 1870] issu de la basoche et des loges de province, écrit le professeur Goguel, était exclusivement bourgeois, au sens le plus mesquin du terme, passionnément attaché au Code civil, à la propriété, au profit. Son individualisme étroit l'empêchait de sentir l'existence du problème social et, plus encore, de pressentir la place grandissante que ce problème allait prendre dans la vie publique. » « Supplément d'âme » d'une société sans âme, sans élan spirituel, sans projet collectif, l'art officiel n'a aucun point commun avec la recherche obscure et passionnée des jeunes impressionnistes. « L'idée de beauté n'était pas en Cézanne, dira plus tard Émile Bernard. Il n'avait que celle de vérité. » Une vérité dont personne ne veut. « Tout ce que la bourgeoisie admire depuis cinquante ans tombe dans l'oubli, se démode, devient ridicule, écrit Pissarro à son fils,

en décembre 1883. On est obligé de lui pousser dans les reins, dé force, de lui crier à tue-tête pendant des années : Voilà Delacroix ! Voilà Berlioz ! Voilà Ingres ! etc. » Devant ce phénomène de rejet qui écarte toute recherche authentique, le petit monde des peintres ne s'éveillera que peu à peu. La première génération tente de convaincre, de forcer les portes. Elle s'en prend à l'académisme. « Je ne puis accepter le jugement illégitime de confrères auxquels je n'ai pas donné moi-même mission de m'apprécier », écrit Cézanne en 1886 au surintendant des Beaux-Arts. En 1870 il explique à un journaliste : « Oui, mon cher monsieur, je peins comme je vois, comme je sens. Et j'ai les sensations très fortes. Eux aussi ils sentent et voient comme moi, mais ils n'osent pas. Ils font de la peinture de salon. Moi j'ose, monsieur, j'ose. J'ai le courage de mes opinions — et rira bien qui rira le dernier ! » Parlant du Salon officiel (58 000 visiteurs en 1857 ; 400 000 dans les années 1880), Zola écrit : « Jamais je n'ai vu un tel amas de médiocrités. Il y a là deux mille tableaux, et il n'y a pas dix hommes. Sur ces deux mille toiles, douze ou quinze vous parlent un langage humain ; les autres vous content des niaiseries de parfumeurs. » Il stigmatise « ceux dont la petite manière a un petit succès et qui tiennent ce succès entre leurs dents, en grondant et en menaçant tout confrère

22

Monet avec Clemenceau sur le pont japonais, à Giverny.

Claude Monet.

Monet dans l'atelier des « Nymphéas » à Giverny. 1922.

qui s'approche [...] On a débarbouillé l'art, on l'a peigné avec soin ; c'est un brave bourgeois en pantoufles et en chemise blanche » (1866).

Mais la deuxième génération — celle de Gauguin, de Van Gogh, de Signac — ne s'en tiendra pas à la contestation des Salons. Elle fait son deuil de toute intégration. Le temps des errants, des fous, des alcooliques commence. Le ton monte. C'est le système tout entier qu'on attaque. On croit entendre comme en écho les invectives de Baudelaire dans ses *Fusées* : « Ton épouse, ô bourgeois ! Ta chaste moitié, dont la légitimité fait pour toi la poésie, introduisant désormais dans la légalité une infamie irréprochable, gardienne vigilante et amoureuse de ton coffre-fort, ne sera plus que l'idéal parfait de la femme entretenue. Ta fille, avec une nubilité enfantine, rêvera, dans son berceau, qu'elle se vend un million. » Dans son livre le plus célèbre, *A rebours*, Huysmans surenchérit : « Le bourgeois, rassuré, trônait, jovial, de par la force de son argent et la contagion de sa sottise. Le résultat de son avènement avait été l'écrasement de toute intelligence, la négation de toute probité, la mort de tout art. Et, en effet, les artistes avilis s'étaient agenouillés, et ils mangeaient ardemment de baisers les pieds fétides des hauts maquignons et des bas satrapes dont les aumônes les faisaient vivre ! »

Van Gogh s'écrie en 1886 : « Nous sommes au quatrième quart d'un siècle qui finira par une révolution colossale. » Et Gauguin en 1890 : « Une terrible épreuve se prépare en Europe pour la génération qui vient : le royaume de l'or. Tout est pourri, et les hommes et les arts. » Présentant le personnage monstrueux d'*Ubu*, Jarry explique au public qu'il est « son ignoble double ».

A ce refus exaspéré des valeurs dominantes, trois issues : le messianisme, l'évasion et la politique. Vu par Cézanne, Van Gogh, Gauguin, le peintre devient une sorte de saint, un maudit qui poursuit sa tâche malgré tout, qui porte les péchés du monde. Gauguin s'identifie au Christ souffrant et abandonné (pages 168-169). « Il est difficile de le fréquenter, écrit Van Gogh, sans songer à une certaine responsabilité morale [...] Il aime faire sentir qu'un bon tableau doit être l'équivalent d'une bonne action. » Et Van Gogh ajoute pour lui-même : « Un peintre se ruine le caractère en travaillant dur à la peinture, qui le rend stérile pour bien des choses, pour la vie de famille, etc. etc. [...] Il peint non seulement avec de la couleur mais avec de l'abnégation et du renoncement à soi, et le cœur brisé [...] Pour être un anneau dans la chaîne des artistes, nous payons un prix raide de santé, de jeunesse, de liberté, dont nous ne jouissons pas du tout, pas plus que le cheval de

*La recherche entêtée de Cézanne
— méconnue pendant vingt-cinq ans —
domine toute l'avant-garde
au tournant du siècle.*

Paul Cézanne en 1861.

Lettre de Cézanne à Émile Zola, son ami d'enfance. 20 juin 1859.

Cézanne aux environs d'Auvers, son chevalet sur le dos. 1873.

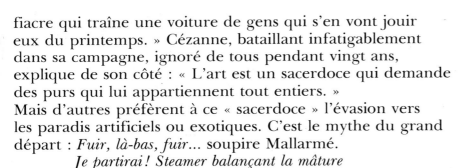

Cézanne sur le motif à Aix (photographié par Maurice Denis). 1904.

fiacre qui traîne une voiture de gens qui s'en vont jouir eux du printemps. » Cézanne, bataillant infatigablement dans sa campagne, ignoré de tous pendant vingt ans, explique de son côté : « L'art est un sacerdoce qui demande des purs qui lui appartiennent tout entiers. » Mais d'autres préfèrent à ce « sacerdoce » l'évasion vers les paradis artificiels ou exotiques. C'est le mythe du grand départ : *Fuir, là-bas, fuir...* soupire Mallarmé.

> *Je partirai! Steamer balançant la mâture
> Lève l'ancre pour une exotique nature!*

Et Bernard, de son côté, s'exalte : « Oh! partir sans s'inquiéter de rien ; très loin, très loin. Laisser là cette abominable vie d'Europe, ces mufles, ces cancres, ces railleurs repus, cette engeance pestiférée... » Gauguin vivra des années durant dans une perpétuelle obsession de l'exil vers des terres innocentes, à l'écart des sordides réalités de l'Occident. D'autres préfèrent l'exil intérieur. Le Des Esseintes de Huysmans incarne jusqu'à la caricature le « décadentisme » de ceux que Signac appelle dans son journal « les Symbolos ». « Loin du brouhaha des immondes foules », Des Esseintes cultive « une studieuse décrépitude », se nourrissant « d'érudites hystéries », ironisant sur « la bêtise innée des femmes » auxquelles il préfère « la vue des locomotives ». Séquestré volontaire et confortable

dans un univers raffiné d'odeurs, de couleurs, de sensations tactiles, de « fleurs naturelles imitant des fleurs fausses », il proclame que « l'artifice est la marque distinctive du génie de l'homme » et que « la nature a fait son temps ; elle a définitivement lassé par la dégoûtante uniformité de ses paysages et de ses ciels l'attentive patience des raffinés ». On reconnaît ici les théories de Barrès, les attitudes d'un Montesquiou qui, vêtu d'un habit mauve, assistait à un concert en expliquant qu'on « devrait toujours écouter du Weber en mauve ». Tout cet autisme tournera court. La plupart des symbolistes se perdront dans le mysticisme préraphaélite et la bizarrerie volontaire. Ils se rassemblent un moment autour d'un mage excentrique et fumeux : le sâr Peladan, qui s'intitule lui-même « le Macchabée du Beau ». Ésotérisme et narcissisme ne sauveront pas d'un long oubli cet art dont les champions s'appellent Bernard, Aman-Jean, Hodler, Khnopff, etc. Comme l'écrit Fénéon : « Trois pommes de Paul Cézanne sur une nappe sont émouvantes et parfois mystiques [tandis que] tout le walhalla wagnérien est aussi peu intéressant que la Chambre des députés quand ils le peignent. » S'ils s'évadent, c'est qu'à vrai dire le monde qu'on leur propose n'est décidément guère séduisant. Les scandales se succèdent dans ce qu'Aurier appelle « notre lamentable

24

Cézanne assis dans le jardin de Camille Pissarro, à Pontoise
(Pissarro est debout à droite). 1877.

Cézanne dans son atelier d'Aix, devant ses « Grandes Baigneuses ».
(Photographié par Émile Bernard). 1904.

La montagne Sainte-Victoire, Aix-en-Provence.

Maurice Denis. « Hommage à Cézanne ». 1900.

Cézanne et Gaston Bernheim de Villers. Aix-en-Provence. 1902.

et putréfiée patrie » : affaire Wilson, en octobre 1887, qui entraîne la démission du président de la République ; naissance du boulangisme ; Panama ; invasions du Tonkin et de Madagascar. Révoltes ouvrières à Montceau-les-Mines et Lyon (1882). Grèves à Decazeville et Vierzon (1886). La crise économique de 1883-87 provoque chômage et mouvements sociaux. Le 1er mai 1891, à Fourmies, la troupe tire sur la foule : dix tués, dont deux enfants. Bientôt, c'est la montée de l'anarchie : Ravachol, Vaillant, Henry jettent des bombes. Sadi Carnot, le nouveau président de la République, est assassiné en 1894. Émile Henry explique à son procès qu'il a été poussé au terrorisme par « une haine profonde, chaque jour avivée par le spectacle révoltant de cette société, où tout est bas, tout est louche, tout est laid, où tout est une entrave à l'épanchement des passions humaines, aux tendances généreuses du cœur, au libre essor de la pensée. » Il ajoute : « C'est alors que je me suis décidé à mêler à ce concert d'heureux accents une voix que les bourgeois avaient déjà entendue, mais qu'ils croyaient morte avec Ravachol : celle de la dynamite. » Et comme on lui parle des victimes : « La maison où se trouvaient les bureaux de la Compagnie de Carmaux n'était habitée que par des bourgeois. Il n'y aurait donc pas de victimes innocentes. » Les artistes, les écrivains affirment leur sympathie pour les

anarchistes. Fénéon, ami d'Henry, est arrêté le 25 avril 1894 pour détention d'explosifs. Il passe plus de deux mois en prison. Luce, membre de l'équipe pointilliste, le rejoint. Pissarro s'exile en Belgique. Ses convictions sont de plus en plus tranchées — comme celles de Cross, Signac, Vallotton, Steinlen. « Le sentiment ou plutôt la sentimentalité ne peut, sans danger, être de mise dans une société pourrie et en voie de décomposition », écrit-il en 1883. Et en 1887, parlant des peintres : « Tous ceux qui travaillent de leurs mains, de leur cerveau, qui créent le travail, quand ils sont dépendants des intermédiaires, sont des prolétaires ! Avec ou sans blouse... » Les années 1890 voient se multiplier les réunions politico-artistiques. Tabarant fonde le club de l'Art social auquel adhèrent Lucien Descaves, Pissarro, Jean Grave, Louise Michel. Mallarmé, interrogé sur les attentats, répond qu'il ne peut « discuter les actes de ces saints ». Selon l'écrivain réaliste Octave Mirbeau, « tout changera en même temps, la littérature, l'art, l'éducation, tout, après le chambardement général que j'attends cette année, l'année prochaine, dans cinq ans, mais qui viendra, j'en suis sûr ». Les petites revues symbolistes qui prolifèrent à partir de 1885 — le Décadent, la Vague, le Mercure de France, la Revue blanche, la Cravache, etc. — en arrivent à ce paradoxe : d'un côté on y cultive une langue aristocratique,

Le jardin de l'hôtel-Dieu, à Arles, où Van Gogh fut transporté après l'esclandre de l'oreille coupée.

Van Gogh (de dos) en conversation avec Émile Bernard, à Asnières. 1887.

La « maison jaune », place Lamartine, à Arles, où Van Gogh et Gauguin ont cohabité en 1888.

La chambre mortuaire de Van Gogh à Auvers.

Les tombes des frères Van Gogh à Auvers.

d'une extrême préciosité — Wyzema, introducteur de Wagner en France, prétend par exemple que « la valeur esthétique d'une œuvre est toujours en raison inverse du nombre des esprits qui peuvent la comprendre » ; de l'autre, on y déclare son adhésion à la révolution sociale et on publie la formule de la dynamite.

Toutes ces contradictions entre les diverses sortes d'anarchismes ne doivent cependant pas masquer la rupture essentielle : celle qui ne cesse d'opposer pendant un quart de siècle l'art le plus neuf, le plus vivant à l'ordre moral. L'affaire du legs Caillebotte où l'on voit l'État, soutenu par l'Académie, les politiciens et de nombreux journalistes refuser huit Monet, onze Pissarro, deux Renoir, trois Sisley, deux Cézanne parce qu'indignes d'entrer dans les collections nationales — cette affaire date de 1894, vingt-deux ans après la naissance du mouvement. « A cette occasion, écrit Rewald, furent dépassées les injures adressées aux impressionnistes lors de la première exposition du groupe. » On sait au demeurant que cette opposition se prolongera, par-delà le symbolisme, au XXe siècle, avec le fauvisme, le cubisme, dada, le stijl, le surréalisme, etc. Aussi faut-il, une fois planté le décor tourmenté où s'est déroulée la bataille, en chercher les raisons sur le terrain même du langage pictural.

Ce qui s'écroule avec l'impressionnisme, c'est la conception renaissante de l'espace. A l'époque de Manet, les peintres et les amateurs croyaient fermement que la méthode projective inventée dans les ateliers flamands et florentins à l'aube des Temps modernes était la solution finale à tous les problèmes de la peinture. On avait enfin résolu la quadrature du cercle : comment inscrire fidèlement sur une surface à deux dimensions une réalité — paysage, figure — qui en a trois. Cette solution, c'est la perspective monoculaire. Comme on le rappelait au début de ce chapitre, dans le système renaissant orthodoxe, la représentation du réel sur la toile obéit à un tracé régulateur. Toutes les *lignes de fuite* convergent vers un *point de fuite*. Chaque objet s'inscrit dans l'espace pictural selon l'estimation rationnelle que le peintre fait de son volume et de sa distance. « La perspective, écrit Léonard de Vinci, n'est rien d'autre que la vision d'un plan derrière une plaque de verre lisse et parfaitement transparente à la surface de laquelle tous les objets se projettent vers l'œil selon des pyramides interceptées par la plaque de verre. »
Outre la perspective d'Alberti, diverses solutions et variantes ont été proposées par la Renaissance pour déterminer un système gradué de l'espace. Mais ce qui nous importe, en l'occurrence, c'est qu'elles affirment toutes une

La maison où Gauguin logeait à Pont-Aven (à gauche de la photo).

Gauguin en costume breton. Vers 1890.

La côte tahitienne où Gauguin s'installa en 1891.

Le temps des marginaux, des révoltés,
des voyageurs chimériques commence.
A l'exil intérieur de Van Gogh
répond la fuite éperdue
de Gauguin vers les Tropiques.

mathématisation du champ visuel. Au sein du tableau, les différentes composantes de la nature sont liées entre elles par un rapport numérique. Elles obéissent à une seule et même cohérence topographique. Cette quantification du réel est propre à l'humanisme qui voit dans la nature le reflet de ses propres constructions mentales. On croit à l'harmonie des sphères. On imagine un cosmos soumis à la géométrie d'Euclide.

Pendant quatre cents ans, le schéma perspectif renaissant passera par différents stades : riche et fluctuant dans sa phase d'élaboration, bousculé à plusieurs reprises — par le maniérisme, le luminisme, etc. — il garde néanmoins son rôle prépondérant jusqu'au XIXe siècle. Là, sous l'influence mal comprise de Poussin et des écoles italiennes, il se fige et se durcit en recettes d'atelier. « La valeur réaliste de la perspective linéaire, observe Francastel, n'a été proclamée que dans les académies et vers la fin du XIXe siècle. » Diffusée quotidiennement par toutes sortes de médias : gravures, tableaux, images d'Épinal — qui elles aussi s'académisent au XIXe siècle —, la conception renaissante de l'espace finit par apparaître comme l'image même de la réalité. Il faudra attendre 1924 et une analyse fameuse d'Erwin Panofsky pour qu'on prenne conscience du caractère tout relatif, historiquement situé du schéma spatial florentin. La perspective monoculaire est un système arbitraire de signes et non pas, remarque Francastel, « une représentation objective, réaliste du monde, découverte un beau matin du Quattrocento par quelque Newton de la peinture [...] Elle n'est pas un système rationnel plus adapté que tout autre à la structure de l'esprit humain ; elle ne correspond pas à un progrès absolu de l'humanité dans la voie de représentations toujours plus adéquates du monde extérieur sur l'écran plastique fixe à deux dimensions ; elle est un des aspects d'un mode d'expression conventionnel fondé sur un certain état des techniques, de la science, de l'ordre social du monde à un moment donné ».

Mais s'il a fallu attendre 1924 pour formuler cette relativité de la perspective classique, les peintres, eux, depuis trois quarts de siècle, en avaient compris les limites. Ils ne reconnaissaient pas leur expérience du réel dans ces grilles régulières plaquées sur la variété de la nature. « La perspective vécue, celle de notre perception, n'est pas la perspective géométrique », explique Merleau-Ponty. Manet et ses compagnons sentaient obscurément qu'il y avait derrière le système renaissant un message qui n'était pas de leur époque. Ce message : le monde est simple, stable, hiérarchisé, il peut se dominer, c'est un jardin à la française où rien n'échappe aux certitudes de l'œil et de la pensée. L'homme

La clownesse Cha-U-Kao.

La baraque de la Goulue (décorée par Toulouse-Lautrec) à la foire du Trône.

Yvette Guilbert, « la Sarah Bernhardt des fortifs ».

Toulouse-Lautrec au Moulin de la Galette avec (à droite) la Goulue.

Lautrec travesti en Japonais.

Lautrec. « Autoportrait-charge ».

est le *Deus in terris* de cet univers sans contradictions. « Que signifie l'économie rationnelle du langage classique, demande Roland Barthes à propos de littérature, sinon que la Nature est pleine, possédable, sans fuite et sans ombre, tout entière soumise aux rets de la parole ? »

Or rien dans l'expérience quotidienne des hommes du XIXe siècle, pris dans le tumulte d'une histoire qui s'accélère, ne suggère la sérénité. Si le schéma renaissant s'adaptait à une vision du monde fondée sur l'état des connaissances et des pratiques du Quattrocento, comment serait-il applicable au siècle de Darwin et de Carnot, de Claude Bernard et de Maxwell ? Comme le disait déjà Newton au XVIIIe siècle : « J'ai l'impression d'être un enfant qui, jouant au bord de la mer, trouve de temps en temps un galet plus lisse, un coquillage plus beau que d'ordinaire, pendant que le vaste océan de la vérité s'étend devant moi. » L'océan de Newton n'a pas de limites — et toute prétention à codifier définitivement les lois de la nature est ressentie par les peintres comme une dérision. Notre système nerveux ne capte qu'une frange très étroite du réel, une toute petite partie du champ ondulatoire, au-delà de laquelle s'ouvre l'immense domaine de *l'imperceptible*. Comment espérer que l'art s'en tienne à ce qu'il a été pour Raphaël lorsqu'on sait par exemple que telle couleur frappe la rétine à raison

de cinq cents millions de vibrations-seconde ? Comment Monet ou Pissarro pourrait-il peindre la même pomme que Chardin quand son époque prend conscience du ruissellement atomistique ? La couleur pour Van Eyck au XVe siècle, c'est une mixture pigmentaire (terre de Sienne ou bleu d'Espagne) étalée sur un fond. Pour Monet, c'est un jeu d'ondes qui se mélangent : 1) dans la nature (un rouge rayonne sur la surface blanche qui lui est juxtaposée) ; 2) dans l'œil du peintre (qui sélectionne à sa façon parmi les dominantes perçues sur l'objet) ; 3) sur la toile (par le mélange chimique des pigments) ; 4) dans l'œil du spectateur (selon notre distance à l'œuvre et la taille des surfaces peintes). Devant une réalité qui s'élargit sans cesse sous l'influence de la science et de la technique l'artiste refuse de prolonger un vieux mensonge : la prétention à l'objectivité. Il ne cherche plus à nous montrer la *vraie* nature, l'essence du monde tel qu'il est, mais, plus modestement, son point de vue, son *impression* sur cette nature (Cézanne : « Peindre d'après nature n'est pas pour un impressionniste peindre l'objet mais réaliser ses sensations »). Le tableau ne décrit plus le réel mais *notre expérience du réel*. Non plus ce qu'on voit mais la manière de voir. Il est un document sur l'état fragmentaire de la vision à un certain moment de l'histoire. L'œuvre témoigne de l'idée que l'homme se fait de sa

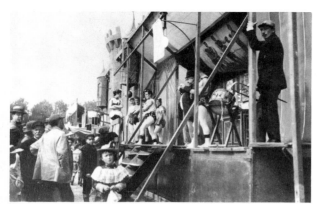
La fête foraine à Chatou. Vers 1885.

Toulouse-Lautrec dans son atelier.

Georges Seurat.

Paul Signac vers 1885.

Paul Signac devant sa toile « le Port de La Rochelle ».

*Qu'elle se tourne vers l'impressionnisme
et le folklore populaire,
ou, comme Seurat, vers l'austérité
d'une méthode
implacablement rationnelle,
la deuxième génération
entreprend de déborder et d'élargir
le sensualisme optique de Monet.*

situation dans le monde à un certain stade de l'évolution de l'espèce, et en fonction de l'information que celle-ci a recueillie sur son statut dans l'univers. Chaque fois qu'une nouvelle information vient mettre en cause la définition régnante, l'homme prend une nouvelle conscience de son rapport au monde et institue dans l'espace de la toile un nouveau système visuel pour l'exprimer. A cet instant surgissent la *déconstruction* du système précédent (généralement par absorption et dépassement) et l'édification d'un nouveau schéma. Ce qui succombe, avec l'impressionnisme, c'est l'image d'un monde balisé, préorganisé. Nous passons d'une conception géométrique, formelle à une conception subjective, intuitive. Le vécu fait irruption dans le culturel. L'œil sauvage de Cézanne pulvérise le tracé régulateur des classiques. Il construit sa toile selon les sollicitations désordonnées de la nature. Il obéit à l'impérieuse dictée des stimuli. Bientôt les hommes auront tellement conscience de l'infirmité de leurs sens face à la complexité infinie de l'espace-temps qu'ils tenteront d'en déterminer les lois dans un au-delà de la figuration immédiate — et ce sera l'abstraction. Ce que refuse l'impressionniste c'est l'idée d'un face-à-face entre l'homme et la matière. Il ne se ressent plus comme un spectateur, un témoin extérieur du réel. Il ne croit plus à l'opposition entre le moi et le non-moi. Comme

l'écrira Heisenberg : « L'ancienne division de l'univers en un déroulement objectif dans l'espace et le temps d'une part, en une âme qui reflète ce déroulement d'autre part, division correspondant à celle de Descartes en *res cogitans* et *res extensa*, n'est plus propre à servir de point de départ si l'on veut comprendre les sciences modernes de la nature... » Il n'y a pas d'un côté l'artiste, de l'autre — étalé sous ses yeux impassibles — le monde-chose, manipulable comme une nature morte, un ustensile, une marchandise. Chaque tableau impressionniste nous raconte l'histoire d'une libération : la vie a échappé au système étriqué de signes qui voulait la formaliser. L'expérience brute de la vision nie l'ordre classique où l'on croyait pouvoir l'enclore. Nous sommes impliqués, contaminés par la nature. L'homme n'en est plus l'ordonnateur, l'organisateur impérieux. Le monde tourne sans nous. Ce que découvre, non sans stupeur, le public de l'impressionnisme, c'est cette insoumission du réel à ses carcans. Pour la société bourgeoise du XIXe siècle, positiviste et pragmatique, le refus des schémas plastiques traditionnels est un symptôme. Un ordre qui se posait comme universel, définitif, s'aperçoit que — sur tous les plans — l'histoire continue. Chacun dans sa sphère, Marx, Cézanne, Mallarmé, bientôt Freud en font la même démonstration.

Les précurseurs

Parmi les légendes qui couraient sur les impressionnistes la plus plausible était leur inculture. Seule une ignorance crasse du grand art pouvait expliquer les débordements insensés de « l'école de la tache ». « L'absence complète de toute éducation artistique leur défend à jamais de franchir le fossé profond qui sépare une tentative d'une œuvre d'art », confie Albert Wolff à ses lecteurs du *Figaro* en 1876. Et Jules Claretie, dans son *Salon* publié la même année : « M. Manet n'a pas fait d'études artistiques suffisantes, et, quel que soit le talent d'écrire d'un homme, il lui manquera toujours quelque chose s'il ne sait pas l'orthographe. » Enfin Bertall, dans *le Soir*, s'imagine en cicérone les menant au musée : « C'est inutilement qu'on les a conduits devant les Titien, les Rembrandt, les Van Dyck, les Paul Véronèse, etc., etc., devant tous les chefs-d'œuvre immuables légués par le temps [...] Rien n'y a fait. »

Les impressionnistes n'avaient pourtant pas attendu Bertall pour visiter le Louvre. En 1862, Manet y rencontre Degas, qui est en train de copier Vélasquez. Lui-même s'attaque à l'*Autoportrait* du Tintoret, à une *Vierge* de Titien. Il s'inspire du *Concert champêtre* de Giorgione pour son *Déjeuner sur l'herbe*. Il étudiera un par un tous les musées d'Europe — de Prague à Madrid. Degas passe deux ans en Italie, le crayon à la main. Comme Seurat plus tard, il admire Ingres et atteint presque aux qualités du maître dans le dessin. Cézanne fera lui aussi au Louvre des incursions prolongées, réfléchissant sur Véronèse, Poussin et Chardin. Renoir analyse la composition du fragment gauche des *Noces de Cana*, qu'il reprendra dans son *Déjeuner des canotiers* (pages 110-111). Il se passionne pour l'*Infante Marguerite* de Vélasquez — ce qui ne l'empêchera pas de subir, dans sa période de réaction, l'influence de Raphaël, de Boucher et d'Ingres.

Familiers des musées, les impressionnistes ont été en premier lieu attirés par les peintres de la lumière. Très logiquement, ils ont puisé des encouragements chez les Vénitiens, Rembrandt, Vélasquez, le Lorrain, Watteau. Ils y trouvent un avant-goût de ce qu'ils cherchent : la dilution de la forme, le grignotage du contour. Le Greco, disciple de Venise, redécouvert au xixe siècle, anticipe sur la fusion cézannienne. Ses fonds et ses personnages s'interpénètrent, pris dans un même jaillissement torturé. La frontalité des lavis de Poussin et le sourd rayonnement de ses couleurs captivent également le maître d'Aix qui y distingue bien autre chose qu'une simple reprise des recettes classiques.

Visitant la Hollande en 1872, Manet reçoit de Hals une leçon de liberté. Le peintre de Haarlem le renforce dans sa volonté d'exprimer la vie par le flou, le tremblé, l'inachevé. Préoccupation qu'il retrouvera dans les lavis et les aquarelles de Constantin Guys, son aîné de trente ans, virtuose de l'instant, « peintre de la vie moderne », dessinateur remarquable dont le mérite, longtemps sous-estimé,

n'échappe pas à l'auteur de l'*Olympia*. Il fait son portrait et collectionne ses dessins. Il en possédera soixante à sa mort en 1883.

Toute l'histoire de l'art défilerait s'il fallait rendre compte des divers courants historiques qui ont irrigué l'impressionnisme. Quand surgit une nouvelle école, c'est d'abord sa singularité qui frappe. Picasso paraît extravagant en 1907. Dix ans plus tard, le voici devenu le continuateur de Cézanne et c'est Mondrian qui scandalise. Un des paradoxes de l'impressionnisme tient à sa double filiation romantique et réaliste. Au romantisme, il emprunte sa technique, quitte à en rejeter les thèmes. Renoir refait Courbet avec la palette de Delacroix. Manet, qui ne croyait qu'à la vérité du moment, trouve chez le visionnaire Goya des encouragements et d'abord ce « bougé », ce « flou » qui le passionnent chez Hals. L'Espagnol sait piéger l'impression, le passage. Il voit par taches — même s'il ne sort jamais de l'atelier. « Goya, dit un contemporain, peignait très loin de son modèle, saisissant les masses et les effets, les aspects et les attitudes naturels, ne se préoccupant jamais de linéaments et de contours. » En outre, par la brutalité de **ses** partis pris, il pulvérise la composition classique. D'impérieuses diagonales sectionnent ses surfaces. Les lignes de tension semblent se poursuivre au-delà du cadre. Monde abrupt, avec des masses décentrées, des volumes en position acrobatique, des sautes d'échelle et un refus très fréquent de la perspective.

Autre exemple pris au romantisme : Turner. Chez lui aussi la vision cosmique supplante l'observation précise du réel. Le monde physique n'est que l'alibi de ces immenses brassages où tous les règnes se confondent. Pissarro et Monet n'y puiseront ni leur touche fragmentée, ni leur conception de l'ombre colorée. Ce que Turner leur enseigne, en noyant l'objet dans la lumière, c'est le mépris de la ligne et de la couleur locale.

Le théâtre mythologique et onirique de Delacroix est également aux antipodes du naturalisme. Mais, chez Constable, l'auteur des *Massacres de Scio* découvre le principe de la séparation des teintes. C'est un de ces moments où les deux grands courants du xixe siècle — le romantisme et le réalisme — se croisent et se fertilisent. « Constable, écrit Delacroix dans son *Journal*, dit que la supériorité du vert de ses prairies tient à ce qu'il est composé d'une multitude de verts différents. Ce qui donne le défaut d'intensité et de vie à la verdure du commun des paysagistes, c'est qu'il la font ordinairement d'une teinte uniforme. Ce qu'il dit ici du vert des prairies peut s'appliquer à tous les tons. »

Delacroix s'y emploie, divisant ses couleurs avec de plus en plus d'audace (page 34), réalisant, par longues touches filiformes, le mélange optique que Seurat va systématiser trente ans plus tard et tâchant de produire « ces sortes de diamants dont l'œil est flatté et ravi, indépendamment de tout sujet, de toute imitation ».

Mais c'est encore dans la peinture mystique et fantastique des Anglais et des Allemands, à l'extrême pointe de la dérive romantique, qu'on trouve le plus de singularités formelles. Leur premier mérite est dans leur force négatrice. Blake, Palmer, Friedrich, Runge, Stifter (pages 36-37) — et aussi Füssli — contredisent les rigoureux schémas néo-classiques et archéologiques imposés par les théoriciens officiels. Runge, dans ses extases, met en cause — comme Blake — la stabilité horizontale de la composition renaissante et se lance dans des rêveries giratoires qui défient la pesanteur. Une lumière venue d'ailleurs éclaire ces paysages dont chaque objet abrite l'Esprit. « Dieu est partout, explique Friedrich, même dans un grain de sable... Je l'ai représenté en peignant des roseaux. » Et Palmer : « Il faut s'efforcer de rapporter de derrière les collines un peu de cette lueur mystique comparable à celle qui éclaire nos rêves. »
Les impressionnistes n'auront aucun contact direct avec le romantisme allemand. Mais Delacroix, dont René Huyghe a rappelé l'ascendance germanique et flamande — par sa mère — en retient quelque chose. L'âme profondément religieuse de Vincent Van Gogh, toute nourrie de calvinisme puritain, retrouvera devant les cyprès convulsés de Saint-Rémy les mêmes mots de passion et de fièvre qu'un Palmer ou un Runge.
Moins mystique, le paysage de montagne, qui se développe en Suisse au tournant du XIXᵉ siècle avec Caspar Wolf, Koch, Calame, traduit un intérêt nouveau pour la nature — fût-elle, comme ici, solennelle et dramatique. L'espèce d'abstraction monumentale de leur sujet — glaciers, rocs désolés, massifs déchiquetés — leur permet de singulières compositions avec des découpages verticaux, des disproportions qui tranchent sur les canons traditionnels. Il en va de même pour les aquarelles d'un Alexander Cozens, influencé par l'Extrême-Orient, dont le style, à base de taches et d'automatisme gestuel, ouvre la voie, en plein XVIIIᵉ siècle anglais, à toute une pléiade de paysagistes : son fils, Joseph Robert Cozens, Francis Towne, Girtin, Constable, Bonington, Cotman (page 40) qui pratiquent le plein air et trouvent des formules d'une surprenante liberté plastique : frontalité, spontanéité, refus de la construction équilibrée, etc.
A la fin du XVIIIᵉ siècle, un va-et-vient s'organise entre l'Angleterre, la Suisse et l'Italie, contournant la France. Il y restera mal connu. A Rome — où Joseph Vernet a peint vers 1750 des ports et des naufrages d'une lumière très fine qui prolongent le rayonnement du Lorrain et Hubert Robert des ruines qui sont autant de prétextes à d'insolites jeux perspectifs — les paysagistes français font pèlerinage. Valenciennes, par ses techniques et ses écrits, est un précurseur immédiat de l'impressionnisme. Avec lui nous sortons de la veine romantique pour entrer de plain-pied dans le courant analytique, fondé sur l'observation minutieuse de l'instant (pages 32-33). Il publie en 1800 un ouvrage « sur le genre du paysage » où il distingue « le paysage réaliste, qui nous fait voir la nature telle qu'elle est » du « paysage historique, qui nous fait voir la nature telle qu'elle pourrait être ». Il suggère de remplacer la perspective topographique par celle du sentiment — ce que fera Cézanne — et conseille de colorer les ombres — principe cher à Monet. Il recommande de ne jamais rester plus de deux heures sur le motif, parce que la lumière change, transforme les valeurs et fausse la vision. Michallon (page 33) et Corot subiront son influence. Un artiste moins connu comme le Danois Fritz Melbye, le premier maître de Pissarro sous les tropiques, s'inscrit lui aussi dans cette tradition du paysage romain où l'effusion lumineuse vient adoucir ce que le carcan classique pouvait avoir d'exagérément sévère.
Tandis qu'en Italie les peintres se laissent prendre aux charmes du passé l'Angleterre affronte déjà la révolution industrielle. Outre-Manche, le début du XIXᵉ siècle est « l'âge du charbon et du fer ». La première locomotive date de 1804. En 1830, on compte trente-cinq kilomètres de rails. En 1854 : dix mille. L'industrie britannique progresse à une vitesse stupéfiante. Devant la montée accélérée du machinisme — avec son cortège de laideurs — les peintres réagissent par l'instinctuel en favorisant, dans leur art, les données les plus physiques, les plus tactiles. Quand ils plantent leur chevalet devant un complexe industriel, on sent toute la distance, l'hostilité latente qui les en séparent. Dans les lointains, une fumée bleutée sinue au-dessus des arbres. Au premier plan, une roue de charrue, un fût de colonne rappellent les « vraies » valeurs.
« Ce que je veux traduire dans mes peintures, explique Constable, dont on a vu l'influence sur Delacroix, c'est la lumière, la rosée, la brise, la floraison, la fraîcheur, rien de tout ce qui a été peint jusqu'à présent. » Dans ses esquisses, ses aquarelles et ses huiles sur papier (page 41), il fixe en un instant le passage d'un nuage, le piquetage du soleil sur une frondaison : « Il n'y a pas deux jours qui soient semblables, ni même deux heures, et il n'y a jamais eu deux feuilles d'un arbre semblables depuis la création du monde. » C'est presque le ton des impressionnistes et Pissarro en 1871, à Londres, réalisera dans un esprit très similaire quelques-unes de ses meilleures œuvres. Constable traite souvent la nature par très gros plans, concentrant toute son attention sur une racine (page 211), un bosquet, des joncs épars au bout d'un étang. Vision rapprochée, réaliste, à l'opposé de celle de Turner. Le travail du peintre devient une enquête serrée, à la fois sur le monde physique et sur sa propre vision.
La seconde génération du naturalisme britannique prolongera l'effort de Constable. Avec Cox (page 40) nous entrons définitivement dans la sphère de l'impression subjective, du paysagisme sensoriel. Une secrète affinité semble relier l'aquarelliste frémissant de Birmingham à Monet, Pissarro et Renoir. Pourtant rien n'indique une filiation effective : cette conjonction des sensibilités prouve bien que l'impressionnisme était inéluctable. C'est Boudin et Jongkind qui enseigneront au jeune Monet le goût de la transparence lumineuse, la magie des changements atmosphériques. Quand Monet rencontre le premier au Havre, il a dix-sept ans. Le maître des plages et des ciels (pages 46-47) lui met littéralement le pinceau en main : « Sur ses instances, raconte Monet, j'acceptai d'aller travailler en plein air avec lui : j'achetai une boîte de peinture et nous voilà partis pour Rouelles, sans grande conviction de ma part. Boudin installe son chevalet et se met au travail. Je le regarde avec quelque appréhension. Je le regarde plus attentivement, et puis ce fut tout à coup comme un voile qui se déchire : j'avais compris, j'avais saisi ce que pouvait être la peinture. Par le seul exemple de cet artiste épris de son art, et d'indépendance, ma destinée de peintre s'était ouverte. »
Encore plus important peut-être sera le rôle de Jongkind (pages 46-47) : « Tout le paysage qui a une valeur à l'heure qu'il est, écrit Edmond de Goncourt en 1871, descend de ce peintre, lui emprunte ses ciels, ses atmosphères, ses terrains. » Jongkind sera particulièrement cordial avec le jeune Monet : « Il se fit montrer mes esquisses, m'invita à venir travailler avec lui, m'expliqua le pourquoi et le comment de sa manière et, complétant par là l'enseignement que j'avais déjà reçu de Boudin, il fut à partir de ce moment mon vrai maître. »
Ces deux maîtres tempèrent chez Monet et ses amis ce que la puissante présence d'un Courbet, dont la faconde domine l'école réaliste, pouvait avoir d'exagérément oppressif. Très vite, ils perçoivent les limites d'un naturalisme qui, pour traiter la vie quotidienne, n'en est pas moins attaché aux prestiges et aux cuisines de l'atelier. C'est Boudin, Jongkind, et aussi Corot (pages 42-43) qui leur apprennent à délayer ce que la palette de Barbizon, enrobée dans le « jus de chique », recélait encore de granuleux et de sombre. Barbizon — Diaz, Dupré, Millet, Rousseau, Daubigny — fait le lien avec la tradition hollandaise du XVIIᵉ siècle — Ruysdaël, Hobbema, Van Goyen, Croos, Van der Neer. C'est pour avoir senti les limites de cette peinture qui cherche encore, sous la simplicité de l'effet, une spiritualité, un « pathétique » étrangers à leur positivisme agnostique, que les impressionnistes vont construire une esthétique de la vision subjective, du vécu. Ils ne peignent plus le paysage mais leur perception brute de ce paysage. A partir de là tout bascule. Les influences reçues au hasard des musées et de l'histoire de l'art se métamorphosent en une machine de guerre contre l'espace topographique et balisé issu de la Renaissance. Travail critique et constructif à la fois, qui ne vaut que par la conjonction d'une multitude d'efforts fragmentaires. La destruction de l'espace classique sera le travail d'une équipe.

L'œil du peintre se dessille.
Il rompt l'ordonnance immuable
de la nature classique
et s'ouvre aux plaisirs
de la sensation immédiate.

Achille-Etna Michallon (1796-1822). *Vue d'un port sicilien.* Ver

Pierre-Henri de Valenciennes (1750-1819). *A la villa Farnèse, les ruines.* Vers 1780. Papier sur carton. H. 0,26 m. L. 0,40 m.

. Papier collé sur toile. H. 0,19 m, L. 0,39 m.

Pierre-Henri de Valenciennes. *Entrée d'une grotte dans la verdure.* Vers 1780. Papier sur carton. H. 0,28 m, L. 0,40 m.

A mi-chemin du romantisme et du réalisme, le paysage exprime, au tournant du XIXe siècle, un double climat : d'une part un panthéisme effusionniste, une dilution dans l'universel, d'autre part le goût de l'observation concrète et méthodique des faits de nature. L'*Émile* est paru en 1762, avec « la profession de foi du vicaire savoyard ». C'est le temps des rêveries et des méditations studieuses. Jean-Jacques, tout en flânant, herborise et scrute les phénomènes physiques. Michallon, qui précède de quelques années Corot en Italie, recommande de « bien regarder la nature et de la reproduire naïvement, avec le plus grand scrupule ». Sous une forme encore liée aux schèmes spatiaux de la Renaissance perce, à travers l'influence du Lorrain, le goût du détail vrai. Les pêcheurs de Michallon (en haut) travaillent au bord d'une mer et sous un ciel nourris de notations en plein air — on comparera avec les *Étretat* de Monet, un demi-siècle plus tard (pages 196-197).

Ces paysagistes d'Italie ont pour la plupart un double visage. Ils donnent à leurs contemporains des compositions solennelles, inspirées des canons classiques ; ils gardent dans leurs cartons des pochades d'une fraîcheur et d'une liberté où se laisse pressentir la seconde moitié du XIXe siècle. Fugacité, luminosité de la nature, tels sont les thèmes de Valenciennes dans son étonnante série du Louvre où éclate une frémissante sensibilité. L'artiste nous y livre, pris sur le vif, sans souci d'équilibre ni de construction, de brefs croquis de la campagne romaine. Pour mieux comprendre le rôle du rayonnement solaire, il peint le même site à des heures différentes et recommande à ses élèves ce procédé, que reprendront Jongkind et Monet. Il fait des études de nuages, de brouillard, conseille de peindre après la pluie. Il s'attache à un rocher, à un tronc d'arbre, à un bosquet. L'école du Midi : Guigou, Bazille, Cézanne retrouvera quelque chose de ces instantanés fragmentaires où se déploie souvent une audacieuse frontalité.

Eugène Delacroix. *La Mort de Sardanapale*. Détail. 1827.

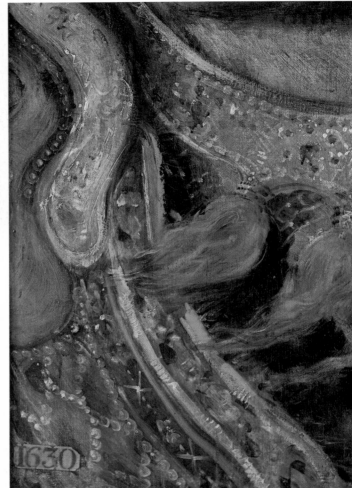

Eugène Delacroix. En très gros plan : le harnachement du *Sardanapale*.

Eugène Delacroix (1798-1863). *Saint Georges combattant le Dragon*. 1847. Toile. H. 0,28 m, L. 0,36 m.

Fond et premier plan
s'interpénètrent.
Les profondeurs hiérarchisées
de la Renaissance se diluent
dans l'imagerie héroïque
du romantisme.

La palette romantique dilue les contours. Les personnages participent du climat vaporeux, mi-onirique mi-atmosphérique, qui baigne toute la toile. Ils ne se profilent plus en avant du décor, ils sont faits de la même substance. Dans l'esquisse d'*Ossian* (*page de droite*) comme dans le *Saint Georges* de Delacroix (*ci-dessus*), des galeries se creusent dans la texture sans pesanteur ni densité de l'arrière-plan. Les espaces s'imbriquent, les profondeurs deviennent ambiguës, l'échelonnement perspectif est bousculé. « Les Horaces ou le Pâris de David rencontreront peut-être un jour, quelque part, la Reine de Saba de Piero, ils ne verront jamais l'Ossian de Girodet », écrit Pierre Francastel pour mettre en évidence la mutation qui s'opère entre le style très dessiné

de David et celui, plus fluide, de ses élèves. Prix de Rome en 1789 pour un *Joseph reconnu par ses frères*, Girodet reçoit en 1801 de l'architecte de la Malmaison une commande qu'il partage avec Gérard. La mode est à la mythologie écossaise. Napoléon, fervent lecteur d'*Ossian*, le poème de Macpherson, sera très content de la fresque finale, dont Girodet dira de son côté : « Elle est tout à fait de ma création, sans que je me sois inspiré d'aucun modèle. » Ses œuvres postérieures — dont le mélo-dramatique *Déluge* — retomberont dans la convention.
C'est aussi « l'imagination reine des facultés » (Baudelaire) qui inspire le pinceau de Delacroix. Mais les impressionnistes s'intéresseront surtout à sa technique.

Delacroix est l'idole de Cézanne. Parmi les projets les plus chers du peintre d'Aix : un hommage à l'auteur des *Femmes d'Alger*, où l'artiste comptait se représenter avec Pissarro, Monet et le collectionneur Chocquet. Seurat étudie de très près, dès 1881, *les Convulsionnaires de Tanger*. Signac, en 1899, saluera dans « son génie haut et clair » la source de toutes leurs recherches. Quant à Baudelaire : « On dirait que cette peinture, comme les sorciers et les magnétiseurs, projette sa pensée à distance [...] Il semble que cette couleur pense par elle-même, indépendamment des objets qu'elle habille. » Un détail en très gros plan du *Sardanapale* (*ci-dessus*) révèle comment Delacroix séparait ses teintes pour les laisser se mêler ensuite dans la rétine du spectateur.

Anne Louis Girodet de Roucy, dit Girodet-Trioson (1767-1824). *Les Ombres des héros français reçues par Ossian dans le paradis d'Odin.*
1801. Huile sur bois. H. 0,34 m, L. 0,29 m.

Caspar David Friedrich (1774-1840). *Paysage rocheux.* Vers 1812.
Toile. H. 0,94 m, L. 0,73 m.

Le mysticisme anglo-saxon
produit des paysages surréels
où s'annonce
l'art véhément de Van Gogh.

Samuel Palmer (1805-1881). *Le Pommier magique.* Vers 1830. Aquarelle. H. 0,34 m, L. 0,27 m.

Philipp Otto Runge (1777-1810). *Naissance de l'âme de l'homme.*
Vers 1805. Huile sur bois. H. 0,36 m, L. 0,33 m.

Adalbert Stifter (1806-1868). *Paysage de la Teufelsmauer.* Vers 1845. Aquarelle. H. 0,12 m, L. 0,15 m.

Un réalisme magique, pétri de mysticisme, envahit le paysage anglo-saxon. Les romantiques allemands excellent à faire ressentir la présence latente du sacré dans le moindre morceau de rocher, le moindre tronc d'arbre mort. A leur façon, ces peintres contribuent au dépassement des valeurs sclérosées du XVIIIe siècle. Ils font le lien avec Altdorfer d'un côté, avec Van Gogh et Redon de l'autre. Dans cette peinture de l'angoisse et du phantasme, de l'interrogation métaphysique et de l'affirmation véhémente de Dieu, où la nature semble prise dans un gigantesque silence, l'artiste choisit de s'épancher, de se noyer dans la création. Pour Friedrich, écrit Marcel Brion, « la peinture était un véritable sacerdoce, un culte rendu à la lumière ». Celle-ci est souvent chez lui lunaire et irréelle. « La seule source vraie de l'art est notre cœur, le langage d'une âme pure et candide, explique l'artiste. Un tableau qui ne jaillit pas de là ne peut être que pure jonglerie. » Fils d'un marchand de chandelles, familier des rives sauvages

de la Baltique, Friedrich restera marqué toute sa vie par la tragédie de sa jeunesse : à treize ans, un jour qu'il patinait avec son frère Christophe, celui-ci s'engloutit dans la glace, sous ses yeux. De là peut-être cette mélancolie discrète, ce goût de ruine que l'artiste exprime dans ses paysages de montagne (*page de gauche, en haut*) et ses marines. Chez son ami Runge (*page de droite, en haut*), mort à trente-trois ans de tuberculose, le thème dominant est celui d'un perpétuel retour vers la naissance, vers un monde où le temps et l'espace seraient circonscrits dans une giration éternelle et close sur elle-même. « Je veux retenir, écrit-il, les esprits qui flottent dans l'espace à l'heure où le soleil se couche et où le clair de lune dore les nuages [...] Nous devons voir, derrière chaque fleur, un être vivant. »
Les affinités de Runge et de Palmer ont été souvent soulignées. Profondément religieux, orphelin dès l'adolescence, Palmer est subjugué par William Blake, rencontré à dix-neuf ans, qui lui dit : « Celui dont

l'imagination ne crée pas une ligne plus forte et plus belle, une lumière plus forte et plus belle que ce que peuvent voir ses pauvres yeux de mortel n'a pas d'imagination du tout. » Dans ses paysages du Kent (*page de gauche, à droite*), où règne une lumière alchimique d'or et de nuit qui annonce les jaunes de Van Gogh, l'arrondi des collines renvoie à celui des moutons, les arbres se penchent et se lient pour composer une voûte au-dessus du berger. Ce que fixe Stifter dans ses curieuses et arides aquarelles (*ci-dessus*), c'est la présence de l'énergie tellurique, la sourde puissance de la terre. Il ramassait des cailloux sur les chemins, puis les disposait dans une cuvette et il les recouvrait d'eau : « Sa servante et lui-même, raconte Marcel Brion, agitaient ensuite cette cuvette jusqu'à ce que les cailloux aient pris, dans l'eau, la disposition qu'il souhaitait leur voir. » D'où l'étrange texture, la coloration inquiétante de ses paysages de lave où s'annoncent les subjectivités hypersensibles de la fin du siècle.

Joseph William Turner (1775-1851). *L'Incendie du Parlement*. 1834-35. Toile. H. 0,93 m, L. 1,23 m.

La lumière, tour à tour associée au rouge des flammes, au noir de la fumée, au blanc de la neige, c'est ainsi que Turner conçoit son œuvre de visionnaire. Célèbre et combattu, il aura toute sa vie l'obsession de faire mieux que le Lorrain, exigeant dans son testament qu'une de ses œuvres figure en permanence à côté d'une marine du maître français, moyennant quoi il léguera à la nation britannique dix-neuf mille dessins et plus de deux cents toiles. Personne, avant le XXᵉ siècle, n'est allé plus loin que Turner dans l'évaporation de la forme, personne n'a mieux fait sentir combien chaque particule de matière s'inscrit dans un même continuum cosmique en perpétuelle mutation. Ses toiles sont d'immenses brassages d'une texture poudreuse, traversée par un rayonnement qu'il qualifiait lui-même de « divin ». L'artiste semble peindre à la fois les origines du monde et l'ultime cataclysme où l'espèce s'engloutira. La réalité immédiate — l'incendie du Parlement de Londres (*ci-dessus*) ou cette tempête de neige dans les Alpes (*page de droite, en bas*) — n'est pour lui qu'un premier déclic d'où sa rêverie s'envole, sans limites ni contours.

Les impressionnistes seront d'abord émerveillés par Turner. Pissarro et Monet, réfugiés à Londres en 1870, « eurent là, raconte Gustave Geffroy, au milieu des quatre-vingts tableaux de la National Gallery, le tressaillement des bonnes rencontres, le choc avertisseur d'une sympathie, la joie d'apercevoir que ce que l'on cherche a déjà hanté un autre esprit, et que la réalisation est commencée ». Mais bientôt, accusés d'être de simples disciples du lyrique Anglais, ils prendront leurs distances : « Turner et Constable, écrit Pissarro en 1903, tout en nous servant, nous ont confirmé que ces peintres n'avaient pas compris l'*analyse des ombres* qui, chez Turner, est toujours un parti pris d'effet, un trou. Quant à la division des tons, Turner nous a confirmé sa valeur comme procédé, mais non comme justesse ou nature. » Et Monet fera observer qu'il était, dès avant 1870, plus réaliste et analytique que Turner, ajoutant que l'artiste britannique « lui était antipathique en raison du romantisme exubérant de son imagination ».

Joseph William Turner. *Funérailles marines*. 1842. Toile. H. 0,62 m, L. 0,92 m.

Joseph William Turner. *Tempête de neige, avalanche et inondation au val d'Aoste*. 1837. Toile. H. 0,92 m, L. 1,22 m.

Turner atomise
les composantes disparates
du monde visible.
L'eau, le feu, le ciel, la terre
se noient dans l'impalpable.

David Cox (1783-1859). *Le Train de nuit*. Vers 1856. Aquarelle. H. 0,27 m, L. 0,37 m.

David Cox. *Soleil, vent et pluie*. 1845. Aquarelle. H. 0,45 m, L. 0,60 m.

Aux agressions de la révolution industrielle
l'art anglais répond par des poèmes familiers
dédiés à la lumière.

John Sell Cotman (1782-1842). *Ganton Park, Norfolk*. 1831-32. Aquarelle.
H. 0,42 m, L. 0,31 m.

John Constable (1776-1837). *The Grove in Hampstead*. 1821-22. Huile sur papier. H. 0,24 m, L. 0,30 m.

En employant des méthodes qui s'adaptent le mieux à leur besoin de rapidité et d'observation directe de la nature, les artistes britanniques du premier demi-siècle préfigurent le climat de l'impressionnisme. « Quoi ! Toujours opposer de vieilles toiles noires, enfumées et crasseuses aux œuvres de Dieu ! » s'écriait Constable, et il ajoutait, devançant Cézanne : « Lorsque je m'assois, le crayon ou le pinceau à la main devant une scène de nature, mon premier soin est d'oublier que j'aie jamais vu aucune peinture. »
Ce qui captive dans ses esquisses — qui n'étaient pas destinées au public, mais à préparer des toiles — c'est la spontanéité du regard (voir aussi page 211). Aucun tracé préétabli ne conduit la main rapide de l'artiste dans son appréhension brute du réel. Son coup de pinceau intuitif s'adapte à merveille à la quête de l'éphémère. *The Grove (ci-dessus)* a été peint d'une fenêtre, sans doute sous la sollicitation de l'arc-en-ciel. Constable y emploie, pour les arbres — cinquante ans avant l'impressionnisme —, une touche abrupte, parfois divisée. Il rehausse çà et là d'une tache rougeâtre la tonalité gris-vert de ses bouquets d'arbres. Chez Cotman, la vision est plus solennelle, la troisième dimension sacrifiée à la géométrie. Il consacre la première partie de sa vie à des aquarelles frontales et sans ombres qui semblent faire la transition entre l'art oriental et le cloisonnisme d'un Gauguin. Mais il subit ensuite l'influence de Turner et de Bonington. Il se rapproche alors d'une conception plus fluide et plus familière de la nature (*page de gauche, en bas à droite*). Mais c'est chez David Cox (*page de gauche*) que la préfiguration de l'impressionnisme est la plus évidente. Cet art si amoureux de la nature, si sensible aux moindres vibrations de la campagne est une réaction contre l'industrialisation accélérée de l'Angleterre. On notera (*page de gauche, en haut*) l'opposition entre le monde mécanique, dans les lointains, et le premier plan de chevaux — symboles de liberté.

Charles-François Daubigny (1817-1878). *Soleil couchant sur l'Oise.* 1865. H. 0,39 m, L. 0,67 m.

La renaissance du paysage français débouche sur la saisie attendrie de l'instant.

Théodore Rousseau (1812-1867). *Les Chênes.* Non daté.
Toile. H. 0,53 m, L. 0,64 m.

Charles-François Daubigny. *Soleil couchant sur l'Oise.* Détail.

Explorateurs modestes des sous-bois et des clairières, les peintres d'Auvers et de Barbizon réhabilitent à la fois le paysage comme genre et l'Ile-de-France comme sujet. Méprisé sous le premier Empire, écrasé sous les tableaux d'histoire, limité aux descriptions solennelles de la campagne romaine, le paysage était considéré, avant Barbizon — malgré le succès de Constable et les essais de Géricault —, comme le type même de la « petite manière ». C'est ainsi que le Salon, après avoir accueilli les débuts de Théodore Rousseau (*ci-dessus*), lui fermera ses portes pendant huit ans, sans égard pour le charme noble et sincère d'un art où les déflagrations de la lumière sont volontairement traitées en demi-teintes.

Jean-Baptiste-Camille Corot (1796-1875). *Moulins à vent sur la côte picarde.*
Vers 1855-65. Toile. H. 0,19 m, L. 0,30 m.

Jean-François Millet (1814-1875). *Le Printemps.* 1868-73. Toile. H. 0,86 m, L. 1,11 m.

Jean-François Millet. *L'Hiver.* 1868. Pastel. H. 0,69 m, L. 0,93 m.

Pourtant, Barbizon porte en lui les germes de la révolution impressionniste. Ce qui s'annonce à travers cette peinture sans emphase, ce sont déjà les thèmes du rayonnement et de l'éphémère, le point de vue subjectif, le refus d'une composition trop étudiée, c'est enfin la pratique du plein air, puisque à Barbizon on plante son chevalet dans la campagne, quitte à finir le tableau à l'atelier.

L'eau, le reflet, l'inachevé — qui feront de Monet un des géants de l'histoire de l'art — sont préfigurés chez Daubigny. En 1857, il se fait construire une péniche, le *Botin*, surmontée d'une petite cabine — Monet fera pareil quinze ans plus tard (voir pages 98-99). Daubigny y vivra une existence errante,

explorant tout le bassin de la Seine, peignant sur le vif des « impressions » d'une étonnante fraîcheur.
« En 1870, à Londres, raconte Paul Durand-Ruel, Daubigny me présenta Claude Monet : "Voilà un jeune homme qui sera plus fort que nous tous." Et comme, devant ces toiles inhabituelles j'étais un peu désorienté et hésitais, Daubigny de me dire : "Achetez, je m'engage à vous reprendre celles dont vous ne vous déferez pas et à vous donner de la peinture en échange, puisque vous la préférez". »
Corot, dont le succès ne s'affirmera que vers la soixantaine, sera lui aussi un médiateur et un ami pour la nouvelle génération.
Un moment professeur de Berthe Morisot,

il conseille de revenir sans cesse sur le motif et de ne jamais oublier l'impression première. Dans ses *Moulins à vent sur la côte picarde*, le traitement frontalisé du premier plan annonce directement le Pissarro des années 1870.
Chez Millet, qui s'installe à Barbizon en 1849, c'est l'amour de la glèbe grasse et fertile qui se déploie, même s'il la dissimule quelquefois sous un tapis de givre (*ci-dessus*).
Bernard Dorival compare à Péguy l'auteur de *l'Angélus* et Duranty l'appelait « l'Homère de la campagne moderne ». Van Gogh qui, à Saint-Rémy, devait copier au pinceau beaucoup de gravures de Millet, se souviendra de ses perspectives franches, de ses lignes de fuite plantées droit dans le paysage.

Paul Huet (1803-1869). *Paysage : les Ormes de Saint-Cloud.* 1823. Toile. H. 0,42 m, L. 0,52 m.

L'artiste exalte
la chimie des pigments.
Il raccourcit ses perspectives
et révèle
un nouvel espace subjectif.

Adolphe Monticelli (1824-1886). *Négresse porteuse d'oiseaux (au palais de Schéhérazade).* Vers 1878. Huile sur bois. H. 0,30 m, L 0,40 m.

François-Auguste Ravier (1814-1895). *Jardin d'une villa romaine*. Vers 1842. Papier collé sur carton. H. 0,25 m, L. 0,27 m.

Toute une « cuisine » de riches matières envahit le tableau. L'artiste cherche à faire parler la substance même de la peinture. Il accentue l'épaisseur des pigments, les taches aux contours fondus, les accumulations de glacis qui donnent à la texture une densité ambiguë et fascinante. Focillon, à propos de la couleur chez Monticelli (*page de gauche, en bas*), évoque sa pâte « tantôt saisie et maçonnée au couteau, tantôt ramassée, travaillée en conglomérats poudroyants par les coups réguliers, les tapotements d'une brosse petite, ronde et courte ». Cézanne sera très curieux de ces effets de matière. Il visite souvent son aîné à Marseille où le vieux peintre, revenu s'installer en 1870, poursuit dans la misère ses ténébreuses alchimies. Parfois les artistes vont ensemble sur le motif. Ils feront même, sac au dos, un voyage d'un mois dans la campagne aixoise, Cézanne surveillant son confrère pour percer ce qu'il appelle ses « secrets personnels de trituration ». Même fascination chez Van Gogh qui dira de Monticelli : « Parfois je crois réellement continuer cet homme-là. » Romantisme et matiérisme, tels sont aussi les traits dominants de Paul Huet (*page de gauche, en haut*), qui peint dès les années 1820 des frondaisons d'un accent dramatique. Il nous décrit une nature sauvage, parfois déchaînée — comme plus tard dans ses tempêtes d'Honfleur —, et nous la restitue sans tenir compte des critères de composition et d'équilibre formel qui dominaient l'enseignement de Gros ou de Guérin par lequel il était passé. Huet est souvent aussi libre et direct que Constable, qu'il ne connaîtra qu'au Salon de 1824. Ami de Dupré, de Diaz et de Théodore Rousseau, il sera parmi les promoteurs du paysage sensible et subjectif qui triomphera à Barbizon.

Ravier et Chintreuil, nés la même année, le premier lyonnais, le second parisien, entretiennent tous les deux d'étroits rapports avec Corot. Ravier le rencontre dans la campagne romaine en 1839 et Corot apprécie en connaisseur son sens de la lumière. Mais ce qui frappe davantage aujourd'hui chez cet artiste méconnu, c'est l'audace de ses raccourcis qui contractent la profondeur à la façon de certains Cézanne des années 1870. Dans son *Jardin d'une villa romaine* (*ci-dessus*), le basculement oblique des arbustes (à droite) accentue le sentiment de chose vue. Même frontalité chez Chintreuil (*ci-contre*) dont les titres l'*Espace*, *Pluie et soleil*, etc. annoncent les thèmes de l'impressionnisme. Pour ce peintre maladif, solitaire et misérable, ancien élève de Corot, l'Ile-de-France sera l'occasion de poèmes délicats où Redon distingue à bon droit « ce génie tendre et doux, qui se révèle simplement, dans une forme si discrète et dont les réserves profondes et passionnées ne trouvent d'échos que dans un nombre d'âmes choisies ».

Antoine Chintreuil (1814-1873). *La Côte*. Vers 1850-57. Toile. H. 0,22 m, L. 0,28 m.

Johan Barthold Jongkind (1819-1891). *Bateau-lavoir sur la Seine.* Vers 1855.
Aquarelle. H. 0,30 m, L. 0,47 m.

Eugène Boudin (1824-1898). *Régates*

Johan Barthold Jongkind. *Au Roi du désert.* Vers 1854. Aquarelle. H. 0,29 m, L. 0,38 m.

Johan Barthold Jongkind. *Vue de Grenoble.* 1877. Aquarelle. H. 0,24 m, L. 0,36 m.

Le réalisme de l'éphémère hante les précurseurs immédiats de Monet et de ses compagnons. Le *Paysage marin* de 1874 (*page de droite*) montre en Courbet le « puissant ouvrier, la sauvage et patiente volonté » qu'avait discerné Baudelaire. Paysan et chasseur, Courbet voulait prendre la nature à bras-le-corps et rendre au plus près la vérité de sa matière. Un jour qu'on l'interrogeait sur ce qu'il peignait, il avait dû reculer pour observer sa toile avant de reconnaître son motif : « C'est un fagot ! » Dans le cours qu'il ouvre pour quelques mois rue Notre-Dame-des-Champs, en 1862, Courbet fait poser un poney et un bœuf vivants. Il ne croit qu'à ce qui se voit, ce qui se palpe : « Je tiens que la peinture est un art

essentiellement concret, et ne doit exister que dans la représentation des choses réelles et existantes. » Vaniteux mais intègre, « terrible tapageur » selon le mot de Zola, Courbet s'était promis de ne jamais « dévier d'un cheveu de ses principes » ni de « mentir un seul instant à sa conscience », ni même de peindre « fût-ce grand comme la main, dans le seul but de plaire à quelqu'un ou de vendre plus facilement ». Dès les débuts de l'impressionnisme, il s'efforcera d'épauler ses cadets. C'est l'époque où Renoir, Cézanne et Monet, fascinés par son « principe large », tentent de l'imiter jusqu'à reprendre sa technique du couteau à palette. « Je garde de ces relations un précieux souvenir, disait Monet. Courbet a toujours été pour moi si encoura-

geant et si bon, jusqu'à me prêter de l'argent dans les moments difficiles. »
Même générosité chez Boudin, observateur ému et modeste des plages de la Manche, admirateur des Hollandais, de Guardi et de Watteau. « Tout ce qui est peint directement et sur place a toujours une force, une puissance, une vivacité de touche qu'on ne retrouve plus dans l'atelier, expliquait-il à Monet débutant. Il faut montrer un entêtement extrême à rester dans l'impression primitive, qui est la bonne. » Les *Régates à Anvers* (*en haut, au milieu*) comptent parmi ses chefs-d'œuvre. Dans ces drapeaux aux couleurs décalées, les bleus et les rouges flottent, instables, palpitants, hors de leurs frontières préétablies, comme si l'œil, frappé

nvers. Vers 1880. Huile sur bois parqueté. H. 0,21 m, L. 0,37 m.

Grenoble.

Courbet, Jongkind, Boudin
font de la transparence de l'air
leur thème d'élection.

Gustave Courbet (1819-1877). _Paysage marin_. 1874. Toile. H. 0,46 m. L. 0,55 m.

par les taches les plus vives, en gardait plus longtemps l'impression. La couleur devient indépendante de la forme. Trente ans plus tard, le Havrais Dufy reprendra et développera la même méthode.

Les aquarelles de Jongkind expriment « un sentiment presque pathétique de la lumière » (Bernard Dorival). Sa touche vibrante et légère sait traduire la transparence impalpable de l'air. Qu'il s'attaque à la Seine, aux bicoques de Montmartre ou au massif qui surmonte Grenoble, qu'il erre sur les chemins de Hollande, de Savoie, de Normandie, il y a chez ce vagabond alcoolique — qu'on crut tant de fois perdu pour la peinture — un don prodigieux des mutations imperceptibles de l'atmosphère.

Jean-Baptiste-Camille Corot (1796-1875). *Jeune Femme à l'écharpe rose.* Entre 1865 et 1870. Toile. H. 0,67 m, L. 0,55 m.

Jean-Baptiste Carpeaux. *Portrait de Charles Carpeaux.* 1874. Toile. H. 0,40 m, L. 0,32 m.

Jean-Baptiste Carpeaux (1827-1875). *Étude de nu.* Non datée. Toile. H. 0,40 m, L. 0,32 m.

Dans le tremblé de ces visages, les premières crises de la figure humaine.

La figure humaine n'échappe pas aux métamorphoses de la vision. Dans la souveraine simplicité du portrait de Mariette, le modèle de Corot (*page de gauche*), l'aplatissement de la perspective est aussi accentué que chez Cézanne (pages 237 et 241). Il repose sur l'interpénétration du premier plan et de l'arrière-plan. Le personnage émerge doucement dans une ambiance de formes nuageuses qui semblent parfois venir en avant de la silhouette (en bas, à gauche du tableau). Sentiment accentué par la frontalité des vêtements et des bras, traités sans relief et recouverts çà et là de petites taches aux contours indécis, du même grain que le fond. Corot peignait des figures quand sa santé lui interdisait les stations en plein air et les voyages. Beaucoup furent réalisées pen-

dant les dix dernières années de sa vie. Le public ne les appréciait pas et préférait le cantonner dans le paysage. Il faudra l'exposition de l'Orangerie en 1936 pour qu'on découvre — non sans émerveillement — le peintre des visages féminins. Pablo Picasso, qui emploie dans ses *Arlequins* de la période rose une gamme souvent très proche de celle qui est utilisée dans le tableau de la page de gauche, avait su reconnaître en Corot portraitiste un des maîtres de l'art français. Autant Corot est aérien, autant Carpeaux est obscur et dense. Sculpteur illustre, on lui doit aussi plus de trois mille dessins et quelques dizaines de tableaux peu connus, riches en pâtes, pleins de zébrures brutales, qui le situent entre Hals et Magnasco d'un côté, Manet de l'autre. Carpeaux, qu'on

accusait parfois de sculpter en peintre — à cause de sa lumière frisante et de ses surfaces fendillées (page 93) —, peint en sculpteur. Il plaque sur le portrait de son fils (*ci-dessus, à droite*) des touches grasses et luisantes un peu comme il monte ses figurines de terre cuite « à la boulette » — la matière roulée dans la main puis écrasée avec le pouce. Ses éclairages expressionnistes, ses effets lumineux sur fonds sombres annoncent un peintre puissant et décidé. Les tableaux de Carpeaux ressemblent au portrait que les Goncourt font de leur auteur en 1865 : « Une nature de nerfs, de violence, d'exaltation, une figure à la serpe, toujours en mouvement, avec des muscles changeant de place et des yeux d'ouvrier en colère. La fièvre du génie dans une peau de marbrier. »

Pierre Puvis de Chavannes (1824-1898). *Le Rêve*. 1883. Toile. H. 0,82 m, L. 1,02 m.

Grâce à un trio de symbolistes, dont les conceptions spatiales et chromatiques influenceront à la fois Gauguin, Seurat et leurs disciples respectifs, les conquêtes de l'impressionnisme sont remises en question dès les années 1880. Si Redon avait l'âge de Monet, Puvis est son aîné de seize ans, et Moreau de quatorze. Pourtant leur démarche ne sera connue que tardivement, quand l'équipe rassemblée autour de Monet entre en crise.

Ancien élève de Delacroix et de Couture, Puvis était l'ami de Chassériau, le peintre de la Cour des comptes. Il sera le plus grand décorateur de son temps, couvrant des surfaces énormes dans toute la France. Son registre : « un art de rêve, de silence, de lents mouvements, de beauté pacifique » (Félix Fénéon). Son leitmotiv : l'ordre. « Je suis convaincu que la conception la mieux ordonnée se trouve en même temps la plus belle. J'aime l'ordre parce que j'aime passionnément la clarté. » Puvis triomphe par son sens de l'espace, son goût de la simplification. Avec lui, le mur n'est jamais encombré, il « respire ». Là où il est noble et calme, Redon est secret, tourmenté. C'est une sorte de romantique allemand égaré dans une génération toute vouée à un naturalisme qu'il trouve « un peu bas de plafond. » Lui aussi part du réel, mais pour en nourrir ses rêves — à la façon de Max Ernst au XXᵉ siècle. « C'est seulement après un effort de volonté pour représenter minutieusement un brin d'herbe, une pierre, le pan d'un vieux mur que je suis pris comme d'un tourment de créer de l'imaginaire, écrit Redon [...] J'ai passé des heures, ou plutôt tout le jour, étendu sur le sol, aux lieux déserts de la campagne, à regarder passer les nuages, à suivre avec un plaisir infini les éclats féeriques de leurs fugaces changements. » Il est de la famille de Goya, de Poe,

50

Rêves et phantasmes
envahissent la peinture.
Sur les franges
de l'impressionnisme,
ils annoncent la découverte
d'un nouveau continent :·
l'inconscient.

Gustave Moreau (1826-1898). *Salomé ou l'Apparition*. 1876-80.
Toile. H. 1,42 m, L. 1,03 m.

Odilon Redon (1840-1916). *La Naissance de Vénus*. Vers 1910.
Pastel. H. 0,83 m, L. 0,64 m.

Odilon Redon. *L'Apparition*. Avant 1900. Huile sur bois. H. 0,52 m, L. 0,37

de Bresdin, totalement soumis à la dérive
de son inconscient, cultivant une inquiétude
qu'il transfigure dans des pastels d'une riche
couleur fondue et chatoyante.
Plus mystérieux encore, enfermé dans
son étrange laboratoire de la rue La Roche-
foucauld, Gustave Moreau peint de
somptueuses et lourdes draperies abstraites
qui traversent ses toiles par grands aplats
rouge sang, or ou bleu nuit. Dans ces textures
ambiguës, morbides, opulentes c'est tout
le goût de la peinture pure qui s'annonce,
goût de la matière et de la tache où se
reconnaîtra le XXᵉ siècle.

CHAPITRE I

Le point de vue

de l'artiste se déplace.
Il désaxe et fractionne
le champ visuel.

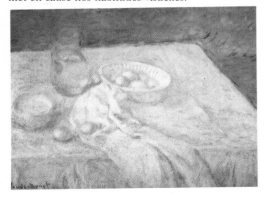

Claude Monet. Nature morte aux œufs. 1910.
Par le surplomb et le décadrage, l'artiste
met en cause nos habitudes visuelles.

Honoré Daumier. Crispin et Scapin. Vers 1860.
Daumier inaugure les éclairages de
théâtre, très contrastés. Son exemple sera
suivi par Degas et Lautrec.

Vincent Van Gogh. Les Souliers. Vers 1886.
Deux perspectives différentes pour le sol
et pour les chaussures.

Nadar. Vues de l'Étoile.
Les photos aériennes de Nadar donnent
une vision inattendue du paysage urbain.

De toutes les agressions menées par la génération impressionniste contre les conceptions spatiales issues de la Renaissance, la plus spectaculaire est le désaxement de la ligne de fuite. Les classiques — à plus forte raison leurs suiveurs académiques du XIXᵉ siècle — portaient sur la nature un regard souverain. Le monde s'étalait devant eux comme un théâtre organisé, le peintre plantait son chevalet à hauteur d'homme, il fixait la ligne d'horizon à la moitié de la toile et ne se permettait, dans la plongée ou la contre-plongée, que de très modestes écarts. L'approche considérée comme « naturelle », c'était ce banal vis-à-vis entre une réalité « immuable » et un œil « objectif » qui ne prétendait que l'enregistrer, de l'extérieur, telle quelle, dans son équilibre et son « fini ». Le paysage se distribuait autour d'un axe perpendiculaire à la ligne d'horizon et parallèle au sol.

Avec l'impressionnisme, cet axe se déboîte et bascule. Les certitudes volent en éclats. L'espace tourne et se désunit. Tout se passe comme si un photographe amateur ne parvenait pas à *cadrer* son motif. Des morceaux de visages apparaissent, des planchers envahissent le champ (page 68), des barques sont brutalement coupées en deux (pages 82-83), la ligne d'horizon s'inscrit au-dessus ou au-dessous du tableau (page 78).

Du même coup, le personnage perd de son importance. Il trônait naguère au centre de la toile. La nature, le décor s'organisaient autour de lui, rassurants. Désormais, il est morcelé, écrasé contre un sol qui remonte, évacué dans les marges, relativisé dans le chaos des objets et des plans. Il compte moins que tel pilier, au premier plan, que telle table qui occupe les deux tiers de la composition (page 84). L'objet lui-même, saisi sous des angles insolites, ne nous présente plus son profil usuel. On croyait le connaître. Mais voici qu'observé latéralement, il devient autre chose, il s'insère et se fond dans un puzzle de formes composites (pages 62-63) où se brisent ses contours et son autonomie.

Là où la Renaissance a imposé un espace unitaire, tous les éléments du tableau obéissant au même tracé régulateur, à la même loi perspective, au même cadre géométrique, certains — et d'abord Van Gogh — emploient maintenant plusieurs lignes de fuite différentes. Les chaussures, en gros plan, sont vues de trois quarts, le sol sur quoi elles reposent est vu presque de face. C'est que l'artiste reconstitue ce qu'il a vécu et non ce qu'il *sait* du réel. Il ne rend pas compte d'une logique objective mais d'une expérience de l'instant. Il a remarqué les chaussures d'abord, comme un détail, un *close up,* puis il a ressenti la présence envahissante du carrelage et il a rendu cette présence par l'envahissement frontal de la toile. L'expérience est ici successive et non simultanée.

La distorsion de la vision, l'asymétrie, l'éclatement du schéma visuel classique se sont imposés d'abord chez les peintres qui, au sein de l'impressionnisme, étaient des citadins. Degas observe, dès 1859, dans ses *Carnets* : « On n'a jamais fait encore les monuments ou les maisons d'en bas, en dessous, de près, comme on les voit en passant dans les rues. » A l'époque, Paris est une ville de piétons où l'espace est absorbé au rythme de la marche. « Chez Manet, explique son ami Antonin Proust, l'œil jouait un si grand rôle que Paris n'a jamais connu de flâneur semblable à lui, et de flâneur flânant plus utilement [...] Il dessinait sur son carnet un rien, un profil, un chapeau, en un mot une impression fugitive. » L'urbanisation accélérée du XIXᵉ siècle, les grands travaux d'Haussmann, la construction en hauteur engendrent un espace artificiel, une vision plus accidentée, plus fermée, où les perspectives planes, les horizons, disparaissent au profit des plongées, des angles de vue acrobatiques (pages 76-77). Les photos aériennes prises du ballon de Nadar dans les années 1850 révèlent à la fois une image inconnue de la ville : compacte, ordonnée, immense ; et une nouvelle manière de la regarder : en surplomb quasi vertical au-dessus du motif, sans recul ni transition. Ces images, popularisées par

Robert Demachy. Le Cheval blanc dans la prairie. Photographie, vers 1896.
La photo imite l'art; Demachy s'inspire de Corot.

Edgar Degas. Photographie.
A partir de 1872, Degas poursuit ses recherches sur l'espace à travers la photographie.

Jean Fouquet. Livre d'heures d'Étienne Chevalier (détail). XVᵉ siècle.
Dès le XVᵉ siècle, des solutions spatiales surgissent qui ne doivent rien à la perspective florentine. Ainsi les espaces courbes de Fouquet.

Le Corrège. L'Ascension de la Vierge. Coupole de la cathédrale de Parme (détail). XVIᵉ siècle.
La coupole baroque invente des solutions acrobatiques qui bousculent les canons de la première Renaissance.

d'innombrables gravures, ont sans doute joué un rôle libérateur pour la vision des peintres.

Contrairement à une idée reçue, il n'en va pas de même pour la photographie courante de studio ou de paysage qui, comme l'a montré Pierre Francastel, participe étroitement de la conception renaissante. La nature monoculaire de l'objectif et le choix de moyennes focales engendrent une perspective spatiale directement liée aux conceptions classiques. La photo copie la peinture. Demachy imite Corot. Rien dans le premier essai d'un Niepce — un jeu de taches grises et noires qui ressemble à un bélino — ne postulait le type « d'espace moyen » qu'ont vulgarisé les cartes postales. Au XXᵉ siècle, les appareils à objectifs multiples — « télé », grand angle — prouveront par la diversité de leurs effets la relativité de l'espace traditionnel. Mais ici encore, les peintres précèdent les photographes. L'effet « télé » comme l'effet « grand angle » sont inventoriés de bonne heure par la peinture impressionniste (pages 81 et 85, 228 et 255). Quelques-unes des photos vraiment nouvelles du XIXᵉ siècle seront précisément faites par des peintres qui, tel Degas, s'efforceront de transposer dans le nouvel instrument leurs recherches sur toile.

Où la photo joue un rôle décisif c'est moins sur le plan esthétique que psychologique. En reproduisant à l'infini l'ancien schéma visuel — depuis 1852, l'utilisation du collodion humide réduit le temps de pose et permet la multiplication des épreuves —, le photographe concurrence et élimine les petits maîtres néo-classiques. Tout ce qui n'est pas innovation devient banal. La notion de fini, la lutte stérile pour le léché perdent leur sens. D'où la stupeur des peintres académiques. Delacroix les décrit dans son *Journal* « écrasés par la désespérante perfection de certains effets qu'ils trouvent sur la plaque du daguerréotype. » La photo leur enlève une clientèle et une fonction : la reproduction du visage humain, la fixation du temps. Disderi crée « la carte de visite », l'ancêtre du Photomaton : huit petits clichés à bon marché d'une même personne. La photo permet au peintre de mieux se définir, de mieux saisir la spécificité de sa production. Elle le pousse dans ses retranchements. Elle l'oblige à voir plus loin que la réalité immédiate et formelle qui l'entoure.

Désormais, il va orienter ses recherches sur deux plans : une exploration plus poussée du mécanisme complexe de la matière et de l'énergie (voir notre chapitre IV), une saisie plus aiguë des mécanismes réels de la perception. Il montre non plus la nature en soi, mais *comment* cette nature est perçue. C'est ici que les notions de points de vue, de décadrage, de latéralité prennent toute leur importance.

Certes, on rencontre dans l'histoire de l'art occidental quelques moments où la perspective géométrique classique n'est pas employée. D'abord pendant la période de gestation de celle-ci. Panofsky, Francastel et Robert Klein ont bien montré que le cube scénographique d'Alberti n'avait été qu'une réduction, pour ne pas dire un appauvrissement, parmi toutes les méthodes possibles de projection de l'espace tridimensionnel sur un plan à deux dimensions. Ils mentionnent les espaces morcelés de Giotto, les perspectives bifocales d'Uccello, les espaces circulaires de Fouquet, etc. Des solutions hétérodoxes surgissent, qui réapparaîtront çà et là au cours des générations pour s'imposer, parmi bien d'autres, quatre siècles plus tard quand les peintres tenteront de restituer — par-delà tout système géométrique — le vécu de la vision subjective.

Le maniérisme, avec ses trompe-l'œil, ses raccourcis, ses « perspectives curieuses », impose lui aussi des distorsions au système monoculaire. C'est qu'il correspond à une époque de doute, d'inquiétude, de « mélancolie ». La révolution copernicienne, la découverte du Nouveau Monde, la prolifération des hérésies, la montée du capitalisme mettent à rude épreuve la conscience collective des contemporains. Mais si le maniérisme déforme, ce n'est nullement pour mieux dire la vérité du regard humain, du rapport entre l'œil et les choses. Tout au contraire : il tend vers le rêve, l'obsessionnel, la morbidité, l'imaginaire. Il exprime et suscite un vertige de la raison. Rien là qui évoque la froide analyse réaliste d'un Degas. L'explosion pétrifiée du baroque va plus loin : elle met en cause notre stabilité kinesthésique. L'œuvre se propose comme incontrôlable. Le fourmillement et la disposition circulaire des épisodes figurés rend l'appréhension globale impossible. Regarder devient une fuite en avant, une insatisfaction permanente. Toujours quelque épisode échappe au cône de visibilité et relance notre ronde sans fin sous la coupole, mobilisant, par-delà la vision, l'ensemble de notre motricité. Nous sommes au centre toujours changeant d'un tournoiement. Des grappes de corps fondent sur nous, des rondes nous emportent, nous entrons dans une giration, une lévitation dont l'aboutissement est divin. Mais si l'espace baroque joue avec les règles, c'est pour nous y ramener. S'il procède à d'audacieuses distorsions et accélérations de la perspective, c'est pour mieux nous conditionner. On commence par bousculer nos habitudes visuelles, pour nous faire perdre pied, on nous laisse entrevoir un monde qui n'obéirait plus à la logique spatiale sur laquelle repose depuis la Renaissance la sécurité du spectateur, puis on nous engouffre dans le tourbillon d'une ascension vertigineuse où nous nous laissons emporter avec abandon. Le décadrage impressionniste a un tout autre sens. Là où les acrobaties du baroque maintiennent le principe d'un espace unitaire — même si l'épicentre en a été déplacé vers le ciel —, il s'agit désormais de refuser le mensonge d'un contrôle global de l'espace. On ne montre que ce qu'on voit : des lieux, des objets saisis chaque fois sous un certain angle fragmentaire, circonstanciel, et rien ne vient plus suggérer le sentiment d'une domination souveraine de l'observateur sur la totalité de la réalité perceptible.

D'un côté, avec le baroque, une école d'illusion.

De l'autre côté, une enquête prosaïque sur l'état de la vision moderne.

Les affinités sont évidemment beaucoup plus grandes avec le Japon. On sait l'émerveillement des impressionnistes quand ils découvrent dans les estampes d'Utamaro, d'Hokusaï ou d'Hiroshighe des préoccupations proches des leurs. L'ouverture des ports nippons au commerce international (1854) accélère les communications entre les deux mondes. Les objets japonais circulent à Paris. En 1862 s'ouvre sous les arcades une boutique, « la Porte chinoise », qui attire très vite les artistes. Whistler collectionne de la porcelaine bleue et blanche, des costumes de cérémonie. L'estampe envahit les ateliers. Monet et Renoir en possèdent. Bernard expliquera plus tard, parlant de Pont-Aven : « L'étude des crépons japonais nous mena vers la simplicité. » Et Pissarro s'exclame en 1893 : « Admirable, l'exposition japonaise. Hiroshighe est un impressionniste merveilleux. Moi, Monet et Rodin en sommes enthousiasmés. Je suis content d'avoir fait mes effets de neige et d'inondations ; ces artistes japonais me confirment dans notre parti pris visuel. »

C'est l'époque où beaucoup d'artistes — Monet, Van Gogh, Gauguin, Cézanne, les nabis — partent d'un modèle japonais pour construire telle de leurs œuvres. Ce qu'ils admirent dans l'art oriental : la perspective à vol d'oiseau qui relève le sol et restreint l'horizon — souvent le toit des maisons est ôté pour laisser l'œil plonger dans le décor —; l'audace d'une mise en page qui libère, au centre, de grands espaces vides et déploie ses anecdotes tout autour ; la place considérable des surfaces étales qui figurent la mer, le ciel, la terre ; le gros plan d'un tronc d'arbre ou d'un pilier qui traverse le devant de la scène et se poursuit au-delà du cadre ; la suspension d'un élément massif — vaste terrasse, coin de maison — qui surgit du haut de la toile ou des côtés, laissant le bas dégarni.

Plus généralement, ce qui frappe les peintres, c'est l'usage d'une perspective axonométrique qui tranche singulièrement sur les habitudes des Occidentaux.

Anonyme.
Scène avec deux acteurs.
Fin XVIIᵉ siècle.

Hokusaï. Deux petites barques de pêcheurs
sur la mer houleuse. Début XIXᵉ siècle.

Utamaro. La Fête des fleurs au Yoshiwara
(détail). Vers 1785.

Les Japonais refusent la perspective des Européens. Leurs lignes de fuite ne convergent pas vers un point unique mais sont le plus souvent parallèles.

Les Japonais ne se soumettent pas à la règle dominante de la peinture européenne, la convergence des lignes de fuite vers un seul point central. Pour figurer les deux côtés latéraux d'un échiquier dans l'espace, ils tracent deux parallèles, voire deux lignes qui s'écartent l'une de l'autre à mesure qu'elles s'éloignent vers le fond.
Cette perspective *inversée* n'est pas le fruit du hasard. Pour les Japonais, nourris de bouddhisme zen, il n'est pas logique d'organiser l'espace pictural à partir de l'œil du peintre. Là où le schéma occidental postule un observateur central planté face à la nature, un démiurge qui ordonne sa toile selon un schéma régulier — schéma qui lui-même renvoie à une vision géométrique et unitaire du réel — le Japonais, tout au contraire, se sent immergé dans un cosmos dont il n'est qu'une infime partie. Il n'est ni la mesure ni le point d'ancrage du monde. Celui-ci se construit librement, ses lignes de fuite opèrent en tous sens, sans se soumettre au point de vue anthropocentrique cher à l'Occident depuis la Renaissance.

Et c'est là que nous retrouvons les impressionnistes. Ils ne copient pas l'art nippon : ils y reconnaissent le sentiment confus qui les anime. Pour ces peintres qui ne croient plus aux certitudes assises sur lesquelles vivaient leurs ancêtres, qui constatent la complexité infinie d'un univers où l'homme n'est qu'un accident (voir chapitre I), c'est un singulier encouragement que de découvrir des zones immenses de très vieilles cultures — les civilisations chinoise et japonaise — où les principes qu'on croyait la vérité même de l'homme, son approche la plus fidèle, la plus objective du réel sont totalement négligés. La perspective monoculaire d'Alberti n'est n'est qu'un système parmi d'autres, lié à un certain moment de la pensée européenne. Il s'agit maintenant, pour les peintres, d'en sortir.
Entre les deux cultures — celle profondément religieuse du Zen et celle, tout agnostique, des peintres parisiens — il ne s'agit donc pas d'une imitation mécanique, mais bien d'une rencontre. Après tout, l'aplat régnait déjà sur l'art d'Égypte (Gauguin s'en souviendra) et la perspective axonométrique des Chinois envahit dès le XVIIIe siècle l'art décoratif d'Occident. Les peintres auraient pu y puiser. Ils ne le feront qu'à l'heure où la conscience collective aura suffisamment évolué — à travers l'art, la science, la technique — pour chercher de nouvelles représentations visuelles de son rapport au monde.
Du reste, entre le Japon et l'impressionnisme, les différences sont nombreuses. L'estampe impose souvent une vision idéographique du réel. Les détails s'accumulent comme autant de signes conventionnels de *la* femme, *la* branche, *la* maison. Un code semble présider au choix des figures, des archétypes, même si le sujet en est très quotidien. En revanche, l'impressionniste ne montre pas *la* femme, mais *une* femme à tel moment et en tel lieu précis. Le Japonais transcende l'éphémère, il cherche un équilibre hors du temps ; l'impressionniste tout au contraire capte la minute qui passe.

La symétrie postulait un état stable de l'univers, un monde immuable, arrêté, non soumis aux incertitudes et aux confusions de la conscience subjective, du vécu. Pour la Renaissance, remarque Pierre Francastel, « il existe une relation fixe entre les proportions de notre corps et l'ordre universel. » La représentation de l'homme *ad quadratum* et *ad circulum* en fait foi, « qui connaît durant des générations une extraordinaire fortune ». Ce qu'ébranle l'impressionnisme en détruisant la symétrie, c'est ce rapport d'identité, de continuité, de miroir entre le macrocosme et l'homme. Celui-ci croyait résumer en lui-même toutes les lois de la nature, il s'éprouvait comme un modèle du réel, il se découvre *de trop* dans un champ de forces en mouvement. Le monde n'est plus un théâtre mais un chaos. C'est la fin des tableaux clos sur eux-mêmes, des micro-univers enfermés dans un cadre. La réalité fuit de partout et le peintre va tenter de fixer les effets de cette fuite et de ce désordre qui ne vont plus cesser de s'amplifier.

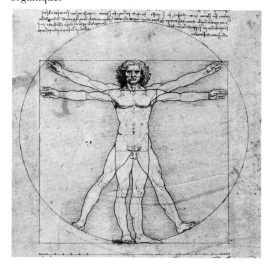

Léonard de Vinci. L'Homme selon les proportions de Vitruve. Vers 1492.
L'homme « dans le carré » et « dans le cercle » postule une étroite parenté entre la nature et la géométrie, entre la spéculation intellectuelle et le monde organique.

Henri Matisse. Les Capucines. 1912.
L'art moderne retiendra et développera les audaces constructives de Degas. Dans *les Capucines*, par l'artifice du tableau dans le tableau, Matisse emboîte deux espaces hétérogènes.

Le Japon dicte à Whistler
ses tableaux les plus insolites.

PASSIONNÉ DE JAPONISME, Whistler intègre dans ses compositions des solutions formelles inspirées des audaces perspectives de l'estampe. Il organise dans le confinement de son atelier un jeu de couleurs rutilantes où s'imbriquent avec subtilité l'espace fictif du paravent et l'espace réel dans lequel se tient le modèle. Whistler applique les mêmes partis pris au paysage. Il impose au visage traditionnel de la Tamise les distorsions d'une contre-plongée empruntée à Hokusaï et à Hiroshighe (*à droite*). Référence que vient encore souligner la silhouette bossue du batelier. Suspendu dans la partie supérieure de la toile, le tablier du pont n'est plus qu'une épure. Quelques silhouettes penchées dans la brume en perturbent le profil linéaire. D'origine américaine, Whistler s'installe à Paris en 1855. Ami de Degas et de Fantin-Latour, qu'il rencontre à l'atelier Gleyre, il travaille près de Courbet jusqu'en 1865. A cette date, sous l'influence de l'estampe japonaise, il se révolte contre le réalisme militant du maître d'Ornans et basculera bientôt dans un art plus décoratif et artificiel. En 1867, il écrit à Fantin-Latour : « Courbet et son influence a été dégoûtant (*sic*) [...] Ce damné réalisme, faisant appel immédiat à ma vanité de peintre et se moquant de toutes les traditions, me criait tout haut avec l'assurance de l'ignorance : « Vive la nature ! » [...] Ah ! mon ami, que n'ai-je été un élève d'Ingres ! »

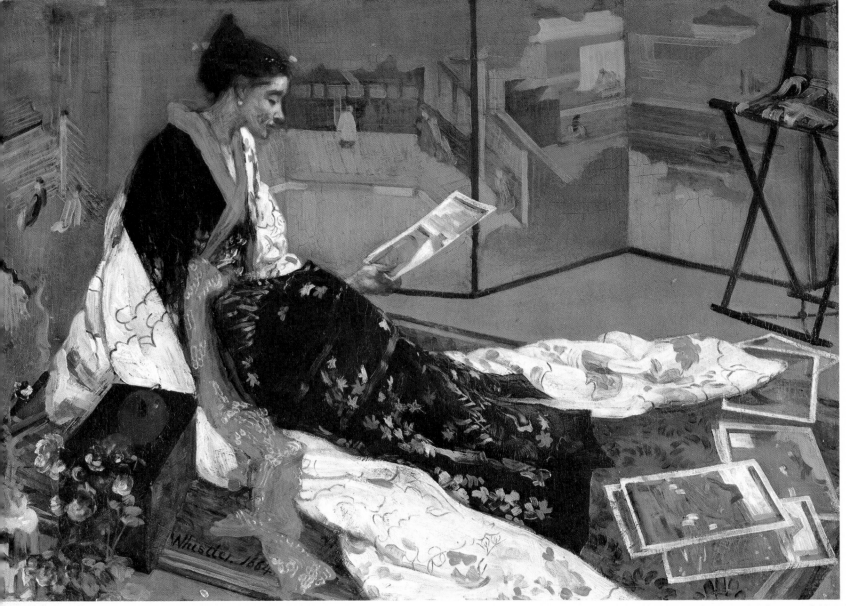

James McNeill Whistler (1834-1903). *Caprice en pourpre et or n° 2. Le paravent doré*. 1864. Bois. H. 0.51 m. L. 0.68 m.

James McNeill Whistler. *Old Battersea Bridge*. 1865. Toile. H 0,66 m, L. 0,50 m.

Claude Monet (1840-1926). *La Cabane du douanier à Varengeville*. 1882. Toile. H. 0,60 m, L. 0,78 m.

LE RAPPORT DES PLEINS ET DES VIDES
qui s'articulaient souplement dans
le classicisme est mis en cause par
les impressionnistes. Ceux-ci refusent
de considérer la nature comme
une composition équilibrée, un théâtre
symétrique dessiné à l'avance pour
le plaisir de l'œil humain. Le monde
est un chaos, la matière s'impose
brutalement, sans tenir compte de nos
habitudes visuelles ni de notre échelle
corporelle. Monet, parcourant en 1882
la Normandie, sa terre d'élection
(il avait passé son enfance au Havre),
n'hésite pas à « décadrer »
abruptement ses paysages.
A droite : l'extrémité d'une falaise
investit timidement un angle de la toile.
Le talus d'herbe semble à peine
plus concret que les vagues
qui le cernent.
En bas : la falaise se fait dominante,
elle surplombe massivement une mer
sans épaisseur.
A gauche : l'artiste dramatise son
tableau en opposant la verticalité
solide du premier plan à la fuite
horizontale du flot vers le large,
où il se confond avec le ciel.
Quinze ans séparent les deux *Cabanes
à Varengeville*. C'est en 1882
que Monet loue pour la première fois
à Pourville la « Villa Juliette » d'où
il rayonne aux alentours. Il y revient
en 1897, s'attardant sur les mêmes
sites, comme s'il voulait pousser
plus avant son analyse d'un paysage
complexe où abondent les points de
vue insolites.

Dans sa ronde autour du motif,
Monet dégage de grands espaces arbitraires,
sans anecdote, qui envahissent la composition.

Claude Monet. *La Cabane du douanier.* 1897. Toile. H. 0,65 m, L. 0,95 m.

Claude Monet. *Falaise près de Dieppe.* 1882. Toile. H. 0,66 m, L. 0,82 m.

Par des points de vue acrobatiques, Degas décentre notre regard et donne du corps humain une interprétation nouvelle.

Edgar Degas (1834-1917). *Au théâtre*. 1880. Pastel. H. 0,55 m, L. 0,48 m.

DEGAS DÉTOURNE SON REGARD de la scène principale pour fixer son attention sur les détails du premier plan : un éventail, une paire de jumelles, la rampe d'une loge, une main. Il attribue la même importance, dans son tableau, à l'événement — le ballet — et au non-événement. Vision volontariste qui nivelle tout, qui refuse de valoriser tel ou tel aspect du réel aux dépens de tel autre. Là où s'agite tout un spectacle, Degas ne veut être qu'un œil. Il ne voit que des formes et des couleurs assemblées en un kaléidoscope de hasard. Il montre ce qu'on pouvait contempler du fond d'une certaine loge à un certain moment. Son sujet est avant tout cet espace mi-clos, intérieur, cette intimité de la présence corporelle d'autrui dans un lieu collectif. Dès 1869, Degas fuit le plein air et s'enferme délibérément dans des ambiances artificielles : cafés, théâtres, Opéra, cabarets. « Il vous faut une vie naturelle, à moi la vie factice », explique-t-il à Pissarro et à ses amis.

POUR BRISER NOS HABITUDES VISUELLES, Degas entreprend de saisir le monde sous les angles les plus surprenants. Devant un tableau comme *Miss Lola* on mesure l'extraordinaire transformation des conceptions picturales dans le dernier quart du XIXe siècle. Le découpage arbitraire de l'espace, la bizarrerie de la contre-plongée, la distance du peintre au sujet — comme s'il disposait d'un téléobjectif — font de cette peinture un véritable exploit. Degas croque le modèle sur place, puis exécute à l'atelier, professant que « la peinture est une fièvre froide » où l'impression doit être contrebalancée par un travail approfondi. « Jamais, dira-t-il, il n'y eut d'art moins spontané que le mien. Ce que je fais est le résultat de la réflexion et de l'étude des grands maîtres. De l'inspiration, de la spontanéité, du tempérament, je ne sais rien [...] Un tableau est une chose qui exige autant de rouerie et de vice que la perpétration d'un crime ; faites faux et ajoutez un accent de nature. » Miss Lola est montrée au point culminant de son numéro, accrochée par les dents à un filin qui la relie à la voûte du cirque Fernando — le futur cirque Médrano, 63, bd Rochechouart. Degas se passionne pour tout ce qui demande un entraînement, un effort. Il capte le plus souvent ses personnages : danseuses, jockeys, acrobates, dans l'instabilité suspendue d'une tension qui se dissimule. Acteurs en représentation, ils mettent leur talent à jouer la facilité.
Toulouse-Lautrec prendra, à son tour, en 1888, le chemin du cirque Fernando.

Edgar Degas.
*Miss Lola
au cirque Fernando*. 1879.
Toile. H. 1,17 m, L. 0,77 m.

L'artiste soumet aux cruautés
d'un éclairage de théâtre
la douceur des traits féminins.

1. Edgar Degas (1834-1917). *Au café des Ambassadeurs.* Vers 1875. Pastel. H. 0,36 m, L. 0,28 m.
2. Henri de Toulouse-Lautrec (1864-1901). *En cabinet particulier.* 1899. Toile. H. 0,55 m, L. 0,45 m.
3. Edgar Degas. *Chanteuse au gant.* 1878. Pastel. H. 0,53 m, L. 0,41 m.

UN ÉCLAIRAGE DRAMATIQUE confère aux demi-mondaines de Toulouse-Lautrec une irréalité de fantasme. L'artiste exécute ce portrait de fille (*ci-contre*) en 1899, l'année même où il sera interné pour deux mois à la Folie Saint-James. Il meurt deux ans plus tard. Lautrec, dont les figures, disait Gustave Moreau, étaient peintes « tout en absinthe », portait une admiration illimitée à Degas. « Une fois, raconte John Rewald, après une soirée joyeuse, Lautrec emmena à l'aube un groupe d'amis chez une collectionneuse, Mlle Dihau, qui les reçut avec quelque hésitation dans son modeste appartement. Lautrec mena alors ses compagnons devant les toiles de Degas et leur ordonna de s'agenouiller devant elles, en hommage au maître vénéré. »

CE QUI FAIT L'INSOLITE des toiles consacrées par Degas au beuglant et au théâtre, c'est l'expressionnisme agressif de la lumière qui coupe en deux les visages comme seuls Goya et Daumier l'avaient osé (de ce dernier, l'artiste possédait 1 800 lithos). « Après avoir fait des portraits vus d'en dessus, écrit-il, j'en ferai d'en dessous. Assis tout près d'une figure et la regardant d'en bas, je verrai sa tête entourée de cristaux. »
A droite : dans ce gros plan naturaliste qui nous révèle jusqu'à la bouche de la chanteuse, on admire la franchise des couleurs et le brusque suspens du gant, d'un noir très dense, qui donne à la toile toute sa tension. « Les reines sont faites de distance et de fard », disait Degas, qui désacralise ici, volontairement, une reine du music-hall. Un caricaturiste de l'époque, Draner, en tirera un gag assez pauvre. Il publie un dessin avec cette légende : « Unique occasion à 7,50 francs la paire ! huit boutons. Quelle excellente enseigne pour un commerce de gants ! »
A gauche : dans le *Café des Ambassadeurs* l'artiste recourt au même procédé d'éclairage. Le flou du premier plan, le rouge de la robe conduisent le regard droit sur la chanteuse, à proximité d'une contrebasse dont Lautrec reprendra le motif. « Pour produire de bons fruits, explique Degas en 1873, il faut se mettre en espalier et rester là toute sa vie, les bras tendus, la bouche ouverte pour s'assimiler ce qui passe, ce qui est autour de vous, et en vivre. »

Edgar Degas (1834-1917). *Chez la modiste.* 1882-85. Toile. H. 0,49 m, L. 0,75 m.

Par l'habileté d'un jeu de miroirs, Degas révèle son sujet sous deux angles différents.

Edgar Degas. *Portrait de Mme Jeantaud.* Vers 1874. Toile. H. 0,70 m, L. 0,84 m.

DE LA PRÉCISION À L'ALLUSION, Degas fait, en quelques années, des progrès décisifs. Dans les deux tableaux réunis sur cette page, les thèmes et la construction sont quasi identiques. La glace occupe une surface semblable, elle remplit la même fonction de redoublement du modèle. Mais dans l'œuvre de 1882 (*à gauche*), l'artiste nous rapproche de son sujet, il accentue les valeurs tactiles. Surtout, il traite sa scène par grands plans synthétiques, écartant audacieusement détails et anecdotes. Il cherche une image simplifiée et nous laisse le soin

de projeter nous-mêmes sur le visage vide du personnage nos propres partis pris (Matisse reprendra le procédé). « C'est très bien, écrit Degas, de copier ce que l'on voit, mais c'est beaucoup mieux de dessiner ce que l'on ne voit plus que dans sa mémoire. C'est une transformation pendant laquelle l'imagination collabore avec la mémoire. Vous ne reproduisez que ce qui vous a frappé, c'est-à-dire le nécessaire. Là vos souvenirs et votre fantaisie sont libérés de la tyrannie qu'exerce la nature. » La démultiplication du personnage par

le miroir, déjà tentée çà et là par Van Eyck, Vélasquez, Vermeer, Ingres, etc., et dont Bonnard fera grand usage, marque une volonté de cerner le sujet de plusieurs points de vue. Préoccupation très moderne, que développera le cubisme, avec ses approches successives du même objet. A droite de l'image, la main tendue de la chapelière montre chez Degas une intrépidité dans le cadrage qui n'exclut pas la brutalité.

Edgar Degas (1834-1917). *Danseuses à l'ancien Opéra.* 1877. Pastel. H. 0,20 m, L. 0,16 m.

La composition s'articule autour de larges zones vides qui occupent l'essentiel du tableau.

DES TROUÉES D'ESPACE VIDE envahissent la peinture. Souvent, chez Degas, les sols deviennent l'essentiel de la composition. Le plateau de l'Opéra (*à gauche*), le plancher des studios de répétition occupent peu à peu le centre de la toile. Les personnages sont relégués dans les marges et les danseuses — les « petites filles singes » dont parlait Edmond de Goncourt — vont poursuivre « leur gracieux tortillage » tout autour de la grande zone vierge dégagée par l'artiste.

A droite : dès son arrivée à Paris, en 1886, Van Gogh reprend à son compte ces percées dynamiques dans le cœur de la composition. Mais il traite le problème à sa façon : rugueuse et volontaire. « Je cherche maintenant, dira-t-il, à exagérer l'essentiel, à laisser dans le vague exprès le banal. » La terrasse du Moulin de la Galette est traitée à grands coups de pinceau apparents. Le panorama se réduit à une grisaille sans contours. Les promeneurs sont des taches. Ce style allusif révèle une surprenante liberté chez un artiste qui, un an auparavant, à Nuenen, peignait encore avec une palette très sombre ses « mangeurs de pommes de terre ». Du premier coup, à Paris, il se hisse aux audaces extrêmes.

Vincent Van Gogh (1853-1890). *Montmartre.* 1886. Toile. H. 0,45 m, L. 0,33 m.

Edgar Degas (1834-1917). *Femme nue couchée.* 1883-85. Pastel. H. 0,33 m, L. 0,42 m.

Grâce à l'indiscrétion du surplomb, nous pénétrons dans le « territoire » du modèle.

DEGAS DIMINUE LA DISTANCE PSYCHIQUE entre son modèle et nous. Le surplomb, la proximité, la trouble chaleur des couleurs, le flou, la singularité des attitudes nous font entrer dans le « territoire » du personnage. Le critique Félix Fénéon parle, en 1886, d' « effets étouffés et comme latents, dont le prétexte est pris au roux d'une tignasse, aux plis violâtres d'un linge mouillé [...] C'est dans d'obscures chambres d'hôtels meublés, dans d'étroits réduits que ces corps aux riches patines, ces corps talés par les noces, les couches et les maladies, se décortiquent ou s'étirent. »

A partir de 1890 Degas emploiera presque exclusivement le pastel, souvent mêlé de détrempe et d'eau. Méthode rapide qui lui évite de trop fatiguer ses yeux et qui fond dans un même mouvement dessin et couleurs. Il va jusqu'à employer les touches séparées, la division des tons — selon une technique qu'il avait longtemps condamnée, en admirateur et en disciple d'Ingres.

Edgar Degas (1834-1917).
Le Bain du matin. 1883.
Pastel. H. 0,70 m, L. 0,43 m.

Vincent Van Gogh (1853-1890). *Nature morte avec statuette en plâtre.* 1887. Toile. H. 0,55 m, L. 0,46 m.

LE CONFINEMENT DE CES ESPACES est provoqué à la fois par le choix d'un sujet intimiste et par l'axe de la vision, franchement décentrée. Une zone intermédiaire est créée, horizontale, entre la scène et le spectateur, qui nous fait « avancer » dans le tableau. *A gauche* : Degas marie admirablement dans ce pastel des couleurs très proches. La carnation de la baigneuse reçoit le rayonnement des teintes dominantes. Brutalement balafrée d'un large trait bleu, elle subit sur le reste du corps l'influence du papier peint vert qui couvre les murs. L'artiste excelle à ces scènes d'alcôve où s'expriment son refus du plein air et sa misanthropie. L'homme qui affectait de relever son col devant un paysage d'hiver de Monet avait une réputation d'esprit méchant et sarcastique. « Il manque de naturel, disait Manet à Berthe Morisot. Il n'est pas capable d'aimer une femme, ni de le lui dire, ni de rien faire. » Valéry le décrit « grand discuteur et raisonneur terrible, particulièrement excitable par la politique et par le dessin. Il ne cédait jamais, arrivait promptement aux éclats de voix, jetait les mots les plus durs, rompait net. » Thadée Natanson raconte, de son côté : « Degas pouvait bien se monter devant un critique jusqu'à lui interdire rageusement de se servir du mot « bleu » qui n'appartient qu'aux peintres, l'écrivain n'ayant droit qu'aux mots abstraits. » Enfin, Degas lui-même, l'année du pastel reproduit à gauche, fait cet aveu : « J'étais ou je semblais dur avec tout le monde, par une sorte d'entraînement à la brutalité qui me venait de mon doute et de ma mauvaise humeur. Je me sentais si mal, si mal outillé, si mou, pendant qu'il me semblait que mes *calculs* d'art étaient si justes. Je boudais contre tout le monde et contre moi. »

Ci-dessus : Van Gogh prend ici un parti identique et traite sa nature morte en accentuant la plongée. L'échelle de la statuette est donnée par les deux livres, dont le choix est significatif : Maupassant et les Goncourt participent d'un naturalisme littéraire où se reconnaît l'ancien prédicateur du Borinage. « Il m'a depuis semblé, écrit-il à Émile Bernard, que dans notre sale métier de peintre, nous avons le plus grand besoin de gens ayant des mains et des estomacs d'ouvriers, des goûts plus naturels, des tempéraments plus amoureux et plus charitables que le boulevardier parisien décadent et crevé. »

En désaxant son point d'observation, le peintre dégage un premier plan qui nous fait « avancer » dans le tableau.

73

Auguste Renoir (1841-1919). *Mme Monet et son fils dans leur jardin à Argenteuil.* 1874. Toile. H. 0,50 m, L. 0,68 m.

L'artiste assoit ses personnages,
les domine et les tasse contre le sol.

Henri de Toulouse-Lautrec (1864-1901). *La Toilette*. 1896.
Toile. H. 0,67 m, L. 0,54 m.

LA VISION CAVALIÈRE RAPPROCHÉE
est rare dans l'histoire de la peinture
occidentale, depuis les mendiants et
les paysans endormis de Brueghel.
En revanche, l'impressionnisme y
recourt très souvent et reprend à son
compte la perspective plongeante
qu'emploient les Japonais pour leurs
scènes domestiques. Dans les trois
tableaux qui figurent sur cette double
page, le point de vue est celui d'un
homme debout, planté délibérément à
proximité immédiate de son modèle
auquel il a demandé de s'asseoir.
Le prosaïsme des corps, tassés, alourdis
par la vision plongeante, vient ici
s'opposer à la vision plus fluide,
élancée, aérienne qui prédominait au
XVIIIᵉ siècle et jusqu'à Delacroix.
Tout idéalisme est désormais écarté
et dans les *Deux Baigneuses* de Degas,
l'artiste va jusqu'à sectionner
brutalement le corps de ses
personnages pour figurer
l'instantanéité de son coup d'œil.

Edgar Degas (1834-1917). *Deux Baigneuses sur l'herbe*. 1890-95. Pastel. H. 0,70 m, L. 0,68 m.

Édouard Vuillard (1868-1940). *La Partie de dames à Amfreville*. 1906. Toile. H. 0,76 m, L. 1,09 m.

De sa fenêtre,
l'observateur enregistre le chaos du monde
et renonce aux hiérarchies rassurantes
de la perspective classique.

VU D'UNE FENÊTRE, le monde révèle les aspects insolites que l'impressionnisme et ses successeurs vont mettre en évidence.
A gauche : pour Vuillard, il s'agit d'obéir strictement à la sensation. Il rend compte de ce qu'il perçoit sans se laisser dicter aucune correction par la logique de la perspective. Un coin de fenêtre, en bas de la toile, accentue le sentiment de subjectivité. Nous sommes penchés avec le peintre, nous dominons le jardin d'Amfreville où Tristan Bernard (au centre) dispute une partie de dames à un ami.
Ci-dessous : si le point de vue de Caillebotte est moins audacieux, plus respectueux de la ligne de fuite traditionnelle, il montre bien l'importance de la ville dans l'histoire de l'impressionnisme. Avec ses rues trop larges pour la circulation de l'époque (au fond, l'Opéra de Garnier terminé depuis quatre ans), le Paris d'Haussmann s'impose comme un paysage de pierre, ordonné, rectiligne, échappant aux hasards et aux fantaisies de l'architecture rurale et de la campagne. L'augmentation du nombre des étages dans les immeubles de rapport accentue l'altitude et la verticalité du point de vue. Univers minéral où la vision perd tout naturel et se fait plus complexe.

Gustave Caillebotte (1848-1894). *Rue Halévy*. 1878. Toile. H. 0,60 m, L. 0,73 m.

Claude Monet (1840-1926). *Les Galettes*. 1882. Toile. H. 0,65 m, L. 0,81 m.

Monet et Gauguin
nous entraînent au-dessus de l'objet, dans un contact brut et intime avec le grain des choses.

L'ARTISTE TRAITE LA SURFACE DE LA TABLE comme s'il était penché dessus. Là où la nature morte hollandaise cherche très généralement à donner le sentiment d'un ensemble, d'une disposition régulière, préétablie, d'un vis-à-vis organisé, réparti *face* à l'observateur, l'impressionnisme nous engage dans l'espace même de la composition. Il y parvient par la fragmentation du champ de vision : la table est saisie de très près, elle envahit presque tout le tableau. Son pourtour nous est en grande partie dissimulé. A quoi s'ajoute l'exagération du surplomb qui nous met « en contact brusque et intime avec la nappe blanche, les gâteaux, la carafe de vin [...] Nous sommes comme aspirés par le sujet », remarque Charles Sterling à propos des *Galettes* de Monet (*à gauche*).
Page de droite, en haut : Gauguin perturbe délibérément la perspective en maintenant un fond vertical et régulier (la cheminée) qu'il oppose à l'ellipse tronquée du plateau.
En bas : dans la *Fête Gloanec*, d'une riche couleur, la composition est très resserrée et décentrée sur la gauche. Émile Aurier, le meilleur critique du synthétisme, note en 1891 : « Gauguin est avant tout un décorateur. Ses compositions se trouvent à l'étroit dans le champ restreint des toiles. On serait tenté parfois de les prendre pour des fragments d'immenses fresques, et presque toujours elles semblent prêtes à faire éclater les cadres qui les bornent indûment. »

Paul Gauguin (1848-1903). *Fleurs et bol de fruits*. 1894. Toile. H. 0,43 m, L. 0,63 m.

Paul Gauguin. *Fête Gloanec*. 1888. Toile. H. 0,38 m, L. 0,53 m.

Degas lie les espaces au lieu de les séparer. Il veut traduire la perception vécue de celui qui les parcourt.

LA FLUIDITÉ DES COMMUNICATIONS SPATIALES chez Degas préfigure l'architecture du XXᵉ siècle avec ses circulations continues. Le studio et l'escalier d'où surgissent les danseuses sont traités comme un seul parcours où les surfaces se succèdent souplement (*page de droite*). L'axe franchement latéral du point de vue contribue à lier les deux plans en une seule aire de déambulation. Espace vécu, subjectif, qui ne prétend pas rendre compte de la structure réelle du bâtiment, mais de ce qu'en perçoit une jeune danseuse pour qui le sol est l'essentiel. Une droite partage chacune des deux œuvres rassemblées sur cette double page. Dans le premier cas, elle figure un mur vertical ; dans le second (*le Tub*), une table horizontale. Le peintre emploie la même formule plastique pour articuler deux compositions dont l'une est vue à hauteur d'œil et l'autre en franche plongée.

Le tracé des contours reste ferme : « J'ai toujours essayé, dira Degas au peintre Walter Sickert, de pousser mes collègues à chercher de nouvelles combinaisons dans la voie du dessin que je considère plus féconde que celle de la couleur. Mais ils n'ont pas voulu m'entendre et ont suivi l'autre direction. » C'est le même homme qui déclarait à la mère de Ludovic Halévy : « Louise, j'aimerais faire votre portrait ; vous êtes excessivement dessinée. »

Edgar Degas (1834-1917). *Le Tub*. 1886. Pastel sur carton. H. 0,60 m, L. 0,83 m.

Edgar Degas. *Danseuses montant un escalier.* Vers 1886-90. Toile. H. 0,39 m, L. 0,90 m.

Monet fractionne avec brutalité
ses anecdotes et les adosse aux côtés de la toile.

DÉCOUPÉES COMME À LA HACHE, ces compositions de Monet (qui sont ici vues en entier) montrent l'extrême liberté atteinte par l'artiste dans le choix de ses cadrages. « Portraits de jeunes filles dans la fleur de la jeunesse, apparitions délicieuses et passagères » (Gustave Geffroy), ces tableaux représentent, tantôt à l'ombre, tantôt en plein soleil, Blanche et Suzanne Hoschedé en train de se promener sur l'Epte, la rivière de Giverny, en Normandie, où Monet s'était installé depuis trois ans avec sa seconde femme Alice Hoschedé. « J'ai repris des choses impossibles à faire : c'est de l'eau avec de l'herbe qui ondule sur le fond. C'est admirable à voir, mais c'est à devenir fou de vouloir faire cette chose-là », écrit l'artiste à propos du grand plan transparent qui occupe les deux tiers de la toile de gauche. Vision fragmentée, parcellaire, qui laisse au spectateur le soin de continuer le motif au-delà du tableau.

Claude Monet. *La Barque bleue.* 1886. Toile. H. 1,09 m, L. 1,29 m.

Claude Monet (1840-1926). *En canot sur l'Epte.* Vers 1887. Toile. H. 1,33 m, L. 1,45 m.

Par des perspectives accélérées,
l'artiste précipite notre regard au cœur du motif.

Pierre Bonnard (1867-1947). *Le Café*. 1914. Huile. H. 0,73 m, L. 1,06 m.

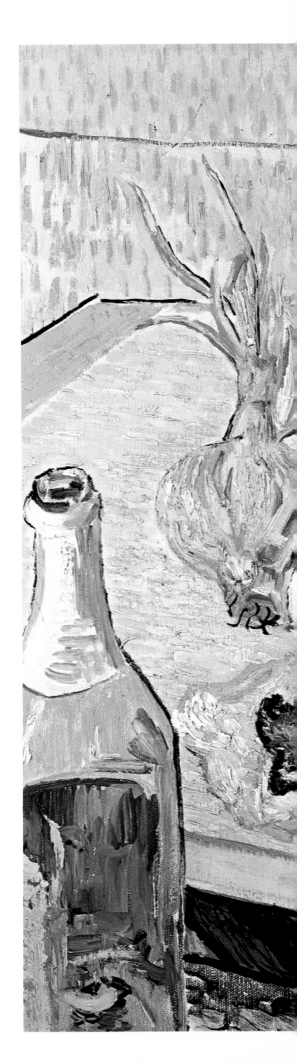

L'ŒIL DU PEINTRE OBÉIT AUX INJONCTIONS DE LA COULEUR. Dès lors que la nappe rouge est l'élément le plus frappant de son décor, Bonnard lui donne dans sa toile une importance prioritaire. *Le Café* témoigne de préoccupations nouvelles chez l'artiste. Après la découverte fascinée du Midi et de sa lumière en 1910, il éprouve, à partir de 1913, le besoin de restructurer ses compositions et de leur rendre une assise géométrique. Bonnard refuse de peindre selon un format préétabli. Il fixe au mur une toile qu'il choisit délibérément trop grande, puis il recadre à l'intérieur avec la même liberté qu'un photographe dans ses clichés.

EN DÉFORMANT LA PERSPECTIVE, Van Gogh donne à ses « instantanés visionnaires » une force dramatique presque inquiétante. La torsion de la planche à dessin, l'absence d'ombres, la disproportion entre le premier et le second plan précipitent notre regard vers le fond du tableau où il bute sur la grosse cruche envahissante qui semble coincée, de guingois, entre le rebord et le mur.

Vincent Van Gogh (1853-1890). *Nature morte. Planche à dessiner avec dès oignons.* Janvier 1889. Toile. H. 0,50 m, L. 0,64 m.

Des ellipses impérieuses
rythment un espace
où s'annule peu à peu la figure humaine.

Félix Vallotton (1865-1925). *Troisième galerie au théâtre du Châtelet*. 1895. Bois parqueté. H. 0,50 m, L. 0,62 m.

Giacomo Balla (1871-1958). *L'Escalier des au revoir.* 1908. Toile. H. 1,03 m, L. 1,04 m.

AVEC LEURS COURBES TRONQUÉES, leurs personnages qui flottent dans des espaces trop grands pour eux, Vallotton et Balla témoignent de la liberté acquise par les peintres dans la description du réel au terme de la révolution impressionniste. Le vide compte ici beaucoup plus que le plein et c'est l'ellipse, courte et ramassée chez Vallotton, déliée chez Balla, qui constitue le thème central du tableau. Vallotton, né à Lausanne, était membre du groupe nabi avec qui il expose en 1893. On retrouve dans son tableau du *Châtelet* quelque chose de l'admiration qu'il éprouvait pour la rusticité poétique de Henri Rousseau. En 1891, il écrit dans *le Journal suisse* que « le Douanier écrase tout » et que « c'est l'alpha et l'oméga de la peinture ».

Le Turinois Balla, professeur de Boccioni et Severini, est l'esprit le plus passionnant du futurisme, l'auteur d'œuvres constructivistes et cinétiques avant la lettre qui comptent parmi les jalons de l'art du XXe siècle. Son *Escalier des au revoir*, réalisé deux ans avant les débuts du mouvement, se présente comme une spirale vertigineuse, un gouffre sans fond où disparaissent des créatures éthérées, souriantes. Grâce au radicalisme de la perspective qui évoque la photo et le cinéma, le peintre italien donne une dimension symbolique, métaphysique à son tableau.

CHAPITRE II

Objets et
Les composantes

paysages s'interpénètrent.
disparates de la réalité
        fusionnent dans la lumière.

*Diego Vélasquez. L'Infante Marguerite.
1654.*
La fluidité de Vélasquez fascine les
impressionnistes. Pour Manet, c'est
« le peintre des peintres ».

*Antoine Watteau. Pèlerinage à l'île de Cythère
(détail). 1717.*
Monet avait, disait-il, « un culte pour
Watteau ». Il le considérait comme le
premier grand peintre de l'éphémère.

Alfred Sisley. Promenade. 1890.
Les formes s'atomisent. La lumière pulvérise
les masses. Les arbres deviennent une seule
tache indistincte et changeante.

En un demi-siècle, l'impressionnisme passe insensiblement du grignotement des contours à l'atomisation intégrale de l'objet. Parce qu'il la mène à terme avec ses *Nymphéas*, Monet domine cette évolution.

La peinture traditionnelle considère chaque objet comme une organisation indépendante une construction statique différente, dans son essence, des objets qui l'entourent. Le monde est une accumulation de substances autonomes posées côte à côte.

« Non seulement Descartes croit à l'existence d'éléments absolus dans le monde objectif, remarque Bachelard, mais encore il pense que ces éléments absolus sont connus dans leur totalité et directement [...] L'évidence y est entière précisément parce que les éléments simples sont indivisibles. » Pour exprimer cette ségrégation des substances, le peintre inscrit dans sa composition des formes clôturées, fermées sur elles-mêmes.

Mais cette conception est mise en cause, depuis la Renaissance — à travers Vélasquez, le Lorrain, Rembrandt, Watteau, Turner —, par le rôle croissant de la lumière. L'étude de l'énergie, l'observation de plus en plus attentive du rôle dissolvant des rayons solaires ébranlent un système fondé sur les réalités compactes de la matière. L'impressionnisme naît quand s'impose à la psychologie collective l'idée que le monde visible n'est pas seulement composé de solides, mais baigne dans un champ d'ondes. Chez les peintres, désormais le concret le cède au fluctuant, le permanent à l'éphémère.

Ce sentiment se traduit dès les premiers paysages d'un Monet ou d'un Sisley. Ils peignent des branches d'arbres qui s'élèvent, frémissantes, miroitantes dans la lumière, qui se diluent dans la transparence du matin (à gauche). Certes, il importe d'éviter ici une explication trop simple qui voit dans l'impressionnisme une conséquence directe de la découverte de la nature. Un jour, Monet, sortant de chez lui, aurait trouvé la campagne plus « fraîche » que l'atelier et se serait mis au travail sur-le-champ. C'est confondre causes et conséquences. Il est bien vrai que les impressionnistes ont été les fanatiques du plein air. Le critique Geffroy, qui fut l'ami de Monet, le décrit « dehors, toujours en marche, toujours à la recherche de la nature, au Nord, au Midi, en Hollande, en Angleterre, dans la campagne des prairies et des vergers, au printemps ; en hiver, devant la mer de Normandie et de Bretagne [...] Il se hâte à travers la campagne, vers l'endroit où il a commencé sa toile. Il se demande s'il va retrouver à peu près identique, la combinaison de lumière, d'ombre, de reflets, d'eau et de ciel, devant laquelle il a vécu ardemment la journée de la veille. »

Certaines innovations techniques arrivent à point pour simplifier ces déambulations. L'invention du tube de zinc permet d'alléger le lourd attirail des petits pots et d'éviter la chimie des mélanges. Renoir dira : « Ce sont les couleurs en tubes, facilement transportables, qui nous ont permis de peindre complètement sur nature. » Mais toutes ces bonnes raisons n'auraient pas suffi à déclencher un art nouveau. La découverte du plein air ne fait qu'accélérer un processus qui s'inscrit dans l'évolution esthétique et scientifique de l'époque. Comme l'a démontré René Huyghe, Vermeer a peint d'une fenêtre sa *Vue de Delft* (à droite). Il n'en a pas fait pour autant un tableau impressionniste — tandis que les bouquets de Manet, exécutés à l'atelier, le sont. En puisant dans le spectacle toujours renouvelé de la campagne, Monet, Sisley, Pissarro, Cézanne vont à la rencontre de ce qu'ils cherchaient : une matière inlassablement transformée et renouvelée par les rayons changeants du soleil. La nature, en l'occurrence, favorise et relance une intuition qui lui préexistait.

Poussés vers elle par la logique de leur démarche, les peintres en dégagent très vite les thèmes-prétextes qui leur permettront d'approfondir leur réflexion sur les rapports de la matière et l'énergie. Ils s'intéressent aux métamorphoses du ciel, aux reflets dans l'eau, aux inondations, à tout ce qui n'a pas de forme arrêtée, à tout ce qui mêle dans une fluidité sans contours les différents règnes du monde visible.

« Depuis la Renaissance [et jusqu'à Manet], observe E.H. Gombrich, les plus éminents artistes n'ont cessé de perfectionner leurs moyens de traduire le monde

Jan Vermeer. Vue de Delft. 1658-60.
Ce n'est pas le plein air qui fait
l'impressionnisme, c'est l'impressionnisme qui
fait le plein air.

*Alfred Sisley. La Route de Louveciennes (détail).
1877-78.*
L'étude de la neige renforce les
impressionnistes dans leur intuition :
l'ombre n'est pas noire, elle obéit aux lois
du reflet.

*Ernest Meissonier. Bords de la Seine à Poissy.
1889.*
Dans l'intimité, le peintre des *Cuirassiers*
se transformait en impressionniste
mineur. Cette esquisse, faite de sa fenêtre,
montre à quel point les principes de la
nouvelle école pénétraient jusque chez
les champions les plus entêtés de
l'académisme.

visible, mais aucun d'eux n'a sérieusement mis en doute l'idée que chaque objet, dans la nature, possède sa forme et ses couleurs bien définies et constantes qu'il suffit de transposer dans la peinture. » Or, les impressionnistes, analysant le jeu des rayons solaires, constatent que ceux-ci ne s'absorbent nullement dans l'objet qui les reçoit, mais rebondissent sur ce qui les entoure. Une feuille blanche se colore du rouge qui la jouxte. Comme l'écrira Félix Fénéon : « Les objets, solidaires les uns des autres, sans autonomie chromatique, participent des mœurs lumineuses de leurs voisins. »

Mais si les ondes chromatiques effacent les frontières, elles colorent du même coup les ombres qui les prolongent. L'ombre noire est un artifice, une hypothèse d'école développée dans l'obscurité des ateliers. Là où opère le déferlement tumultueux des quanta, l'Académie a cru pouvoir simplifier et imposer l'habitude des bitumes, des « ténébreuses sauces », qui ne reflètent en rien les phénomènes naturels. Dès 1859, à dix-huit ans, visitant le Salon, Monet étudie les Troyon et constate dans une lettre à Boudin : « Il y en a que je trouve un peu trop noirs dans les ombres. Quand vous serez là, vous me direz si j'ai raison. » Il lui faudra encore plus de dix ans pour chasser totalement les teintes sombres de sa palette. L'étude méthodique des paysages de neige (à gauche) permettra de dégager avec évidence que même une surface immaculée obéit aux lois de la couleur reflet.

Dès lors que les ombres se teintent, une nouvelle conception de la surface picturale se fait jour. L'ombre n'est plus un fond, mais une tache. Elle perd de sa neutralité, elle vient en avant de la toile, elle s'impose comme un temps fort. A l'instant même où ils dématérialisent les volumes, les impressionnistes matérialisent les vides. Le tableau est de moins en moins un sujet profilé sur un fond et de plus en plus une organisation égalitaire de taches qui tendent vers la frontalité. C'est Cézanne (voir chapitre VII) qui mènera à son terme cette expérience.

On sait le soutien apporté par les naturalistes littéraires (Zola, Duranty) à l'impressionnisme, puis leur hostilité croissante à mesure que ce style s'imposait. (Zola, en 1896 : « Eh quoi! Vraiment, c'est pour ça que je me suis battu ? C'est pour cette peinture claire, pour ces taches, pour ces reflets, pour cette décomposition de la lumière ? Seigneur! Étais-je fou ? Mais c'est très laid, cela me fait horreur! Ah! Vanité des discussions, inutilité des formules et des écoles! ») L'auteur des *Rougon-Macquart*, pourtant si perspicace dans les années 1860, durcit sa position sur le réalisme à mesure qu'il avance dans sa propre production littéraire. Dès 1879 il condamne « l'insuffisance technique » des impressionnistes. Il souhaite un art documentaire où l'époque apparaisse avec « ses costumes et ses mœurs ». Tant que Monet et ses amis semblent s'en tenir à une sorte de reportage moderne, il les appuie. Il les appelle « les actualistes ». Mais quand ce « documentaire » évolue, quand il pousse à l'extrême le réalisme de la vision, « l'analyse des modalités de la perception » (Francastel), Zola proteste. Il n'y voit plus qu'un tachisme arbitraire, une « démence ». Il admettra de moins en moins qu'un tableau puisse traduire l'expérience brute de la sensation optique dans son affrontement instantané avec le visible. Or, c'est précisément là l'objectif final des principaux impressionnistes : se dégager l'esprit de toute mémoire, de toute culture visuelle, de toute connaissance préconçue de la nature pour ne plus appréhender celle-ci que comme un jeu de taches flottant dans l'espace. « L'artiste, explique Cézanne, n'est qu'un réceptacle de sensations, un cerveau, un appareil enregistreur... Parbleu, un bon appareil, fragile, compliqué, surtout par rapport aux autres. Mais s'il intervient, s'il ose, lui chétif, se mêler volontairement à ce qu'il doit traduire, il y infiltre sa politesse. L'œuvre est inférieure. » Monet, lui aussi, est avant tout « un œil », un œil « sauvage » qui restera fidèle jusqu'au bout à la sensation pure. En 1889, l'auteur des *Cathédrales* explique à un peintre américain qu'il aurait aimé naître aveugle, puis recevoir d'un coup le don de la vue. Ainsi aurait-il distribué ses couleurs sans même connaître l'identité des objets étalés

Franz Hals. *Portrait du pasteur Langelius. Vers 1660.*
Sa conception de la forme allusive et « bougée » influencera durablement Manet qui le découvre en 1872 au cours d'un voyage en Hollande.

Paul Cézanne. *Portrait de Vallier. 1906.*
Dans sa recherche tâtonnante du modèle, Cézanne refuse de fermer la forme. Il obéit au précepte de Baudelaire : « Une œuvre faite n'est pas nécessairement une œuvre finie; et une œuvre finie pas nécessairement une œuvre faite. »

Le Greco. *La Vision de saint Jean. Vers 1610.*
Déjà Greco propose une manière où personnages et décor participent de la même texture. Cézanne s'en souviendra.

devant lui. En 1920, octogénaire, il ne perçoit plus, dans les paysages urbains ou rustiques qu'il contemple, qu'un magma de formes indécises traversées de points lumineux. C'est ce qu'il peint (à droite) sans jamais chercher à restructurer et compléter son motif en y ajoutant ce qu'il en *sait*.

Cette logique du perçu conditionne tout l'impressionnisme. On lui doit le *flou*, l'inachevé, qui caractérisent par exemple certains tableaux de Renoir (page 101). Notre nerf optique ne peut accommoder simultanément sur le proche et sur le lointain, sur le vis-à-vis et sur le latéral. Renoir précise ses premiers plans et brouille ses seconds plans. Seule la pensée classique qui croyait pouvoir dominer la totalité de la nature, percer toutes ses obscurités, se croyait en droit de « mettre au net » cette même nature dans ses tableaux et de nous la présenter comme déchiffrable de bout en bout.

Autre conséquence de la perception moderne : le *bougé*. A un ami qui lui demande pourquoi, dans ses portraits, les mains semblent toujours inachevées, Manet répond : « Parce que les mains ne se dessinent pas sèches dans la nature, elles remuent » (page 108). Pissarro, trente ans plus tard, donnera le même conseil à un jeune peintre : « Inutile de serrer la forme, qui peut être sans cela. Le dessin précis et sec nuit à l'impression d'ensemble, il détruit toutes les sensations. Ne pas arrêter le contour des choses. »

L'inachevé, c'est aussi le moyen technique d'exprimer l'éphémère. L'impressionnisme est l'art des métamorphoses. On ne peint plus un paysage mais l'action des nuages, du vent, de la pluie sur les arbres et les champs. Les tableaux s'appellent *Effet du matin*, *Trouée de soleil dans le brouillard*, *Nocturne en bleu*.

Les contemporains prennent pour maladresses, négligences d'amateurs, extravagances de provocateurs ce qui n'est que la fixation savante d'un *passage* : « Il y a une minute du monde qui passe, explique Cézanne, il faut la peindre dans sa réalité. » A quoi Merleau-Ponty ajoute : « Cézanne ne veut pas séparer les choses fixes qui apparaissent sous notre regard et leur manière fuyante d'apparaître. »

D'où le développement de la *série* — conséquence logique d'une esthétique de l'éphémère. Valenciennes et Jongkind y précèdent Monet. Mais celui-ci pousse la formule à son terme. Chaque peuplier (page 254), chaque meule (pages 134-135), chaque cathédrale (pages 136-137) est une fraction d'une seule et même enquête. Chaque toile renvoie toutes les autres. Elle se lit comme le segment inachevé d'un discours sur l'inachèvement. Clemenceau, critique d'art à ses heures, l'observe à propos des *Cathédrales* : « Le sujet immuable accuse plus fortement la mobilité lumineuse. » L'objet du tableau n'est plus l'immense, la séculaire façade gothique, mais le jeu d'ondes qui l'habillent et la déshabillent sans relâche.

En mettant l'accent sur le rayonnement, l'impressionnisme dédramatise la peinture. On n'y voit plus, comme chez les romantiques, des actions d'éclat, des personnages d'exception. Plus de temps forts : le moment montré vaut tous les autres moments. L'œil du peintre nivelle tout, il n'attache pas plus d'importance à une silhouette humaine qu'à celle d'un arbre. Immobiles (chez Monet), suspendus dans leur effort (chez Degas), pétrifiés dans leurs humbles tâches (chez Van Gogh), les êtres s'enfoncent dans la texture générale de l'œuvre (page 119). A la limite, ils ne sont plus qu'une vibration parmi beaucoup d'autres. Si nous les reconstituons, c'est grâce à la cohérence visuelle spontanée de l'œil humain qui tend toujours à identifier et à personnaliser l'amas confus des formes qu'on lui présente. Dans un trait vertical, nous lisons une silhouette. Monet sollicite la participation du spectateur pour donner un sens à ses taches, comme son ami Mallarmé crée par touches successives l'équivalent sensible de l'objet qu'il nous laisse le soin de nommer.

La deuxième étape et l'aboutissement de l'impressionnisme, c'est la fusion généralisée des objets dans le rayonnement ondulatoire. Partis d'un léchage et d'un brouillage des contours, les peintres débouchent intuitivement sur les schémas de la physique

*Claude Monet. Vue de Londres la nuit.
Après 1900.*
Monet vieillissant décrit Londres
comme un frétillement de lumières.
Il cherche le moyen de traduire
un monde qui n'est plus qu'énergie.

Jésus Rafaël Soto. Pénétrable. 1969.
Avec ses Pénétrables, Soto réalise des Monet
dans l'espace. Le spectateur n'est plus *en face* de
l'œuvre, il est plongé *dedans* et participe de
tout son corps au processus esthétique.

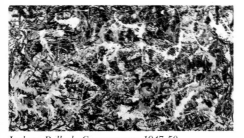

Jackson Pollock. Convergence. 1947-50.
L'art moderne retiendra la leçon du dernier
Monet : plus de formes, plus de composition.
Le tableau n'est qu'une accumulation de
tracés qui couvrent toute la toile.

*Jean-Baptiste Carpeaux. Descente de croix.
Vers 1865.*
En sculpture, le XIXᵉ siècle poursuit le
même mouvement que l'impressionnisme
pictural. Daumier, Carpeaux, Rodin, Rosso
créent des volumes crevassés où la lumière
s'infiltre pour briser la netteté des contours.

contemporaine. Ils perçoivent qu'il n'y a pas d'un côté les choses, les objets statiques, compacts, et de l'autre l'énergie lumineuse qui les effleure. La matière est de l'énergie, l'énergie de la matière. « Il faut d'abord, explique Bachelard, rompre avec notre concept de *repos* : en microphysique, il est absurde de supposer la matière au repos puisqu'elle n'existe pour nous que comme énergie et qu'elle ne nous envoie de message que par le rayonnement. » Rien n'échappe au flux énergétique, c'est la même loi qui commande les nuages les plus impalpables et les granites les plus résistants. « Le réalisme naïf, poursuit Bachelard, voudrait former partout des choses aux caractères permanents [...] Alors que la matière se présente à l'intuition naïve dans son aspect localisé, comme dessinée, dans un volume bien limité, l'énergie reste sans figure. » Comment, dès lors, *figurer*, précisément, un monde qui ne serait plus qu'un continuum d'énergie-matière? C'est le problème où les impressionnistes s'aventurent les premiers, à tâtons, celui où les suivront plus tard les abstraits (Malevitch, Larionov, Kandinsky) et les cinétiques. Cézanne veut « marier des courbes de femmes à des épaules de collines ». « Tous, plus ou moins, êtres et choses, déclare-t-il, nous ne sommes qu'un peu de chaleur solaire emmagasinée, organisée, un souvenir de soleil, un peu de phosphore qui brûle dans les méninges du monde. » Il invente un art de l'interpénétration généralisée (pages 112 à 115 et 266 à 269), un art où les règnes se confondent dans un tohu-bohu moléculaire, où l'animal, le végétal, le minéral semblent brassés dans la même tourmente.

Monet développe, dans ses grandes surfaces finales (*les Nymphéas*, page 141), une véritable duplication du monde réel. Il entoure le spectateur d'une nébuleuse où tout objet s'évanouit, où les lois de la pesanteur sont mises en cause. Des substances vaporeuses, ductiles, flottent, plus légères ou plus lourdes que l'air, dans une profondeur sans limites et sans règles. Tandis que Sisley et Pissarro conservent une distribution spatiale issue de la Renaissance et s'en tiennent au brouillage des contours, Monet exige du spectateur une nouvelle attitude. A la perception focalisée d'un objet donné (tableau ou sculpture) succède l'appréhension sensible d'un ensemble sans anecdotes qui nous enveloppe de toutes parts. L'œuvre n'est plus seulement reçue avec les yeux mais avec tout le corps : notre déambulation, notre errance font partie intégrante de la proposition. Nous mobilisons la partie motrice de notre système nerveux.

Simultanément, se fait jour une nouvelle conception de l'art. Les canons traditionnels d'équilibre, de beauté, de composition, s'effacent. L'œuvre figure désormais un phénomène de la nature, elle visualise une composante du réel. Perdu dans le magma sans fin qui nous entoure — et que vient constamment élargir et bouleverser la recherche scientifique —, l'artiste pose des règles, dégage des vérités sensibles qui sont un peu sa façon de lire la réalité physique et d'en traduire les lois essentielles.

A sa manière, il tente de rendre compte, par l'intuition, du continuum spatio-temporel qui nous englobe. L'impressionnisme organise la mise en scène grandiose de l'éphémère. Il nous fait saisir à merveille un phénomène dominant de la nature.

Il illustre cette phrase de Renan : « Tout est éphémère, et l'éphémère est quelquefois divin. »

En une suite d'observations passionnées,
Monet fixe le dialogue incessant
de l'eau et de la lumière.
Il trace dès ses premiers tableaux
le programme de toute une vie.

Claude Monet (1840-1926). *Régates à Argenteuil*. Vers 1872. Toile. H. 0,48 m, L. 0,75 m.
Claude Monet. *Régates à Argenteuil*. Détail.

Claude Monet. *Impression, soleil levant.* 1872. Toile. H. 0,47 m, L. 0,64 m.

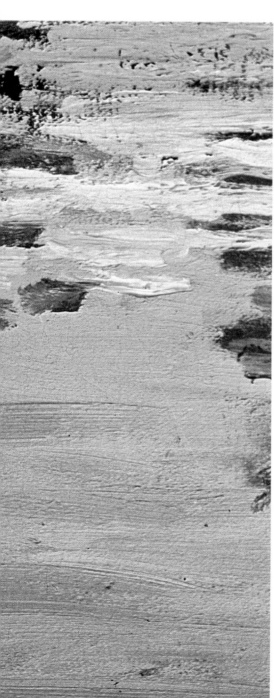

Observant à la surface de la Seine la dislocation des reflets en myriades de taches dansantes, Monet y trouve l'occasion de traduire sa conception d'un monde fluide et sans formes arrêtées, où les contours sont constamment remis en cause par le mouvement et la lumière. « Chez lui, note Zola dès 1868, l'eau est vivante, profonde, vraie surtout. Elle clapote autour des barques avec des petits îlots verdâtres coupés de lueurs blanches. Elle s'étend en mares glauques qu'un souffle fait subitement frissonner, elle allonge les mâts qu'elle reflète en brisant leur image, elle a des teintes blafardes et ternes qui s'illuminent de clartés aiguës. » Conception encore timide dans *la Grenouillère* (*ci-dessous*) où des résidus de noir enlèvent de sa transparence à la surface de l'eau et où le fond de feuillage reste compact. Mais dès 1872, trois ans plus tard, après le séjour à Londres où il étudie Turner et Constable, Monet joue d'audace. S'autorisant de la pulvérisation effective des formes dans l'eau, il juxtapose sur la toile, dans ses *Régates à Argenteuil*, au nom même du réalisme le plus sourcilleux, de larges virgules de tons purs divisés (*à gauche*). Il n'ira jamais plus loin dans le grossissement du trait. C'est *Impression, soleil levant* (*ci-dessus*), peint la même année au Havre dans une manière plus fluide, qui donnera son nom au mouvement. Le frère de Renoir, chargé du catalogue de l'Exposition de 1874, ayant déploré la monotonie des titres, Monet aurait rétorqué : « Mettez *Impression* ». Un journaliste devait s'emparer du mot, par dérision, et en affubler le groupe tout entier.

Claude Monet. *La Grenouillère.* 1869. Toile. H. 0,74 m, L. 1 m.

Auguste Renoir (1841-1919). *Chemin montant dans les herbes.* 1876-78. Toile. H. 0,60 m, L. 0,74 m.

Claude Monet (1840-1926). *Les Coquelicots.* 1873. Toile. H. 0,50 m, L. 0,65 m.

UN CHAPELET DE TACHES ROUGES dans une nébuleuse de verdure, c'est ainsi que Monet perçoit un morceau de campagne. Il ne cherche pas à rendre la morphologie détaillée d'un coquelicot, il restitue l'impression première, le choc instantané sur la rétine. Devant cette silhouette de femme sans visage (*à droite*), on mesure le chemin parcouru depuis Watteau (page 90). Si diaphanes qu'elles fussent, les amoureuses de Cythère conservaient un contour et des traits distinctifs. Ici, écrit Geffroy le critique et ami de Monet, « les êtres passent comme des lueurs et tout est entrevu à travers les transparences de l'atmosphère [...]

Tout est illuminé et frissonnant sous les ondes de lumière propagées dans l'espace. »

AU MILIEU DU TABLEAU DE RENOIR (*en haut*), qui subit à l'époque l'influence de Monet, l'ombre joue le rôle d'une vive ponctuation qui rehausse la crudité des verts. La touche des arbres (à gauche) rappelle Valenciennes (page 32). Pourtant, disait Renoir, « les procédés, les méthodes ne s'enseignent pas. On les apprend soi-même en cherchant. Rien ne doit être peint de la même façon. Certaines choses gagnent dans une toile à être ébauchées, laissées à deviner. C'est une affaire de tact. »

Claude Monet. *Les Coquelicots.* Détail.

Dans le faux négligé de ce semis de taches rouges,
les premières joies de la peinture claire.

Édouard Manet (1832-1883). *Claude Monet dans son atelier*. 1874. Toile. H. 0,82 m, L. 1,04 m.

CE REPORTAGE EN DEUX VOLETS DE MANET SUR MONET nous permet d'entrer dans l'intimité de l'artiste au travail. A l'instar de Daubigny et de son *Bottin*, Monet avait acheté un vieux bateau d'où il observait le comportement de la lumière à ras des flots. On pouvait dormir dans cet atelier flottant, et même faire des voyages. Monet conduisit un jour toute sa famille jusqu'à Rouen. On retrouve dans les deux tableaux la toile festonnée qui protégeait le peintre et sa femme du soleil. Dans l'un, c'est Monet qui est flou ; dans l'autre, son épouse.

1874 marque le rapprochement des deux hommes. « Vous êtes le Raphaël de l'eau », disait Manet. Sous l'influence de son élève Berthe Morisot, il se laisse conduire en plein air et rejoint les impressionnistes sur le motif. Il redécouvre les charmes de la lumière vivante, qu'il avait pressentis dès 1869 (page 192). C'est aussi l'époque où l'auteur scandaleux de *l'Olympia* vient en aide à son jeune confrère en proie aux pires difficultés d'argent. « De plus en plus dur, écrit Monet le 28 juin 1873. Depuis avant-hier, plus un sou et plus de crédit, ni chez le boucher ni chez le boulanger. Quoique j'aie foi dans l'avenir, vous voyez que le présent est bien pénible... Ne pourriez-vous point m'envoyer par retour du courrier un billet de vingt francs ? »

Converti aux libertés du plein air,
Manet saisit Monet dans son « atelier » nautique
— au plus près de la nature.

Auguste Renoir (1841-1919). *La Promenade*. 1874-75. Toile. H. 1,71 m, L. 1,07 m.

Renoir fond peu à peu
ses personnages dans l'indistinct
d'une réalité sans contours.

Auguste Renoir. *La Petite Fille à l'arrosoir*. 1876. Toile. H. 1 m, L. 0,73 m.

POUR INTÉGRER SES PERSONNAGES À LEUR DÉCOR, Renoir procède par tâtonnements successifs. Dans *la Promenade* (*à gauche*) le modelé est très accusé, les visages nettement dessinés, le charme naît de l'identité des physionomies.

Avec *la Petite Fille à l'arrosoir*, peinte deux ans plus tard, les contours gagnent en fluidité, les tons des vêtements vibrent, l'enfant ne se détache plus en avant de la composition, fond et modèle fusionnent dans la même lumière.

La troisième dimension est écrasée. Dans *la Première Sortie*, dont la mise en page audacieuse suggère une influence de Degas, le premier plan est net et le fond totalement flou. Renoir veut obéir ici à une loi commune de la vision qui nous interdit d'accommoder simultanément à des distances différentes. Alors que les classiques se contentaient généralement de suggérer les lointains par un effet de *sfumato*, de léger brouillard, qui traduisait l'épaisseur de l'air, Renoir choisit un procédé

beaucoup plus radical et plus fidèle à ce qu'il a effectivement perçu quand il avait les yeux fixés sur sa jeune et ravissante spectatrice. Il rompt ses masses, élimine toute silhouette précise et transforme le gros du public en une mêlée indistincte. Ainsi remplace-t-il une convention d'atelier par les leçons de l'expérience physique.

Auguste Renoir. *La Première Sortie*. 1876.
Toile. H. 0,65 m, L. 0,50 m.

100

Un crible de rayons solaires pulvérise les robes des grisettes et les change en architectures lumineuses.

C'EST UNE FÊTE DE LA LUMIÈRE qu'organise Renoir en composant *la Tonnelle* du musée de Moscou. La large tache claire de la robe, à gauche, ne compromet pas l'équilibre global d'une peinture soumise tout entière à la palpitation de l'été. « Sans le moindre artifice de la composition, sans le moindre effet de trompe-l'œil, Renoir nous place au cœur même de la scène, écrit le conservateur Charles Sterling. Nous sommes envahis et comme absorbés par le rayonnement de sa peinture [...] Après Delacroix c'est la peinture la plus saturée, la plus dense qui soit dans les temps modernes. »

« Zola s'imagine avoir peint le peuple en disant qu'il sent mauvais », disait Renoir qui détestait le misérabilisme. « Pour moi un tableau doit être une chose aimable, joyeuse et jolie, oui jolie [...] Il y a déjà assez de choses embêtantes dans la vie pour que nous n'en fabriquions pas encore d'autres. » Un jour qu'il était à l'école, son professeur Gleyre lui avait lancé : « C'est sans doute pour vous amuser que vous faites de la peinture ?
— Monsieur, si cela ne m'amusait pas, je n'en ferais pas. »

Auguste Renoir (1841-1919). *La Tonnelle*. 1876. Toile. H. 0,81 m, L. 0,65 m.

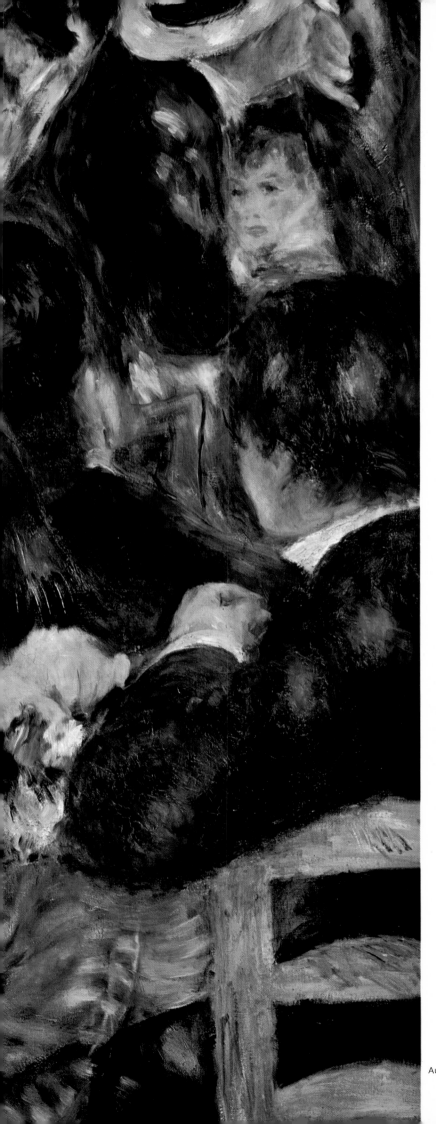

DERRIÈRE LA FÉERIE DES TABLEAUX MONTMARTROIS, une démonstration de virtuose sur les possibilités d'animer un sujet par la lumière. Grâce au prétexte des branches d'arbres qui laissent passer un crible arbitraire de taches colorées, Renoir pulvérise les formes et change la robe des jeunes filles en un miroitement immatériel. La compacité des silhouettes est niée par la trame des rayons solaires qui traitent avec la même liberté le sol pierreux et le chiffonné des tissus.

« Déesse moderne, soyeuse, satinée, veloutée, bariolée de vêtements et de rubans » (Gustave Geffroy), la femme est la reine du *Moulin de la Galette*. Ce café de la Butte, fréquenté par des artistes et des grisettes, plaisait à Renoir par son atmosphère joyeuse. Ayant vendu un tableau, il s'installa tout à côté, 78, rue Cortot, afin de travailler plus facilement sur place. « Cette toile, raconte Georges Rivière, fidèle ami de Renoir et de Cézanne, nous la transportions tous les jours de la rue Cortot au Moulin, car le tableau fut exécuté entièrement sur place. Cela n'allait pas toujours sans difficulté... »

Renoir consacrait ses matinées au *Moulin* et ses après-midi à *la Balançoire*. C'est bien la même inspiration — la plus heureuse de toute la carrière du peintre — qui relie les deux œuvres.

Auguste Renoir. *La Balançoire*. 1876. Toile. H. 0,92 m, L. 0,73 m.

Auguste Renoir (1841-1919). *Le Moulin de la Galette* (détail). 1876. Toile. H. 1,31 m, L. 1,75 m.

Claude Monet. *Les Dindons*. Détail.

UNE MÊME TOUCHE RAPIDE, NERVEUSE, RYTHMÉE couvre dès le départ la totalité de la toile. Par l'inter-pénétration inextricable des coups de pinceau, Monet construit des volumes déchiquetés qui ne prennent leur logique et leur frémissement qu'avec un peu de recul. Chaque couleur est le produit d'une suite innombrable d'approximations. A la différence d'un Courbet qui procède en deux temps, traitant le paysage en plein air et ses personnages à l'atelier, Monet exécute tout son motif sur place, dans la même ambiance lumineuse. « Il réfléchit dans son œil exalté, coordonne dans sa cervelle exacte les multiples phénomènes de forme, de couleur et de lumière qui changent sans cesse les distances, les densités, les surfaces, les expressions », écrit Gustave Geffroy qui l'a beaucoup regardé travailler. La grande toile décorative des *Dindons*, où les animaux semblent jetés au hasard, comme autant de taches blanches, fut présentée à la troisième exposition des impressionnistes, en 1877, et fort mal accueillie par la presse. Ce même automne, Monet sollicite le collectionneur Chocquet : « Soyez assez bon de vouloir bien me prendre une ou deux croûtes que je vous laisserai au prix que vous y pourrez mettre : cinquante francs, quarante francs, ce que vous pourrez, car je ne puis attendre plus longtemps. »

En un savant chaos,
la touche rythmique de Monet
entremêle inlassablement
toutes les couleurs du prisme.

Claude Monet.
Les Dindons.
Détail.

Claude Monet (1840-1926). *Les Dindons*. 1877. Toile. H. 1,74 m. L. 1,72 m.

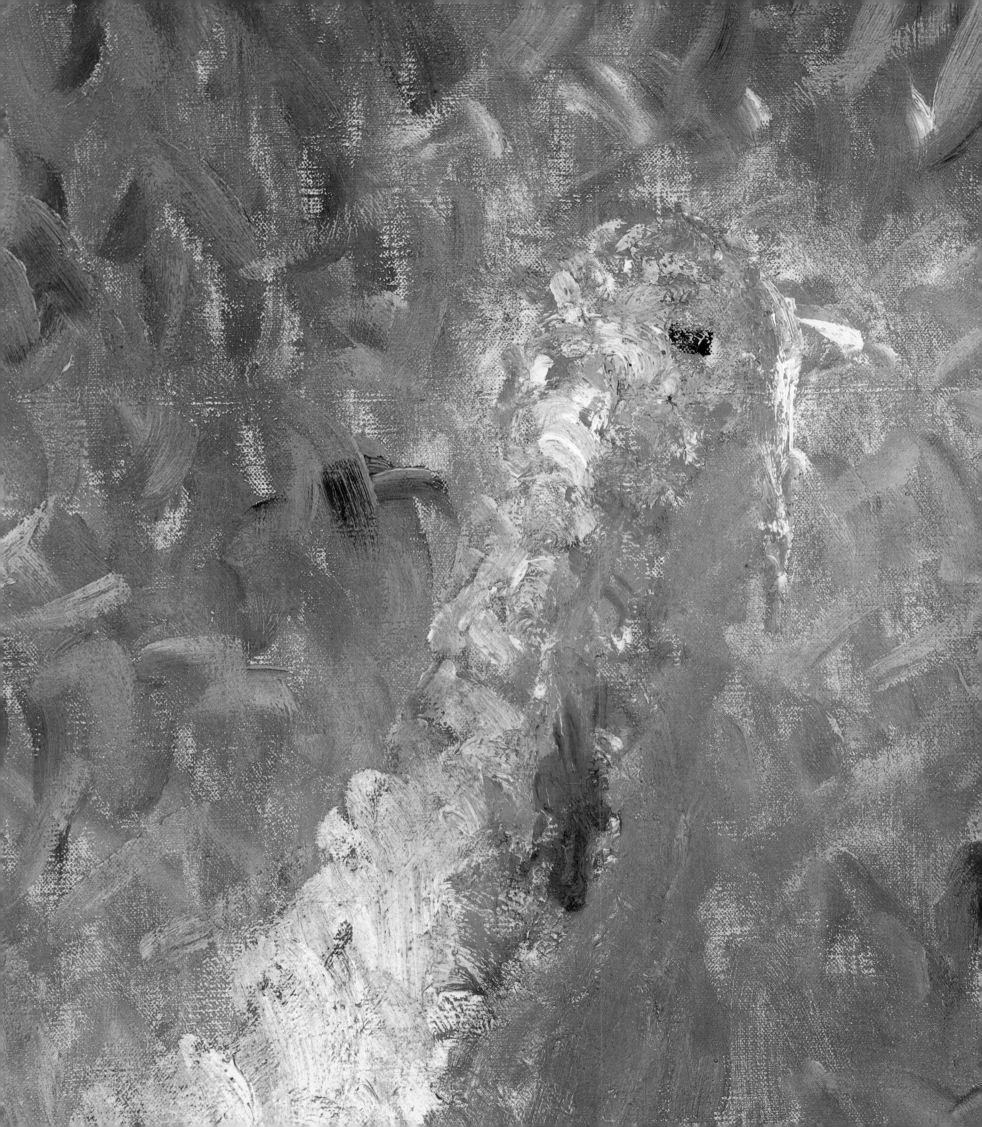

La féerie du prosaïque
captive Monet. Il s'acharne
sur la gare Saint-Lazare
et donne des jets de vapeur
une interprétation
aérienne et campagnarde.

Claude Monet (1840-1926). *La Gare Saint-Lazare.* 1877. Toile. H. 0,82 m, L. 1,01 m.

Claude Monet. *La Gare Saint-Lazare.* 1877. Toile. H. 0,60 m, L. 0,70 m.

Claude Monet. *Le Pont de l'Europe. Gare Saint-Lazare.* 1877. Toile. H. 0,64 m, L. 0,80 m

PLUS DIFFUSE, PLUS FUGITIVE QUE L'EAU, la fumée fascine Monet. Il découvre sous les verrières géantes de Saint-Lazare le spectacle d'une mobilité incessante et tente d'en fixer les aspects par une présence assidue en maints endroits de la gare et des alentours. Pas de « message » chez Monet quand il choisit un site aussi prosaïque et utilitaire, pas d'intentions sociales comme chez les pointillistes quand, dix ans plus tard, ils peindront les banlieues désolées et les gazomètres. Monet traite de problèmes avant tout plastiques : rapport des masses sombres des locomotives avec la ductilité éphémère des jets de vapeur. On sent tout de même, dans ses images, une sensibilité d'homme de la campagne, comme si Monet tentait d'insérer les prestiges de sa palette dans le triste univers de la machine et de combattre le nuage de suie qui allait envahir Paris.

« En 1877, note Lionello Venturi, la locomotive gonflait encore les cœurs d'enthousiasme comme un miracle de la science. Monet voulait montrer que même une machine noire et une verrière noire pouvaient être représentées par du bleu, que le gris sale du sol pouvait être vu en vert et que la fumée même pouvait devenir lumière. »

Claude Monet. *La Gare Saint-Lazare.* 1877. Toile. H. 0,60 m, L. 0,80 m.

Claude Monet. *La Gare Saint-Lazare.* 1877. Toile. H. 0,75 m, L. 1 m.

Dans le « bougé » de Manet, la leçon de l'instant. Il tente de capter la fébrilité des gestes quotidiens.

« VIVACE, LAVÉ, PROFOND, AIGU, HANTÉ DE NOIR », Mallarmé qualifiait ainsi l'art de Manet qui a orienté toute la production de l'impressionnisme vers la saisie immédiate, par « taches », du monde visible. Il voulait donner le sentiment d'une improvisation, d'une silhouette captée à la hâte, « jetée ». « Il n'y a qu'une chose vraie, expliquait-il à son ami Antonin Proust, faire du premier coup ce qu'on voit. Quand ça y est, ça y est. Quand ça n'y est pas, on recommence. Tout est là, le reste est de la blague. » Il ne retravaillait pas une œuvre mal venue, il lessivait sa toile au savon noir et repartait du début.
Manet fit quatre portraits de Mlle Henriette Chabot, fille d'un libraire de la rue de Moscou. Il s'acharna sur ce costume de cavalière, qu'il comptait présenter au Salon de 1883. « Cette *Amazone*, écrit Jacques-Émile Blanche, j'ai vu Manet l'effacer, gratter le chapeau haut de forme, le redessiner au trait, pour le faire « tenir » sur le chignon. » Mais Manet ne vécut pas assez pour assister au Salon de 1883. Malade, il dut s'aliter. Sa jambe gauche menacée de gangrène, il fut amputé. En vain. Sur

Édouard Manet (1832-1883).
L'Amazone. 1882. Toile. H. 0,74 m, L. 0,52 m (détail ci-contre).

son lit de mort, il était obsédé par l'hostilité systématique du peintre académique Cabanel : « Lui, gémissait-il, il se porte bien. » Il mourut le 30 avril. « Manet était plus grand que nous ne pensions », reconnut Degas. Son *Autoportrait* le montre en 1879, palette et pinceaux à la main (inversés par le miroir), en train de brosser à grande allure la magnifique tache jaune de sa jaquette.
Dans les deux tableaux qui figurent sur cette page, les mains sont traitées avec une singulière liberté. Manet la doit à la découverte de Hals (il fit le voyage de Hollande en 1872) qu'il surpasse très vite dans l'allusif et l'inachevé. « Les mains ne se dessinent pas sèches dans la nature, disait-il. Elles remuent. »

Édouard Manet.
Autoportrait (Manet à la palette).
1879. Toile. H. 0,83 m, L. 0,67 m.

Auguste Renoir (1841-1919). *Le Bal à Bougival*. 1883. Toile H. 1,80 m, L. 0,96 m.

C'est la fête impressionniste.
D'une guinguette
des bords de Seine,
Renoir tire
l'image du bonheur.

Auguste Renoir. *Le Déjeuner des canotiers*. 1881. Toile.
H. 1,29 m, L. 1,73 m. Détail page de gauche.

« RENOIR EST PEUT-ÊTRE LE SEUL PEINTRE, disait Octave Mirbeau, qui n'ait jamais peint un tableau triste. » *Le Déjeuner des canotiers* clôt brillamment la première période impressionniste du peintre qui va entrer en 1883 dans sa phase ingresque. Il y peint dans une atmosphère de joie et de détente un groupe d'amis attablés chez « la Mère Fournaise », une guinguette au bord de la Seine. On distingue au fond, derrière les personnages, la ronde des bateaux de plaisance. Au premier plan, nez retroussé, jouant avec un chien, parmi d'autres « jocondes du canotage », une jeune fille, Aline Charigot, qui deviendra bientôt la femme du peintre.
Dans le charmant *Bal à Bougival*, exécuté deux ans plus tard, on sent chez Renoir la même hésitation entre un style plus ferme, plus linéaire, plus modelé, et la touche vibrante qui triomphait dans *le Moulin de la Galette*. La dominante, désormais, n'est plus bleue, mais tire de plus en plus franchement vers le rouge.

LA MÊME TOUCHE ÉPAISSE traduit,
chez Cézanne, le paysage
et les corps qui s'y noient. « Peindre
d'après nature n'est pas, pour un
impressionniste, peindre l'objectif,
mais réaliser des sensations »,
expliquait l'artiste qui voulait mêler
sur sa toile tous les éléments de la
nature et « marier des courbes de
femmes à des épaules de collines ».
Observant la campagne, la sensibilité
prophétique du maître d'Aix discerne,
sous la fausse séparation des espèces,
le grand tohu-bohu moléculaire qui
confond dans un ordre plus large le
végétal, l'animal et le minéral. « Mes
yeux, dit-il, sont tellement collés au
point de vue que je regarde qu'il me
semble qu'ils vont saigner. »
Dans le *Nu debout*, Cézanne assouvit
la nostalgie de ses jeunes années et de
son amitié avec Zola, quand les deux
gamins, passionnés de baignades,
nageaient tout nus dans l'Arc, une
petite rivière qui sinue au sud d'Aix.
« Que j'aimerais — foutu sort qui nous
sépare —, que j'aimerais te voir
arriver ! » écrivait le futur artiste en
1858 à son ancien condisciple monté
finir ses études à Paris, où il allait
devenir l'écrivain le plus connu de son
temps.

Paul Cézanne (1839-1906). *Nu debout.* 1875-77. Toile. H. 0,54 m, L. 0,45 m.

Cézanne veut
« marier des courbes de femmes
à des épaules de collines ».
Dans l'épaisseur
d'une touche unitaire
s'opère une fusion où
tous les règnes s'interpénètrent.

Paul Cézanne. *Le Déjeuner sur l'herbe.* Vers 1873-75. Toile. H. 0,21 m, L. 0,26 m. Détail à droite.

Les baigneuses monumentales de Cézanne
enracinent leurs puissantes architectures
jusqu'aux sources immémoriales de la création.

Paul Cézanne (1839-1906). *Les Trois Baigneuses*. 1879-82. Toile. H. 0,58 m, L. 0,54 m.

« REFAIRE POUSSIN ENTIÈREMENT SUR NATURE », « faire de l'impressionnisme quelque chose de solide et durable comme l'art des musées », telle est bien l'ambition de Cézanne dans ces œuvres au rythme puissant où des baigneuses monumentales épousent les mouvements les plus secrets de la création. « C'est ce monde primordial que Cézanne a voulu peindre et voilà pourquoi ses tableaux donnent l'impression de la nature à son origine », explique Merleau-Ponty. Et Fernand Léger précise de son côté : « Sans Cézanne, je me demande parfois ce que serait la peinture actuelle. Pendant une très longue période j'ai travaillé avec son œuvre. Il ne me quittait pas. Je n'en finissais pas d'explorer et de découvrir. Cézanne m'a appris l'amour des formes et des volumes, il m'a fait me concentrer sur le dessin. J'ai alors pressenti que ce dessin devait être rigide, pas du tout sentimental. » Cézanne était intimidé par les femmes. Il contrôlait mal les pulsions d'une sensualité dont témoignent ses œuvres de jeunesse. « Je peins des natures mortes, disait-il à Renoir. Les modèles féminins m'effraient. Les coquines sont toujours en train de vous observer pour saisir le moment où vous n'êtes plus sur vos gardes. Il faut être tout le temps sur la défensive et le motif disparaît. » En 1890, le père Tanguy vendait ses Cézanne à prix fixe ; cent francs les grandes toiles et quarante francs les petites.

Paul Cézanne. *Cinq Baigneuses*. 1885-87. Toile. H. 0,65 m, L. 0,65 m.

Au chevet de sa femme morte, Monet puise dans la palette impressionniste ses accents les plus déchirants.

DEVANT LA DISPARITION DE SA PREMIÈRE FEMME, à moins de trente ans, Monet réagit en peintre. Tout se passe comme s'il avait pressenti ce jour-là le sens profond de sa propre recherche et la raison de son acharnement à décrire le caractère éphémère des choses et des êtres. Il confessera plus tard à son ami Clemenceau : « Un jour, me trouvant au chevet d'une morte qui m'avait été et m'était toujours très chère, je me surpris les yeux fixés sur la tempe tragique, dans l'acte de chercher machinalement la succession, l'appropriation des dégradations de coloris que la mort venait d'imposer à l'immobile visage. Des tons de bleu, de jaune, de gris, que sais-je ? Voilà où j'en étais venu... Voilà que l'automatisme organique frémit d'abord au choc de la couleur et que les réflexes m'engagent, en dépit de moi-même, dans une opération d'inconscience où se reprend le cours quotidien de ma vie. Ainsi de la bête qui tourne sa meule. »

La vie de Camille n'avait été qu'une longue lutte contre la misère. En 1878, Monet écrit à Zola : « Nous n'avons pas un sou à la maison, pas même de quoi faire bouillir la marmite aujourd'hui. Avec cela ma femme mal portante réclamant bien des soins, car vous savez peut-être qu'elle est heureusement accouchée d'un superbe garçon. Voulez-vous me prêter deux ou trois louis, ou même un seul ? » Un an plus tard, Camille morte, il supplie De Bellio de « faire retirer du Mont-de-piété le médaillon dont je vous envoie la reconnaissance : c'est le seul souvenir que ma femme avait pu conserver et je voudrais le lui mettre au cou avant de partir ».

SOUS LA DICTÉE DE LA LUMIÈRE, Monet peint Suzanne Hoschedé, sa belle-fille. Il l'avait aperçue marchant sur un talus, au bout de « l'île aux orties », un pré qui marquait l'extrémité de sa propriété de Giverny. « Très emballé par la splendeur du motif, raconte Jean-Pierre Hoschedé, oubliant la fatigue du modèle, il ne le fit pas se reposer et Suzanne, n'osant bouger, se trouva mal, au grand désespoir de Monet. » La *Femme à l'ombrelle* est le triomphe d'une « peinture de l'air », miraculeusement transparente et subtile. Sous le pinceau de Monet, êtres et choses acquièrent une texture vaporeuse et immatérielle. Le point de vue en contre-plongée donne le sentiment d'accompagner le modèle dans sa métamorphose, dans sa lévitation vers l'éther. « Monet dresse en sveltes ascensions, dans la dorure du soleil et la marche des nuages, ces figures de jeunes filles aériennes et rythmiques. Le nouveau, ici, c'est une sorte d'évaporation des choses, un évanouissement des contours, un contact délicieux des surfaces avec l'atmosphère » (Gustave Geffroy).

Claude Monet (1840-1926). *Camille Monet sur son lit de mort.* 1879. Toile. H. 0,90 m, L. 0,68 m.

Claude Monet. *Femme à l'ombrelle tournée vers la droite.* 1886. Toile. H. 1,31 m, L. 0,88 m.

Le vent enveloppe dans une même caresse tranquille
les parterres de fleurs et les robes des femmes.

LES ÊTRES SEMBLENT EMPORTÉS dans le même mouvement que le vent et les feuilles. Alice Hoschedé, la seconde femme de Monet, s'inscrit dans la courbe de l'arbre qui la jouxte et se noie dans ce jardin de Giverny auquel Monet, soutenu par dix jardiniers, donnait tous ses soins. En panthéiste raffiné, l'artiste traite ses personnages comme les composantes d'un vaste brassage cosmique. L'homme, ici, n'est plus qu'« un lieu fugitif et secondaire entre des forces en déplacement » (Francastel).

C'est Octave Mirbeau qui décrira le mieux, en 1912, la touche volante de Monet : « On dirait que la main s'abandonne à suivre la lumière. Elle renonce à l'effort de la capter. Elle glisse sur la toile, comme la lumière a glissé sur les choses. Le mouvement minutieux qui, pièce à pièce, bâtissait l'atmosphère [dans les périodes précédentes] cède au mouvement plus souple qui l'imite et lui obéit. Claude Monet ne saisit plus la lumière avec la joie de conquête de celui qui, ayant atteint sa proie, se crispe à la retenir. Il la traduit comme la plus intelligente danseuse traduit un sentiment. »

Claude Monet (1840-1926). *Le Jardin de Monet à Giverny*. 1900. Toile. H. 0,81 m, L. 0,92 m.

Claude Monet. *Alice Hoschedé au jardin*. 1881. Toile. H. 0,80 m, L. 0,65 m.

Camille Pissarro (1831-1903). *Boulevard Montmartre, effet de nuit.* 1897. Toile. H. 0,54 m. L. 0,65 m.

Les peintres jettent
sur le nouveau Paris
du baron Haussmann
un regard ingénu et brouillé.

LA MAGIE DE PARIS a passionné les impressionnistes qui ont consacré de nombreux tableaux au quartier de l'Opéra et des Grands Boulevards. Installés aux fenêtres d'un hôtel, dominant les nouvelles avenues dessinées par Haussmann, ils ont saisi la féerie de l'éclairage nocturne et le charme paisible de la flânerie bourgeoise. Pendant que Renoir peignait, son frère se chargeait d'arrêter un instant les passants en leur demandant l'heure. Ainsi le peintre pouvait-il rapidement fixer leur silhouette. Devant la ville, les impressionnistes ont le même comportement que devant la campagne : ils refusent le mensonge du contour et ne veulent fixer que les

vibrations. Geffroy, l'ami de Monet, exprime une idée qui les définit tous quand il affirme : « Il s'agit de maisons qui se présentent par blocs, de voitures qui se croisent, de piétons qui circulent : on n'a pas le temps de voir un homme, une voiture, et le peintre qui s'attardera aux détails ne réussira pas à saisir la confusion de mouvements et la multiplicité de taches qui constituent l'ensemble. Claude Monet n'est pas tombé dans une semblable erreur : sa toile est vivante, agitée comme le Paris qui l'inspira. »

Claude Monet (1840-1926).
Boulevard des Capucines.
1873. Toile. H. 0.61 m, L. 0.80 m.

Auguste Renoir (1841-
Les Grands Boulevards. 1875. Toile. H. 0.50 m, L. 0.

Pulpeuses, tendres, alanguies, les femmes-fruits de Renoir...

LA CRISE VÉCUE PAR RENOIR dans les années 1881-1890 est visible dans la confrontation de ces trois tableaux. Analysant sa production récente, le peintre des *Canotiers* est pris d'un doute : « Il s'est fait, dira-t-il, comme une cassure dans mon œuvre. J'étais allé jusqu'au bout de l'impressionnisme et j'arrivais à cette constatation que je ne savais ni peindre ni dessiner. En un mot j'étais dans une impasse. » Il va chercher la solution en Italie, chez les classiques. « J'ai été voir les Raphaël à Rome, écrit-il le 21 novembre 1881 à Durand-Ruel. C'est bien beau et j'aurais dû voir ça plus tôt. C'est plein de savoir et de sagesse. Il ne cherchait pas comme moi des choses impossibles. Mais c'est beau. J'aime mieux Ingres dans les peintures à l'huile. Mais les fresques, c'est admirable de simplicité et de grandeur. » Commence alors la période ingresque où Renoir, jaloux du crayon de Degas, se discipline, travaille son dessin, s'essaie à la mine de plomb. Le contour se durcit, le

personnage se dégage du fond (*à gauche*). Les années passant, il se rapproche de plus en plus du tracé précis de Boucher, une de ses admirations de toujours (*ci-dessus*). Il se veut traditionnel et développe une véritable haine de l'impressionnisme. « J'ai repris, pour ne plus la quitter, l'ancienne peinture douce et légère [...] Ce n'est rien de nouveau, mais c'est une suite au tableau du XVIIIe siècle » (1885). Mais Renoir se rend bientôt compte de son erreur et, malgré le succès que lui vaut sa nouvelle manière (une grande exposition chez Durand-Ruel l'impose en 1892, l'État lui achète une toile), il entre de nouveau en crise. Ce sont les grandes *Baigneuses* qui en sortiront, plantureuses et lyriques, pulpeuses et tendres (*page de droite*), comme pour marquer la réconciliation du peintre avec la nature. Renoir se détache d'un réalisme étroit, ses toiles sont comme un chant de participation et d'adhésion à une vaste fête solaire. Ses femmes-fruits deviennent des symboles de la joie de vivre.

1. Auguste Renoir (1841-1919). *Baigneuse*. 1881. Toile. H. 0,82 m; L. 0,65 m.
2. Auguste Renoir. *Jeune fille se peignant*. 1885. Toile. H. 0,92 m, L. 0,73 m.
3. Auguste Renoir. *Baigneuse aux cheveux blonds*. 1905. Toile. H. 0,92 m, L. 0,73 m.

3.

Auguste Renoir (1841-1919).
Nu au chapeau. 1910. Toile. H. 0,66 m, L. 0,56 m.

Auguste Renoir.
Baigneuse endormie. 1897. Toile. H. 0,81 m, L. 0,65 m.

... offrent au soleil du Midi l'épanouissement de leurs chairs succulentes

Auguste Renoir. *Ode aux fleurs*. Entre 1903 et 1909.
Toile. H. 0,46 m, L. 0,36 m.

Auguste Renoir.
Baigneuse assise au rocher. 1892.
Toile. H. 0,81 m, L. 0,65 m.

LA VIEILLESSE DE RENOIR est un perpétuel hommage à la femme. « Un sein, disait l'artiste, c'est rond, c'est chaud. Si Dieu n'avait créé la gorge de la femme, je ne sais si j'aurais été peintre. » Pas de psychologie dans ces formes savoureuses. Renoir admirait dans *la Source* d'Ingres « cette tête qui ne pense à rien ». En 1908, il déclare à un peintre américain : « Je dispose mon sujet comme je le veux, puis je me mets à le peindre, comme ferait un enfant. Je veux qu'un rouge soit sonore et résonne comme une cloche ; si ce n'est pas cela, j'ajoute encore des rouges et d'autres couleurs jusqu'à ce que j'y arrive. Je ne suis pas plus malin que ça. Je n'ai ni règles ni méthodes [...] Je regarde un nu, j'y vois des myriades de teintes minuscules. Il me faut trouver celles qui feront vivre et vibrer la chair sur ma toile. » C'est l'époque où les rhumatismes le taraudent sans relâche. Les doigts paralysés, crispés sur le pinceau, il poursuit infatigablement son travail et Durand-Ruel, qui lui rend visite à Cagnes en 1912, sept ans avant sa mort, le trouve « dans le même triste état, mais toujours étonnant de force de caractère. Il ne peut ni marcher ni même se lever de son fauteuil. Il faut qu'on le porte partout à deux. Quel supplice ! Et avec cela la même bonne humeur et le même bonheur quand il peut peindre. »

Auguste Renoir.
Baigneuse assise au rocher. Détail.

Vincent Van Gogh. *Autoportrait*. Saint-Rémy. 1889.
Toile. H. 0,52 m, L. 0,45 m.

CE VISAGE OBSÉDANT, MINÉRAL, qui semble s'arracher avec peine à la toile, comme s'il y était tenu par la viscosité des pigments, c'est celui qu'observe Van Gogh dans son miroir. Personne depuis Rembrandt n'est allé aussi loin dans l'analyse scrupuleuse et impitoyable de soi-même. Marqué par une existence agitée, pleine de déceptions et d'échecs, Van Gogh lutte contre la montée inexorable d'une psychose épileptoïde qui le tuera en 1890. Dans une lettre contemporaine du portrait de 1886 (*à gauche*), son frère Théo écrit à l'une de leurs sœurs : « C'est comme s'il y avait deux personnes en lui, l'une merveilleusement douée, délicate et tendre ; l'autre, égoïste et de cœur dur. Elles se présentent tour à tour ; ainsi on peut l'entendre parler d'abord dans un sens, puis dans l'autre, et ceci avec des arguments qui sont tantôt tout pour, tantôt tout contre la même chose. C'est bien dommage qu'il soit son propre ennemi. »

Trois ans séparent le portrait de Saint-Rémy (*à droite*) de celui de 1886. Van Gogh est entré, le 8 mai 1889, comme patient volontaire dans un hôpital psychiatrique. Sa maladie prend des formes délirantes. Le Dr Peyron qui le soigne signale sur son cahier de consultations « plusieurs accès qui ont présenté une durée de quinze jours à un mois. Pendant ces accès, le malade est en proie à des terreurs terrifiantes et il a essayé à diverses reprises de s'empoisonner, soit en avalant de la couleur dont il se servait pour la peinture, soit en absorbant de l'essence de pétrole qu'il avait soustraite au garçon, au moment où il garnissait ses lampes. Le dernier accès qu'il a eu s'est déclaré après un voyage qu'il fit à Arles, et il a duré environ deux mois. Dans l'intervalle des accès, le malade est parfaitement tranquille et se livre avec ardeur à la peinture. » C'est pendant une de ces accalmies que Van Gogh peint

l'autoportrait de 1889. L'artiste semble usé, prostré, vaincu par la menace permanente de son mal. « J'y songe, écrit-il, d'accepter carrément mon métier de fou ainsi que Degas a pris la forme d'un notaire. Mais voici, je me sens pas tout à fait la force nécessaire pour un tel rôle. » Il se peint cerné de nimbes colorés, qui rayonnent tout autour de son visage anguleux. L'homme est malade mais l'artiste est plus puissant que jamais. Il réalise pleinement son ambition : « Faire des portraits qui, un siècle plus tard, apparaissent comme des apparitions. »

Derrière le regard buté, halluciné de Van Gogh, le ruminement des « terribles passions humaines ».

Vincent Van Gogh (1853-1890). *Autoportrait*. 1886. Toile. H. 0,46 m, L. 0,38 m.

La nature se convulse.
Les formes gonflent et crèvent.
Les arbres se tordent
comme des flammes...

Vincent Van Gogh (1853-1890). *Le Parc de l'asile des aliénés*. Saint-Rémy, octobre 1889. Toile. H. 0,73 m, L. 0,92 m.

Vincent Van Gogh. *Champ d'oliviers à Saint-Rémy.* Novembre 1889. Toile. H. 0,72 m, L. 0,92 m.

Vincent Van Gogh. *Le Jardin du Dr Gachet.* Mai 1890. Toile. H. 0,73 m, L. 0,52 m.

DANS LES PAYSAGES CONVULSÉS DE VAN GOGH, le chaos de la nature est saisi par un œil visionnaire. Les arbres y semblent les personnages d'une danse sauvage, comme s'ils incarnaient les tourments de l'artiste, sa difficulté à s'arracher au poids de l'angoisse. Albert Aurier, dans le seul article qu'on lui ait consacré de son vivant (janvier 1890), parle « des arbres tordus comme des géants en bataille », du « tragique envolement de leurs vertes crinières », de « leur sève chaude comme du sang ». Il signale « une étrange nature, à la fois vraie et quasiment surnaturelle, une nature où tout, êtres et choses, ombres et lumières, formes et lumières, formes et couleurs, se cabre, se dresse en une volonté rageuse de hurler son essentielle et propre chanson, sur le timbre le plus intense, le plus farouchement suraigu ».

Moins d'un mois après son arrivée à Saint-Rémy, Van Gogh est autorisé à travailler dans le jardin et dans les environs immédiats, accompagné d'un surveillant. Il peint les champs d'oliviers (*ci-dessus*), le bâtiment des aliénés, les bancs de pierre cernés par l'herbe folle (*à gauche*). Çà et là, une silhouette frileuse rôde : un malade. « Entre nous, écrit Van Gogh, nous nous comprenons très bien... Si quelqu'un tombe dans quelque crise, les autres le gardent et interviennent pour qu'il ne se fasse pas de mal. La même chose pour ceux qui ont la manie de se fâcher souvent ; des vieux habitués de la ménagerie accourent et séparent les combattants, si combat il y a. »

C'est le même tournoiement d'une végétation tourmentée qu'il décrit à Auvers, en mai 90, chez le Dr Gachet. Van Gogh, qui devait se suicider fin juillet en disant à ceux qui tentaient de le sauver : « Inutile. La tristesse durera toute la vie », peint ici (*à droite*), d'une fenêtre, le jardin privé du médecin. La masse principale du premier plan (l'if sinueux du centre et le yucca aux feuilles pointues) semble percutée par la perpendiculaire agressive du toit rouge. Construction abrupte qui déconcerte par la franchise acrobatique de son parti.

... tout bascule.
Dans la nuit de Saint-Rémy,
c'est le déferlement des nébuleuses,
la giration torturée
d'une nature devenue folle.

UN CATACLYSME DE FIN DU MONDE
envahit la nuit de Van Gogh, une
nuit d'apocalypse peuplée
d'aérolithes en fusion et de comètes à
la dérive. On croirait que l'artiste est
parvenu, pour un temps, à expulser, à
objectiver sur une toile son tumulte
intérieur. Tout ici est brassé dans une
vaste fusion cosmique, comme dans
les nébuleuses de William Blake — à
l'exception du singulier petit village,
au premier plan, où dominent des
éléments architecturaux inspirés des
pays du Nord. En même temps qu'il
lâche la bride à son imagination
forcenée, Van Gogh se souvient de
son enfance et de sa jeunesse.
Aurier, dans son article de 1890, parle
d' « une sorte de géant ivre, plus apte
à des remuements de montagnes qu'à
manier des bibelots d'étagère, un

cerveau en ébullition, déversant sa
lave dans tous les ravins de l'art. » A
quoi Van Gogh répond, quelques mois
après l'exécution de *la Nuit étoilée* :
« Les émotions qui me prennent
devant la nature vont chez moi jusqu'à
l'évanouissement, et alors il en résulte
une quinzaine de jours pendant
lesquels je suis incapable de travailler. »
A gauche de l'œuvre, un cyprès dresse
jusqu'au ciel sa masse sombre. « Les
cyprès me préoccupent toujours,
écrit Van Gogh en juin 89. C'est beau
comme lignes et comme proportions,
comme un obélisque égyptien. Et le
vert est d'une qualité si distinguée.
C'est la tache noire dans un paysage
ensoleillé, mais elle est l'une des notes
noires les plus intéressantes, les plus
difficiles à taper juste que je puisse
imaginer. »

Vincent Van Gogh (1853-1890). *La Nuit étoilée.* 1889. Toile. H. 0,74 m, L. 0,92 m.

L'image vibre.
Les lignes sinuent et se contorsionnent.
Un tremblement de terre
semble ébranler les spectacles
les plus quotidiens.

Vincent Van Gogh (1853-1890). *Le Ravin*. Octobre 1889. Toile. H. 0,73 m, L. 0,92 m.

Vincent Van Gogh. *Chemin à Auvers*. Décembre 1889. Toile. H. 0,50 m, L. 0,71 m.

L'ÉTRANGETÉ DU QUOTIDIEN, Van Gogh la décèle dans le sourire de deux enfants et dans les spectacles les plus familiers de la campagne. Un ébranlement sismique semble perturber la surface de ses toiles, comme si l'image, saisie de vibrations, menaçait de se disloquer.

A droite : c'est le même tremblé qui agite les maisons et le chemin, la robe des petites filles et les mains qu'elles croisent.

A gauche et ci-dessus : ces deux compositions, réalisées à deux mois d'intervalle, se ressemblent. Une même obsession les unit. Dans les deux cas, une courbe sinueuse coupe le tableau de haut en bas et de droite à gauche, une ligne de fuite centrale vient se briser sur la verticale d'un fond bouché. Dans le *Chemin à Auvers*, c'est un groupe de maisons qui obstrue l'horizon ; dans *le Ravin*, c'est une paroi montagneuse. « Plus les rochers s'approchent du premier plan, note Lionello Venturi à propos du *Ravin*, plus leur vue se fait tourmentée — jusqu'à devenir effrayante et démoniaque dans celui qui forme un arc à cause de l'érosion du torrent. »

Van Gogh mentionne, dans une lettre à Émile Bernard, sa volonté de faire buter l'œil sur une clôture qui restreigne et enferme l'espace sur lui-même. « Je travaille à une grande toile... deux bases de rochers excessivement solides entre lesquels coule un filet d'eau, une troisième montagne qui ferme le ravin. Ces motifs ont certes une belle mélancolie, puis cela est amusant de travailler dans des sites bien sauvages où il faut enterrer le chevalet dans des pierres pour que le vent ne vous fiche pas tout par terre. »

Vincent Van Gogh. *Deux Enfants*. 1890.
Toile. H. 0,51 m, L. 0,46 m.

Un halo cosmique imprègne les meules, comme si Monet avait saisi, par-delà son motif, le rythme immense et majestueux de la nature. « Il donne la sensation de l'instant éphémère, qui vient de naître, qui meurt, qui ne reviendra plus — et en même temps, par la densité, par le poids, par la force qui vient du dedans en dehors, il évoque sans cesse, dans chacune de ses toiles, la courbe de l'horizon, la rondeur du globe, la course de la terre dans l'espace », écrit Gustave Geffroy qui, dans sa préface à l'exposition de 1891, nous livre sur Monet un témoignage de première main : « Le voilà, à deux pas de sa maison tranquille, de son jardin où flambe un incendie de fleurs, le voilà qui s'arrête sur la route, un soir de fin d'été, et qui regarde le champ où se dressent les meules [...] C'est au bord de ce champ qu'il reste ce jour-là et qu'il revient le lendemain et le surlendemain, et tous les jours, jusqu'à l'automne, et pendant tout l'automne, et au commencement de l'hiver. Les meules n'auraient pas été relevées, qu'il aurait pu continuer, faire le tour de l'année, renouer les saisons, montrer les infinis changements du temps sur l'éternelle phase de la nature. »

L'exposition, qui comportait quinze toiles, avait coûté bien des peines à Monet. Le peintre croyait au début qu'il suffirait de deux tableaux — l'un par temps gris, l'autre avec le soleil — pour traduire son impression du motif. Mais sans cesse de nouveaux effets lui apparaissaient : « Je pioche beaucoup, écrit-il le 7 octobre 1890, je m'entête à une série d'effets différents, mais à cette époque, le soleil décline si vite que je ne peux le suivre [...] Je deviens d'une lenteur à travailler qui me désespère [...] Plus je vais, plus je vois qu'il faut beaucoup travailler pour arriver à rendre ce que je cherche : « l'instantanéité », surtout l'enveloppe, la même lumière répandue partout, et plus que jamais les choses faciles venues d'un jet me dégoûtent. »

En voyant une de ces meules un jeune juriste, Wassili Kandinsky, décidera de se consacrer à la peinture.

Claude Monet (1840-1926). *Meule en hiver*. 1891. Toile. H. 0,66 m, L. 0,90 m.

Claude Monet. *Meule*. 1891. Toile. H. 0,60 m, L. 1 m.

Claude Monet. *Meules (soleil couchant).* 1891. Toile. H. 0,64 m. L. 1 m.

Dans les métamorphoses
d'une meule, Monet piège
le passage des heures
et des saisons.
Il nous fait dialoguer
avec les grands rythmes
de la terre.

Claude Monet. *Meules au coucher du soleil près de Giverny.* 1891. Toile. H. 0,75 m. L. 0,94 m.

Sur la façade d'une cathédrale, Monet observe, fasciné, le mot à mot de la lumière.

MONET S'ATTAQUE À CE QU'IL Y A DE PLUS DENSE, de plus compact, de plus permanent : une cathédrale gothique. Il loue une chambre sur la place de Rouen, au-dessus du magasin « Au Caprice », installe plusieurs chevalets devant la fenêtre et vit là de longs mois, scrutant la façade, allant, selon les heures, d'un chevalet à l'autre. Il en ramènera une série de vingt toiles, vingt « impressions », toutes différentes qui, prises ensemble, constituent un véritable manifeste de l'éphémère.
« Sa peinture, note Germain Bazin, devient une sorte de ciment, comme pour imiter la matière même des vieilles pierres. » Et Monet, de son côté, explique : « Le motif n'est pour moi qu'une chose insignifiante. Ce que je veux reproduire, c'est ce qu'il y a entre le motif et moi. »

Exposée en 1895 chez Durand-Ruel, la série des *Cathédrales* fera sensation.
« Je suis très emballé par cette maîtrise extraordinaire, écrit Pissarro. Cézanne, que j'ai rencontré hier chez Durand, est bien de mon avis que c'est l'œuvre d'un volontaire, bien pondéré, poursuivant l'insaisissable nuance des effets que je ne vois réalisée par aucun autre artiste. »
Georges Clemenceau, critique d'art

à ses heures, affirme, quant à lui, dans *la Justice* : « Chaque moment nouveau de chaque jour variable constitue, sous la lumière mobile, un nouvel état de l'objet qui n'a jamais été, et qui jamais ne sera plus [...] La pierre elle-même vit, on la sent muante de la vie qui précède en la vie qui va suivre [...] Dans ses profondeurs, dans ses saillies, dans ses replis puissants ou ses arêtes vives, le flot de l'immense marée solaire accourt de l'espace infini, se brise en vagues lumineuses, battant la pierre de tous les feux du prisme ou apaisées en obscurités claires. »

1. Claude Monet (1840-1926). *La Cathédrale de Rouen. Le portail : soleil matinal. Harmonie bleue.* 1894. Toile. H. 0,91 m, L. 0,63 m.

2. Claude Monet. *La Cathédrale de Rouen. Le portail et la tour d'Albane, plein soleil. Harmonie bleu et or.* 1894. Toile. H. 1,07 m, L. 0,73 m.

3. Claude Monet. *La Cathédrale de Rouen. Au coucher du soleil.* 1894. Toile. H. 1 m, L. 0,65 m.

4. Claude Monet. *La Cathédrale de Rouen. Le portail : temps gris.* 1894. Toile. H. 1 m, L. 0,65 m.

5. Claude Monet. *La Cathédrale de Rouen. Le portail et la tour d'Albane. Effet du matin. Harmonie blanche.* 1894. Toile. H. 1,06 m, L. 0,73 m.

L'artiste scrute la noyade des palais gothiques
dans la brume des villes.
Le motif subsiste confusément dans les lointains,
aux limites de l'évanescence.

Claude Monet. *Le Palais des Doges vu de San Giorgio.* 1908. Toile. H. 0,65 m, L. 1 m.

UNE RÉALITÉ FANTOMATIQUE surgit sous le pinceau de Monet vieillissant. A Londres un spectacle le fascine : les arêtes vives du Parlement néo-gothique, estompées, noyées dans la brume. Ici encore, le critique Geffroy, témoin privilégié, observe Monet en plein travail sur la Tamise : « Il accumulait les touches, comme on peut le voir sur ses toiles ; il les accumulait avec une sûreté prodigieuse, sachant exactement à quels phénomènes de lumière elles correspondaient. De temps en temps, il s'arrêtait. ''Le soleil n'y est plus'', disait-il [...] Le spectacle était grandiose, solennel et morne, un abîme d'où venait une rumeur. On aurait cru que tout allait s'évanouir, disparaître dans une obscurité sans couleur. »

« Tout à coup, Claude Monet ressaisissait sa palette et ses brosses.

'' Le soleil est revenu '', disait-il. Il était à ce moment seul à le savoir. Nous avions beau regarder, nous n'apercevions toujours que l'espace ouaté de gris, quelque forme confuse, les ponts comme suspendus dans le vide, les fumées vite effacées, et quelques flots houleux de la Tamise, visibles proche de la berge. Nous nous appliquions à mieux voir, à pénétrer ce mystère, et, en effet, nous finissions par distinguer nous ne savions quelle lueur lointaine et mystérieuse, qui semblait faire effort pour pénétrer ce monde immobile. »

VILLE PRÉDESTINÉE DE L'IMPRESSIONNISME, où l'eau, le ciel, la pierre sont en perpétuelle fusion, Venise exalte Monet. Il la visite pour la première fois à soixante-neuf ans : « Quel malheur de n'être pas venu ici quand j'étais plus jeune ! Quand j'avais toutes

les audaces ! Enfin... Mais je passe ici des moments délicieux, oubliant presque que je n'étais pas le vieux que je suis ! »

Il consacrera vingt-neuf tableaux à la cité de saint Marc, qui seront présentés en 1912 galerie Bernheim. Trois jours après le vernissage, Signac lui écrit : « J'ai éprouvé devant vos *Venise*, devant l'admirable interprétation de ces motifs que je connais si bien, une émotion aussi complète, aussi forte, que celle que j'ai ressentie, vers 1879, dans la salle d'exposition de *la Vie moderne*, devant vos *Gares*, vos *Rues pavoisées*, vos *Arbres en fleurs*, et qui a décidé de ma carrière. »

A la différence de Manet (page 193), Monet semble ici rester comme à distance de la ville féerique. Il peint le palais des Doges dans les lointains, à demi évanoui, suspendu dans le temps, tel un vestige des splendeurs anciennes.

Claude Monet (1840-1926). *Le Parlement. Effet de soleil dans le brouillard.*
1904. Toile. H. 0,81 m, L. 0,92 m.

LE VERTIGE DE L'IMMATÉRIEL pousse Monet, au terme de sa vie, vers un art sans formes ni profondeur, aux limites de l'abstraction. Pendant vingt ans, il va s'acharner à fixer sur de grandes toiles les nuées les plus vaporeuses, les mariages les plus furtifs du ciel et de l'eau. Il crée une peinture d'ambiance qui n'appelle plus l'attention sur tel ou tel objet, mais qui pénètre la sensibilité par imprégnation.

La première série des *Nymphéas* (25 toiles) fut présentée chez Durand-Ruel en 1900. La deuxième série (48 toiles) neuf ans plus tard. « Ces paysages d'eau et de reflets sont devenus une obsession, écrit Monet le 11 août 1908. C'est au-delà de mes forces de vieillard, et je veux cependant arriver à rendre ce que je ressens. J'en ai détruit. J'en recommence [...] Et j'espère que de tant d'efforts, il en sortira quelque chose. »

A Giverny, Monet entreprend d'organiser sa propriété comme une sorte de gigantesque tableau. Avec le concours d'une armée de jardiniers, il détourne le cours d'une rivière, plante des fleurs exotiques, place des saules, des bambous, des rhododendrons, ensemence le bassin, ajoute des enclos avec des poules blanches, des canards, des faisans, etc. C'est désormais la nature qui, recomposée par l'artiste, ressemble à son art. « Mon plus beau chef-d'œuvre, dira-t-il, c'est mon jardin. »

A quatre-vingt-deux ans, Monet est atteint de cataracte et contraint d'envisager une opération délicate : il ne s'y résigne que sur l'insistance de son ami Clemenceau. C'est ensuite un dur réapprentissage et l'essai de multiples lunettes avant que l'artiste se sente de nouveau en pleine possession de ses moyens.

Le Pont japonais, qui date de 1922 (*ci-dessous*), a été peint au plus fort de la crise. Cet édifice gracieux, au-dessus de l'étang de Giverny, faisait partie du paysage quotidien de Monet. De cette passerelle garnie de glycines, il examinait et composait son jardin. Or, au lieu de figurer ce qu'il sait d'expérience d'un tel motif, l'artiste s'en tient volontairement à ce qu'il voit de ses yeux malades et nous donne cette étrange agglomération de couleurs où les peintres abstraits des années 1940 et 1950, comme Pollock, verront un encouragement et une source d'inspiration.

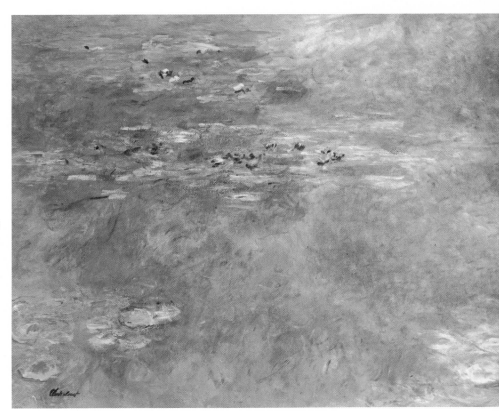

Claude Monet (1840-1926). *Nirvâna jaune*. 1900-1922. Toile. H. 1,30 m, L. 2 m.

Claude Monet. *Le Pont japonais*. 1922. Toile. H. 0,89 m, L. 0,93 m.

En un brassage inextricable, l'eau, la terre et la lumière se mêlent sur l'étang de Giverny. Monet y puise l'inspiration de ses dernières années. Le flamboiement sourd des *Nymphéas* ouvre la voie de l'abstraction informelle.

Claude Monet. *Les Nymphéas. Les deux saules. Le matin, partie gauche.* Détail. 1922. Toile. H. 1,97 m, L. 1,69 m.

Claude Monet. *Les Nymphéas. Soleil couchant.* 1914-18. Toile. H. 1,97 m, L. 5,94 m. Détail double page suivante.

« CHAPELLE SIXTINE » DE L'IMPRESSIONNISME, terme d'une évolution commencée près de soixante ans plus tôt, l'ensemble des *Nymphéas* de l'Orangerie est l'apothéose de Monet. Dix-neuf panneaux d'environ quatre mètres sur deux sont juxtaposés en deux salles dont le peintre lui-même a dessiné la disposition. « Le tout, explique Gustave Geffroy, figure le tour de l'étang et doit être placé au bas des murailles de la salle d'exposition pour être vu de haut par le spectateur, exactement comme se voient, dans la réalité, la surface de l'eau et l'encadrement de la berge. Le placement et cet arrangement, de forme sinon ovale ou circulaire, du moins arrondie aux deux extrémités, est la seule condition du don, sans cesse augmenté, de Monet à l'État. » C'est bien d'un *environnement* qu'il s'agit dans l'esprit de l'artiste, et c'est ainsi qu'il présentait *les Nymphéas* à ses amis. « Dans l'immense atelier que le peintre leur avait fait construire dans le fond du jardin, raconte Thadée Natanson, sa belle-fille et lui nous avaient fait asseoir et, portant à bout de bras des toiles qui montaient à hauteur d'homme — comme elles font à présent au Musée — les déplaçant, les intervertissant, ils nous environnèrent enfin successivement d'un cercle de panneaux et puis d'un autre figurant bien à peu près, à eux deux, ceux des deux salles de l'Orangerie. Monet, qui ne les a jamais vus en place, en portait déjà l'ordonnance en tête avec précision. »

Le visiteur est cerné par le jeu infiniment varié des « impressions » de toutes couleurs, il est comme noyé dans un silence d'une profondeur mystérieuse et sans limites. Çà et là quelques formes plus concrètes surgissent — comme les saules de 1922 (*en haut*). Mais dans la majorité des panneaux, aucune figure précise ne se discerne plus. *Double page suivante* : un détail de *Soleil couchant*.

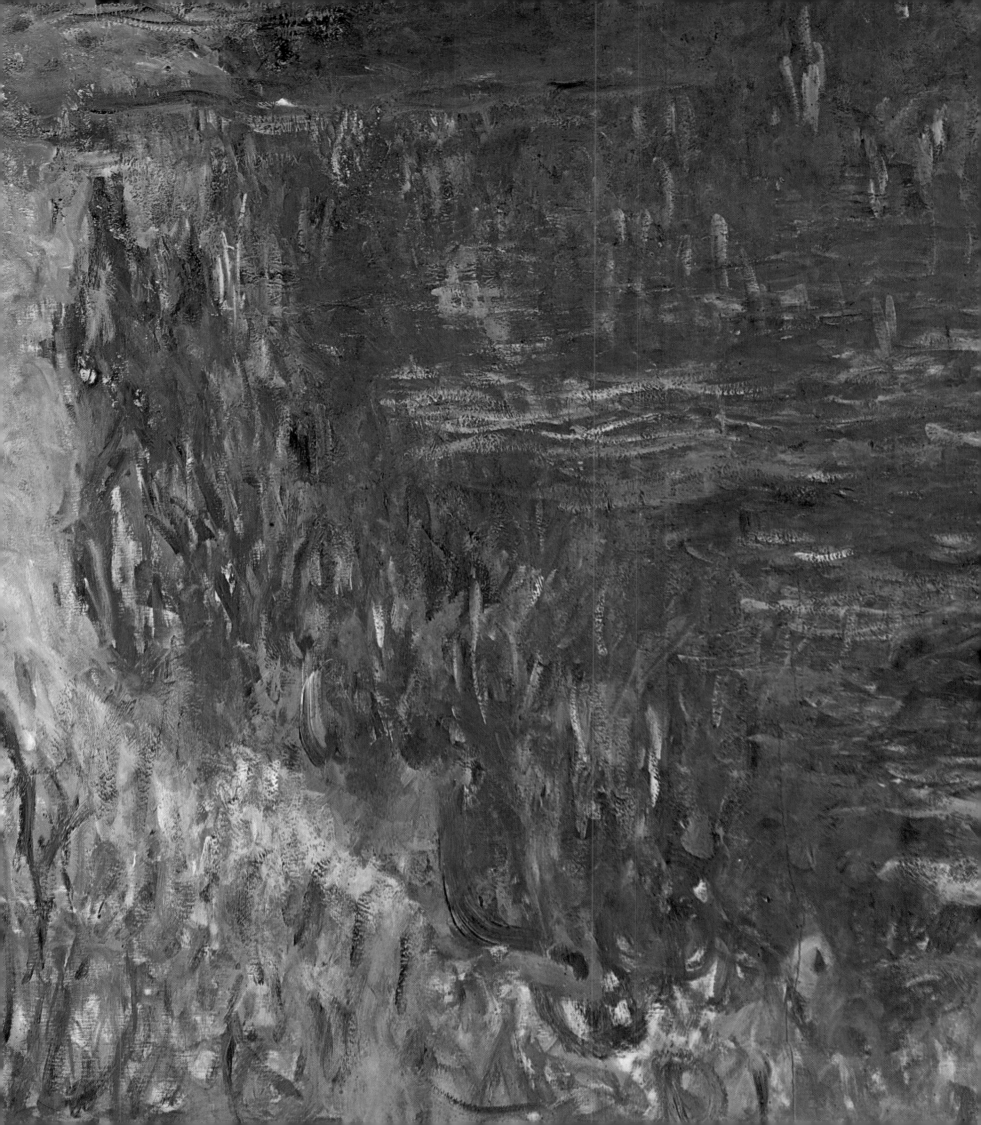

CHAPITRE III

La couleur
conquiert son autonomie.

Gustave Courbet. Nature morte. 1871.
Courbet garde de la couleur une conception classique. Chaque objet a sa teinte spécifique, dont le rayonnement n'empiète pas sur les autres objets.

Georges Vantongerloo. Composition avec réfraction de la lumière. 1958.
Certains artistes, au XX⁰ siècle, emploient le prisme pour créer, par diffraction, de la couleur sans pigment.

Claude Monet. Terrasse à Sainte-Adresse (détail). 1866-67.
L'impressionnisme découvre que la couleur est un plaisir.

L'histoire de la couleur s'est développée en trois grandes étapes depuis David. A travers le romantisme puis l'impressionnisme, nous la voyons se libérer d'une conception étroitement documentaire issue de la Renaissance. D'abord employée pour nous signaler, selon un code traditionnel, la nature de l'objet représenté, elle acquiert peu à peu son autonomie. Nous passons d'une couleur descriptive, force d'appoint dans un système visuel qui a mission de répertorier et de désigner les objets qui nous entourent, à une couleur indépendante, brute, valable pour elle-même. Tout se passe comme si, dans une fresque ancienne, on avait isolé, détaché les aplats pigmentaires posés par l'artiste, et abandonné sur la paroi le dessin anecdotique (la sinopie) qui permettait la référence au monde immédiatement visible.

Cette mutation met en cause un concept fondamental des ateliers classiques : la couleur locale. Selon ce concept, tout objet a une teinte constante : un arbre est vert, une pomme rouge, une cruche marron, les chairs rose pâle, etc. Au XIXᵉ siècle, les peintres prennent conscience qu'une partie essentielle de l'effet coloré est produite par les conditions de l'atmosphère et que les pigments sont tributaires de la lumière qui les frappe. Le plein air le confirme : une pomme n'est pas verte, mais peut avoir plusieurs couleurs selon la densité et la fréquence des ondes lumineuses qu'elle reçoit. Les composantes statiques, matérielles de la couleur (le pigment) cèdent le pas à ses composantes dynamiques, changeantes, éphémères. Corroborant les conclusions de la science et de la technique contemporaines, l'artiste met l'accent sur l'interaction des ondes colorées dans la nature, sur le caractère ondulatoire du rayonnement solaire. Le prisme qui décompose la lumière en un spectre multicolore, sans le secours d'aucun pigment, vient renforcer cette intuition. L'art du XXᵉ siècle, après l'impressionnisme et le cubisme, réalisera de nombreuses œuvres, notamment au Bauhaus, qui emploieront la lumière par projection mobile.

Ce sera la troisième étape de la couleur : on y voit les ondes opérer sous nos yeux, dans l'instant précis où nous les regardons. L'œuvre est vécue *au présent* et non plus *au passé*. Nous contemplons le phénomène lui-même, canalisé par les soins de l'artiste, et non plus un compte rendu de ce phénomène à travers la médiation statique d'un tableau.

Dès l'époque romantique, à mesure que le peintre s'affranchit du carcan de la couleur locale, il affirme son goût, son vif plaisir de la couleur pure. C'est une nouveauté. La couleur était l'enfant maudit du classicisme. Incontrôlable, elle lui semblait suspecte. « En lisant ce qui a été dit de la couleur par Ingres, Gleyre, Gérome et les autres grands maîtres du XIXᵉ siècle, constate Kenneth Clark, on pourrait supposer qu'il s'agissait d'une forme de vice inavouable et particulièrement dangereuse. » Ingres a ce cri du cœur qui en dit long sur l'attitude de l'art officiel : « Point de couleur trop ardente ; c'est anti-historique. »

Face à l'Académie, le peintre découvre que la couleur est une fête des yeux et de l'âme, une réalité sensuelle qui vaut par elle-même, sans référence à aucun système intellectuel ou esthétique. Déjà Chevreul observe : « L'œil a un plaisir incontestable à voir des couleurs, abstraction faite de tout dessin, de toute autre qualité dans l'objet qui les lui présente. » Puis Delacroix : « La couleur a une force beaucoup plus mystérieuse et peut-être plus puissante. Elle agit pour ainsi dire à notre insu » (6 juin 1851). Sentiment partagé par Baudelaire : « Vu à une distance trop grande pour analyser ou même comprendre le sujet, un tableau de Delacroix a déjà produit sur l'âme une impression riche, heureuse ou mélancolique. On dirait que cette peinture, comme les sorciers ou les magnétiseurs, projette sa pensée à distance [...] Il semble que cette couleur pense par elle-même, indépendamment des objets qu'elle habille » (1865).

C'est cette volupté de la couleur qu'on aperçoit dans les premiers Manet (page 151) et dans ces œuvres où les nouveaux paysagistes disposent de véritables monticules de pigment écarlate pour faire chanter la toile (page 152). Plus de contraintes : il suffira de pousser à l'extrême la subjectivité d'un Monet pour qu'on débouche, de proche en proche, sur l'arbitraire et ses vertiges. Là où la première génération impressionniste souhaite peindre ce qu'elle voit même si son compte rendu du réel est aux antipodes de la tradition, puisqu'il est fondé sur le vécu subjectif du peintre, la deuxième génération, celle de Gauguin, Van Gogh, Bernard, veut aller plus loin : elle revendique « le droit de tout oser ». « Je voudrais, disait déjà Baudelaire, des prairies teintes en rouge et des arbres peints en bleu. La nature n'a pas d'imagination. » Son vœu sera exaucé (page 162). Gauguin et ses amis s'appuient sur l'abandon de la couleur locale et refusent « les entraves de la vraisemblance ». Au lieu d'avancer comme pourrait le faire Monet : « Je constate que cette meule, à la tombée du jour, est violette. Donc je la peins violette sur ma toile », ils affirment : « Peu m'importe que cette meule soit jaune ou violette. Je la peindrai rouge si j'en ai envie. » De l'abandon de la couleur locale, on est donc passé en quelques années à la couleur subjective, puis de celle-ci à une couleur non figurative, qui ne tient plus compte de notre expérience empirique du monde qui nous entoure. L'autonomie opératoire de la couleur, ce sera désormais le leitmotiv des peintres.

Paul Gauguin. Cavaliers sur la plage. 1902.
Gauguin refuse de se plier aux habitudes du spectateur. Il tire les couleurs vers l'arbitraire et peint les plages en rose.

Pour Gauguin, elle est « l'équivalent passionné d'une sensation. » Il l'explique dans une interview : « J'obtiens par des arrangements de lignes et de couleurs, avec le prétexte d'un sujet quelconque emprunté à la vie ou à la nature, des symphonies, des harmonies ne représentant rien d'absolument *réel* au sens vulgaire du mot, n'exprimant directement aucune idée, mais qui doivent faire penser comme la musique fait penser, sans le secours des idées ou des images, simplement par les affinités mystérieuses qui sont entre nos cerveaux et tels arrangements de couleurs et de lignes. » Ce qui émerge ici, pour la première fois, dans les années 1885-1890, c'est le principe de l'abstraction. Gauguin stigmatise « l'abominable erreur du naturalisme ». Il dénonce la première génération impressionniste « qui ne voit que la matière avec un œil sans cerveau », et qui cherche « autour de l'œil et non au centre mystérieux de la pensée ». A Schuffenecker, son disciple, il donne ce conseil : « Ne peignez pas trop d'après nature. L'art est une abstraction. Tirez-la de la nature en rêvant devant et pensez plus à la création qui en résultera. C'est le seul moyen de monter vers Dieu en faisant comme notre Divin Maître, créer. » Peindre de mémoire, c'est ne retenir que l'essentiel. A Pont-Aven, au Pouldu, le tableau est construit par larges aplats aux tons vifs. Il s'agit de briser tout rapport « entre le modelé et cette sacrée nature » (Gauguin). Le mouvement est double : synthétisme, expressionnisme. « Chaque détail, explique le critique Albert Aurier, n'est en réalité qu'un symbole partiel inutile le plus souvent à la signification totale de l'objet. » Donc, on simplifie, on gomme les anecdotes. Plus de perspective (page 170), plus d'ombre (pages 158-159), plus de dégradé d'une teinte à l'autre (pages 160-161). Le tableau a la lisibilité d'un vitrail. Mais d'autre part, on accentue : l'artiste prend le droit de déformer, d'exagérer, de mettre en relief, par une teinte crue ou insolite, l'arbitraire d'une préférence (pages 178-179).

Odilon Redon. Vase de fleurs. Après 1890.
Les rouges de Redon dépassent le réalisme. Opulents et mystérieux, ils sont, pour l'artiste, des instruments à rêves.

Ainsi pense-t-on être aux antipodes du réalisme, à cent lieues de ce que Redon appelle « l'édifice aux voûtes un peu basses de l'impressionnisme ». On croit créer un jeu de couleurs qui ne renvoie qu'à lui-même. Le tableau devient un « en-soi ». En fait, on rejoint le réel par d'autres chemins. Certes, ce que révèle la révolution du synthétisme et ses prolongements abstraits dans l'art du xxe siècle, ce sont les limites d'un art fondé sur la perception de l'immédiat. Déjà Monet ressent l'infirmité de ses instruments pour capter le moment qui passe : la nature va trop vite. Il lui arrive de se faire couper les cheveux « sur le motif » pour ne pas perdre un instant d'observation. « Jamais trois jours favorables de suite, écrit-il en 1884, de sorte que je suis obligé à des transformations continuelles, car tout pousse et verdit [...] Et puis cette rivière qui baisse, remonte, un jour verte puis jaune, tantôt à sec, et qui demain sera un torrent après la terrible pluie qui tombe en ce moment... » Ce qu'il voudrait, c'est freiner le paysage, en soumettre les transformations à la lenteur de son pinceau. Un ami le verra demander à des paysans effarés qu'on veuille bien arracher les jeunes pousses d'un arbre qui change plus vite que son tableau.

Maurice Denis. *Taches de soleil sur la terrasse. 1890.*
Disciple de Gauguin, Denis résume dans une phrase célèbre les droits du peintre à la liberté absolue : « Un tableau est essentiellement une surface plane recouverte de couleurs en un certain ordre assemblées. »

Jean Delville. *Orphée. 1893.*
Le symbolisme égare les peintres sur le chemin d'une littérature fin de siècle.

Kees Van Dongen. *Liverpool night club. Vers 1907.*
Au début du xxe siècle, les artistes exploitent à fond les découvertes de Van Gogh et de Gauguin. Chaque tableau fauve devient un manifeste de la couleur pure.

Henri Matisse. *La Porte noire. 1942.*
Pour Matisse, « la couleur agit sur le sentiment comme un coup de gong énergétique ».

L'idée qu'on puisse dire le vrai selon les méthodes de l'impressionnisme classique est mise en cause sur un double plan :
1/ les instruments sont ressentis comme insuffisants ;
2/ la réalité est plus large que ce qu'on voit.
Notre œil n'est qu'une fenêtre très étroite qui sélectionne une toute petite partie du champ ondulatoire, qui absorbe tant bien que mal les quelques stimuli qui nous sont perceptibles dans l'immensité du continuum électromagnétique. Devant cette impuissance à saisir la complexité de la nature, l'artiste croit pouvoir basculer du monde extérieur vers le monde intérieur et proposer les solutions fondées sur l'assemblage de couleurs de plus en plus détachées de toute représentation figurative. Mais ces jeux abstraits qu'il organise déclenchent à leur tour un ensemble de questions très précises qui s'insèrent dans une enquête plus large sur le réel : quel effet (psychologique et physiologique) produit tel ensemble de couleurs sur l'organisme humain ? Le problème n'est plus triangulaire (le paysage, le peintre qui l'interprète, le spectateur qui analyse cette interprétation) ; il se résout en un face-à-face : le tableau et le spectateur. La couleur n'est pas une abstraction, c'est une énergie, un rayonnement quantifiable qui opère un certain effet sur nos sens. Toute une partie de l'art moderne va s'efforcer de fixer les lois de ce dialogue.

Auparavant, plusieurs fausses voies se dessinent, dont la première est illustrée par la phrase célèbre de Maurice Denis en 1890 : « Se rappeler qu'un tableau — avant d'être un cheval de bataille, une femme nue ou une quelconque anecdote — est essentiellement une surface plane recouverte de couleurs en un certain ordre assemblées. » « En un certain ordre » : par cette expression, Denis entérine la découverte de Gauguin, mais c'est pour l'orienter vers l'art décoratif. Il voit bien l'intérêt d'une abstraction qui permet de poser en toute liberté sur la toile le ton le plus justifié par l'harmonie et l'équilibre de la composition — sans plus tenir compte des contraintes de la vraisemblance. Mais précisément, ce qu'il cherche, c'est l'harmonie, l'équilibre des formes qui sont des objectifs inspirés du classicisme, des schémas mentaux qui renvoient à une conception statique et immuable du réel.

Sous prétexte de couleur pure, on ressuscite l'esthétique de la toile bien assise, bien composée, nourrie de valeurs traditionnelles : toute contradiction s'y résout et s'y annule au sein d'un champ clos qui ne reproduit rien des tensions et des interrogations de la vie. Ce n'est pas un hasard si Denis proclame bientôt qu'« une peinture doit orner », et Bernard, dès 1892, qu'« il faut revenir aux primitifs ». Peinture régressive, qui veut ignorer les acquis de la première génération impressionniste et son enquête sur l'instabilité de la nature, qui croit aller au-delà de Monet, mais qui, en fait, va se perdre dans les méandres d'un primitivisme et d'un mysticisme prérenaissant.

La deuxième fausse voie, c'est le symbolisme, l'hypertrophie du moi, le narcissisme onirique où se complaît toute une partie de la nouvelle génération. Son programme : une fuite panique devant une existence quotidienne insupportable et triviale, une évasion vers les opiums spirituels, les contrées inexplorées, pures encore de toute atteinte d'une civilisation vicieuse et corrompue. L'introspection se généralise. On scrute les complexités de son âme. « Le but essentiel de notre art, explique Kahn, est d'objectiver le subjectif (extériorisation de l'Idée) au lieu de subjectiver l'objectif (la nature vue à travers le tempérament). »

Par-delà ces fausses voies, une conception nouvelle de la couleur s'impose. Dans un effort trop bref mais acharné, Van Gogh ouvre des perspectives où vont s'engouffrer le fauvisme et l'expressionnisme. « Au lieu de chercher à rendre ce que j'ai devant les yeux, écrit-il en 1888, je me sers de la couleur plus arbitrairement pour m'exprimer fortement. » Mais cet arbitraire est, chez lui, au service d'une conception *psychologique* de la couleur. Van Gogh s'en sert pour dire « les terribles passions humaines ». Le fond devient une composante essentielle du caractère décrit.

Vincent Van Gogh. Autoportrait. 1889.
La couleur du fond influence notre conception
du personnage décrit.

Fernand Léger. Le Pont du remorqueur. 1920.
Selon Léger, « la couleur est un élément vital,
essentiel comme l'eau et le feu. Un rouge,
un bleu, c'est l'équivalent d'un bifteck. »

Maurice de Vlaminck. Portrait de Derain. 1905.
Vlaminck pousse à leurs limites ultimes
les conceptions de Van Gogh. Le visage
est une tache de rouge sculptée dans la pâte.
L'artiste impose une présence brutale
et sans nuances.

Robert Delaunay. Formes circulaires soleil n° 2. 1912-13.
Delaunay suscite une dynamique de la vision.
Il nous entraîne dans la giration impérieuse
de ses « contrastes simultanés ».

Nous absorbons simultanément le visage hachuré de la Segatori et l'aplat jaune,
sans ombres, sur lequel elle se profile. C'est ce jaune qui la qualifie (page 156).
Parlant d'un portrait, l'artiste explique : « Derrière la tête, au lieu de peindre
le mur banal du mesquin appartement, je peins l'infini, je fais un fond simple du bleu
le plus riche, le plus intense, que je puisse confectionner, et par cette simple combinaison,
la tête blonde, éclairée sur ce fond bleu riche, obtient un effet mystérieux
comme l'étoile dans l'azur profond. »
Pour Van Gogh, la couleur, par-delà toute conception descriptive et figurative de l'objet,
conditionne notre psychisme. Une certaine quantité de vert ou de rouge engendre
la mélancolie, l'angoisse, la gaieté. D'où son programme (septembre 1888) :
« Exprimer l'amour de deux amoureux par un mariage de deux complémentaires,
leur mélange et leurs oppositions, les vibrations mystérieuses des tons rapprochés.
Exprimer la pensée d'un front par le rayonnement d'un ton clair sur un ton sombre.
Exprimer l'espérance par quelque étoile. L'ardeur d'un être par le rayonnement
de soleil couchant. Ce n'est certes pas là un trompe-l'œil réaliste,
mais n'est-ce pas une chose réellement existante ? »
C'est la voie qu'emprunteront le Matisse de *la Danse*, de *la Musique*,
le Kandinsky abstrait des années 1910 et leurs successeurs. Entre-temps, on se sera
aperçu, au fil des années, qu'il n'y a pas de codification possible de l'effet psychologique
produit par la couleur, et que les impressions que chaque peintre, en toute bonne foi,
tenait pour *objectives*, sont terriblement datées et situées.
L'expérience de Van Gogh et de sa postérité nous font admettre, avec Ignace Meyerson
(*Problèmes de la couleur*, SEVPEN, 1957) qu'il n'y a pas d'effet constant de la couleur
mais bien « une histoire humaine de la perception. La couleur nous apparaît
comme un fait humain où les sociétés, les techniques, les arts ajoutent diversement
à la physiologie [...] Pour la perception même des faits de couleur, le problème
de la dimension historique se pose. » D'où nos étonnements devant la vie indépendante
de telle ou telle teinte. Elle « change » sans changer — car c'est en fait nous
qui évoluons. « Il fut un temps, écrit Pierre Francastel, où tout le monde parlait
de la hardiesse et de l'intensité des rouges de Delacroix. Des rouges agressifs, disait-on.
Or, voyez ces horribles rouges qui apparaissent en quelques points de la toile
avec une infinie discrétion. »
Ce qui reste vrai — ce que Francastel, précisément, a mis en évidence — c'est que
la couleur, employée pour elle-même, révèle un nouvel espace indépendant
de l'espace perspectif qu'avait imposé la Renaissance. Van Gogh, dit Francastel, découvre
« la qualité spatiale autonome des couleurs à l'état pur. Personne n'avait encore compris
qu'un ton pur signifie en soi une certaine notion de proximité ou d'éloignement [...]
On peut construire un espace complexe rien que par la juxtaposition des taches colorées. »
C'est une découverte essentielle : les couleurs « respirent ». Elles reculent ou
avancent sur la toile. « Elles s'organisent selon l'ordre spontané des choses perçues »
(Merleau-Ponty) et nullement selon la prédétermination d'un tracé euclidien.
L'artiste organise sa surface avec une matière vivante qui a ses réactions, ses sympathies
et ses antipathies, qui se creuse et se gonfle selon la surface qu'on lui accorde et
le voisinage qu'on lui impose.
C'est Delaunay qui, chez les contemporains, poussera le plus loin cette conception vitaliste.
Il élabore, à travers ses « formes circulaires » de 1912-13, une dynamique visuelle
qui chahute et qui emporte notre œil, de courbe en courbe, à travers la toile.
Un tableau devient champ d'expansion pour notre muscle optique : le sujet,
c'est désormais cette expérience *physique* de l'œil qui vit littéralement le mouvement
— par ses déplacements — au lieu simplement de le constater. « La couleur est forme
et sujet, expliquera Delaunay. C'est la couleur elle-même qui, par ses jeux, sa sensibilité,
ses rythmes, ses contrastes, forme l'ossature du développement rythmique. »
La couleur devient l'objet et le moyen exclusif de la peinture.
Le tableau ne contient plus qu'elle. Elle a conquis son autonomie.

Autour
d'un bras académique,
la volupté
de la couleur pure.

Édouard Manet (1832-1883).
Lola de Valence. 1862. Toile. H. 1,23 m, L. 0,92 m.

Édouard Manet. *Lola de Valence*. Détail.

LE PLAISIR DE LA COULEUR
envahit l'art de Manet. Dans *Lola
de Valence*, le contraste est brutal
entre la texture lisse et fondue
du bras, qui évoque les nus ivoire
de Courbet, et la jupe mouchetée de
taches vives où l'artiste se laisse aller,
en virtuose allègre, à la sensualité
des rouges et des jaunes.
L'influence de Goya et de ses
portraits d'actrices se fait sentir dans
cette toile. Manet avait découvert
l'art espagnol dans la magnifique
collection de Louis-Philippe au
Louvre. Plus tard, en 1865, quand il
visitera le Prado, ce sera surtout
Vélasquez qui l'impressionnera.
En 1862, une troupe de danseurs
madrilènes se produit à Paris. Manet
est enthousiasmé par leur entrain et
leurs costumes bariolés. Il leur
demande de poser pour lui, les jours
de relâche, dans l'atelier de son ami
Stevens, proche du théâtre de
l'Hippodrome. Ses treize toiles
« espagnoles » seront exposées le
1er mars 1863, galerie Martinet ;
accueil déplorable : « Cet art-là,
écrit Paul Mantz dans *la Gazette des
beaux-arts*, peut être fort loyal mais il
n'est pas sain, et nous ne nous
chargeons nullement de plaider la
cause de M. Manet devant le jury de
l'Exposition. » Un autre journal, en
veine de sarcasmes, nomme le peintre
« Don Manet y Courbetos y Zurbaran
de Los Batignolles. »

Édouard Manet. *Lola de Valence*. Détail.

Par plaques ou par tas,
le pigment sourd de la toile et impose
sa présence rayonnante.

Monet (1840-1926). *Jean Monet sur son cheval de bois.* 1872. Toile. H. 0,59 m, L. 0,73 m.

LA COULEUR SE DÉTACHE DU FOND, elle semble exsuder de la toile soit sous forme de larges plaques très lumineuses, soit sous l'aspect de petits tas de pigments à fort rayonnement.
Ci-dessus : dans les fleurs qui occupent le fond de la composition, derrière le cheval de bois, l'artiste joue sur l'épaisseur des couches pigmentaires et donne à certains détails un relief qui est un peu celui de l'objet réel.
« Il cherche à reproduire, note John Rewald, la matière en même temps que la vibration de la lumière. »

Ce procédé choquera certains compagnons du peintre et Pissarro le condamnera, pour sa part, dans une lettre à son fils Lucien où il évoque « l'exécution sommaire de certains Monet [...] Les empâtements sont tellement en relief qu'une lumière factice vient s'ajouter à celle de la toile. Tu ne saurais croire combien cela m'est désagréable. »
A droite : ce fragment du *Déjeuner sur l'herbe* est, avec un autre détail, la seule trace d'un immense projet entrepris, à vingt-cinq ans, par Monet pour concurrencer Manet sur son

terrain, et se faire tout de suite une place de premier plan. La toile devait mesurer près de cinq mètres sur six, plus que *l'Atelier* de Courbet. Elle représentait une dizaine de personnages pique-niquant dans une clairière de Fontainebleau. Abandonnée en gage à un propriétaire dont l'artiste ne pouvait payer le loyer, elle fut retrouvée, toute gâtée par l'humidité, dans une cave. Monet n'en sauva que deux parties.

Claude Monet. *Le Déjeuner sur l'herbe* (partie gauche, détail). 1865-66. Toile. H. 4,18 m, L. 1,50 m.

Vincent Van Gogh (1853-1890). *14 Juillet à Paris*. 1886-87. Toile. H. 0,44 m, L. 0,39 m.

LA PALPITATION DES DRAPEAUX sert de prétexte aux peintres pour disposer sur leur toile un frétillement de couleurs sans mélange.
A droite : à mi-chemin de Boudin (page 47) et de Dufy, Monet décrit, à l'occasion de l'Exposition universelle de 1878, une rue passante des Halles. Il exprime à merveille le côté aérien, frais, léger des emblèmes nationaux dans leur dialogue avec le vent et la lumière. Les passants sont traités en rapides taches sombres dans la tranchée obscure de la rue. Un rayon de soleil vient faire chanter, au fond, la tavelure oblique des coups de pinceau.
A gauche : huit ans après Monet, Van Gogh traite à son tour le thème des drapeaux. Mais cette fois, tout effet de perspective est écarté. Plus de ligne de fuite : c'est la couleur elle-même qui creuse l'espace. Van Gogh suggère la profondeur par le seul rapport des teintes.
« Personne avant lui n'avait encore compris, écrit Pierre Francastel, qu'un ton pur signifie seul, en soi, une certaine notion de proximité ou d'éloignement [...] On peut construire un espace complexe rien que par la juxtaposition de taches colorées. »
« Je cherche, disait Van Gogh, à exprimer le passage désespérément rapide des choses dans la vie moderne. » Jamais il n'ira plus loin que dans cette toile éclatante, violente, épaisse et puissante. Elle ne le cède en rien aux paysages fauves qu'un Derain ou un Vlaminck exposeront vingt ans plus tard.

Le frétillement oblique des drapeaux transforme les rues de Paris en dentelles multicolores.

Claude Monet (1840-1926). *La Rue Montorgueil*. 1878. Toile. H. 0,62 m, L. 0,33 m.

Les stridences d'une palette sauvage viennent ébranler l'art nuancé de la tradition française.

Vincent Van Gogh. *Une Italienne (la Segatori)*. Détail.

UNE CONCEPTION QUANTITATIVE DE LA COULEUR dicte à Van Gogh ses larges aplats unis. L'homme qui dira : « J'ai cherché à peindre avec le rouge et le vert les terribles passions humaines » veut provoquer un choc émotionnel par l'usage de teintes intenses qui, au-delà de toute anecdote, agissent directement sur notre psychisme. D'où la simplification de l'image figurative. Pas de perspective, pas d'ombres : il ne s'agit plus de rendre l'instant ni les réalités atmosphériques, ni même la profondeur. Seule la tache doit nous « parler », nous suggestionner par son éclat.

Pour le vêtement de la Segatori, Van Gogh, à peine informé des techniques mises au point par les néo-impressionnistes, emploie la division des tons avec un emportement qui révèle tout l'excès de son caractère. Cette toile décentrée par une frange abstraite grossièrement posée — à laquelle semble répondre, en écho affaibli, le dossier de la chaise — montre, vu en gros plan, un large treillis de hachures colorées, un véritable cannage de coups de pinceau. Loin de dissimuler ses touches, l'artiste les souligne. C'est une façon d'accroître sa présence physique dans la toile. L'impétuosité de la période parisienne de Van Gogh laisse deviner un destin fulgurant. Mais c'est aussi l'avenir de tout un courant de la peinture qui se pressent ici : bientôt la couleur n'exprimera plus qu'elle-même, sa puissance d'agression physique sur la rétine du spectateur. Par-delà le fauvisme, Van Gogh annonce l'abstraction de Kandinsky et Mondrian.

La Segatori était un ancien modèle qui tenait un café, « le Tambourin », boulevard de Clichy. Van Gogh aurait été son amant. C'est au Tambourin qu'il organisa, pendant son séjour parisien, une exposition d'Anquetin, Bernard, Lautrec et de lui-même. Supplanté, dit-on, dans le cœur de la Segatori par un homme du milieu, il dut décrocher les toiles au plus vite et les emporter dans une charrette à bras.

Vincent Van Gogh (1853-1890). *Une Italienne (la Segatori)*. 1887. Toile. H. 0,81 m, L. 0,60 m.

Émile Bernard (1868-1941). *Autoportrait dédicacé à Van Gogh.* 1888. Toile. H. 0,46 m, L. 0,55 m.

Ces trois visages posés sur fond clair ouvrent le temps des peintres maudits.

LA PUISSANCE SAISISSANTE DE CES TROIS VISAGES est renforcée par les fonds colorés sur lesquels ils se détachent. Van Gogh, Bernard, Gauguin croyaient tous les trois à l'importance de la couleur pour traduire l'état d'esprit du modèle représenté. Parlant de son autoportrait, Van Gogh écrit à Théo : « C'est tout cendré contre du Véronèse pâle (pas de jaune). Le vêtement est ce veston brun bordé de bleu, mais dont j'ai exagéré le brun jusqu'au pourpre et la largeur des bordures bleues. La tête est modelée en pleine pâte claire contre le fond clair sans ombres presque. Seulement j'ai obliqué *un peu* les yeux à la japonaise. »
Et Gauguin, décrivant son propre autoportrait, explique : « C'est je crois une de mes meilleures choses : absolument incompréhensible (par exemple) tellement il est abstrait. Tête de bandit au premier abord, un Jean Valjean (*les Misérables*) personnifiant aussi un peintre impressionniste déconsidéré et portant toujours une chaîne pour le monde. Le dessin est tout à fait spécial, abstraction complète. Les yeux, la bouche, le nez, sont comme des fleurs de tapis persan personnifiant aussi le côté symbolique. La couleur est une couleur loin de la nature ; figurez-vous un vague souvenir de la poterie tordue par le grand feu ! »
Dans les trois cas, le souci de réalisme immédiat est abandonné au profit d'une fidélité plus intérieure, plus permanente. L'histoire de la peinture moderne a coïncidé plusieurs mois avec l'histoire réciproque de ces trois hommes. Gauguin avait d'abord

rencontré Van Gogh en novembre 1886, puis Bernard, deux ans plus tard, à Pont-Aven. Dans leur correspondance fiévreuse, on voit, au jour le jour, se fissurer l'impressionnisme classique au profit d'une vision plus large et plus brutale du réalisme. Ces trois autoportraits furent dédicacés et échangés en gage d'amitié, à l'initiative de Vincent, installé à Arles, qui rêvait de rassembler dans le Midi un atelier collectif. En juin 1888, il écrivait à Bernard : « Il me semble de plus en plus que les tableaux qu'il faudrait faire pour que la peinture actuelle soit entièrement elle et monte à une hauteur équivalente aux cimes sereines qu'atteignirent les sculpteurs grecs, les musiciens allemands, les écrivains français, dépassent la puissance d'un individu isolé ; ils seront donc créés probablement par des groupes d'hommes se combinant pour exécuter une idée commune. »
On sait que Gauguin devait le rejoindre à Arles et que leur rencontre allait dégénérer en conflits et en drames. C'est l'époque où Gauguin écrit à Bernard : « Nous sommes bien peu d'accord en général, surtout en peinture. Il admire Daumier, Daubigny, Ziem et le grand Théodore Rousseau, tous gens que je ne peux pas sentir. Et par contre, il déteste Raphaël, Ingres, Degas, tous gens que j'admire. Moi je réponds : « Brigadier, vous avez raison ! » pour avoir la tranquillité. » Et Van Gogh, de son côté, explique à son frère : « Nous nous trouvons en présence d'un être vierge, à instincts sauvages. Chez Gauguin, le sang et le sexe prévalent sur l'ambition. »

Paul Gauguin (1848-1903). *Autoportrait. Les misérables.* 1888. Toile. H. 0,45 m, L. 0,55 m.

Vincent Van Gogh (1853-1890) *Autoportrait au crâne rasé.* 1888. Toile. H. 0,62 m, L. 0,52 m.

Émile Bernard (1868-1941). *Bretonnes dans la prairie*. 1888. Toile. H. 0,74 m, L. 0,92 m.

LE SYNTHÉTISME, dont Gauguin se fera le champion, naît à Pont-Aven quand il y rencontre un jeune prodige de vingt ans, Émile Bernard, qui a élaboré avec un autre jeune peintre, Anquetin, un style simplifié inspiré des Japonais. « Le premier, remarque Félix Fénéon, M. Bernard peignit, à couleurs saturées, de chavirantes Bretonnes, délimitées par un dessin en mailles de verrières et enveloppées d'un décor sans atmosphère ni valeurs. » De fait, les *Bretonnes dans la prairie* (*ci-dessus*), avec leur jeu de coiffes très dessinées, précèdent *la Vision après le sermon* (*à droite*) et fournissent la formule plastique à laquelle Gauguin donnera tout son éclat. « M. Émile Bernard est peut-être aujourd'hui l'élève de Gauguin, écrit encore Félix Fénéon, mais il paraît avoir été son initiateur. » *La Vision après le sermon* est le premier

chef-d'œuvre de Gauguin. A Paris, la toile fera sensation parmi les jeunes peintres. Bernard lui-même est subjugué. Il adresse à Van Gogh une lettre « empreinte de vénération pour le talent de Gauguin. Il dit qu'il le trouve un si grand artiste qu'il en a presque peur, et qu'il trouve mauvais tout ce que lui, Bernard, fait en comparaison de Gauguin. » Dans *la Vision*, la scène que contemplent les Bretonnes agenouillées est une apparition provoquée par le sermon dominical qu'elles viennent d'entendre à l'église. Il y a donc juxtaposition sur la toile d'une scène imaginaire et d'une scène réelle : « Je crois, rapporte Gauguin à Van Gogh, avoir atteint dans les figures une grande simplicité rustique et *superstitieuse*. Le tout très sévère... Pour moi, dans ce tableau, le paysage et la lutte n'existent que dans l'imagination des gens en prière, par

suite du sermon. C'est pourquoi il y a contraste entre les gens nature et la lutte dans son paysage, non nature et disproportionnée. »
L'inspiration orientale est très sensible, notamment dans le profil de l'arbre au second plan, et dans le caractère anti-réaliste du champ rouge. Françoise Cachin, dans son *Gauguin*, signale « le japonisme évident de la composition : arbre en biais au centre, et motif de Jacob et de l'ange repris, semble-t-il, directement d'après un groupe de lutteurs dessinés par Hokusaï. D'ailleurs les jambes de l'ange ont les muscles attachés bas sur la cheville, comme chez les lutteurs de *Sumo*. »

Gauguin retient la leçon de Bernard.
Pour exprimer le rêve des femmes pieuses,
il peint d'une teinte ardente et fausse
les prairies bretonnes.

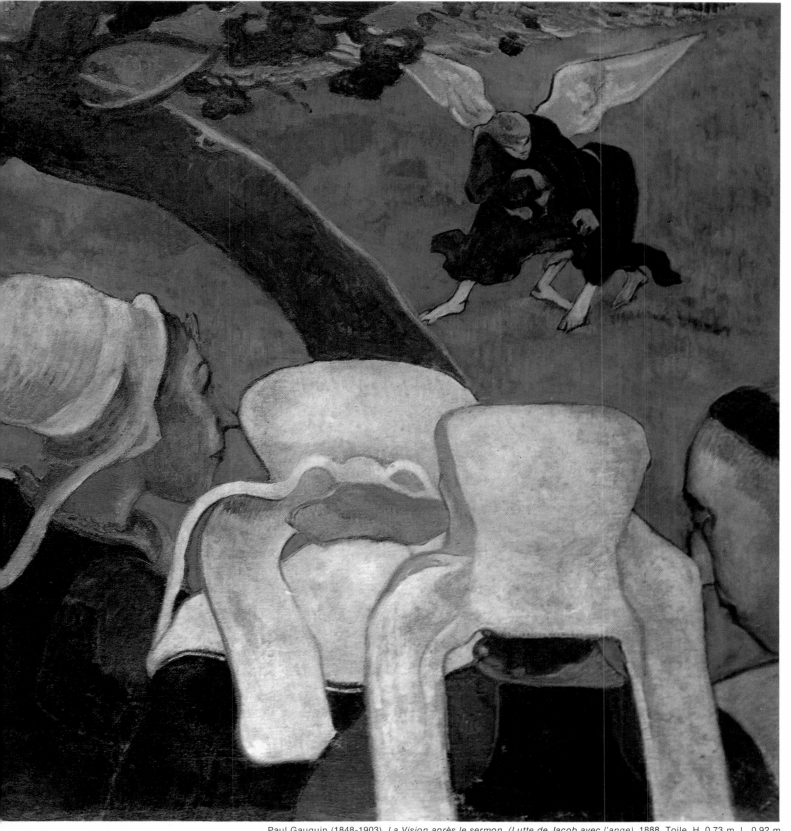

Paul Gauguin (1848-1903). *La Vision après le sermon. (Lutte de Jacob avec l'ange).* 1888. Toile. H. 0,73 m, L. 0,92 m.

Bernard réinvente les harmoniques de la nature. Il noie dans le blé rouge ses silhouettes cernées de noir.

LA MEILLEURE TOILE DE BERNARD date de 1888. A vingt ans, l'artiste a déjà échangé des œuvres avec Van Gogh, polémiqué avec Signac, étudié de très près et collectionné l'estampe japonaise. Lautrec a peint son portrait. Il est sûr de lui, débordant d'idées neuves. *Le Blé noir* est le produit exceptionnel de cette juvénile intrépidité. Les couleurs en sont délibérément forcées. Le ton roussi de l'ensemble, la découpe du visage au premier plan, la répartition rythmée des taches blanches sans contour marquent l'étonnante autorité du jeune homme. Inspirateur de Gauguin, son aîné de vingt ans, il succombera paradoxalement à ce grand compagnonnage. Dès 1891, les deux hommes se disputent âprement la paternité du synthétisme. Quand Gauguin, en février de cette année-là, organise une vente publique pour

financer son départ vers Tahiti, plusieurs articles paraissent qui font de lui le chef de la nouvelle école. Bernard n'est pas nommé. Il s'insurge et peu à peu, par hostilité pour Gauguin, il va se détacher d'un style qu'il a contribué à fonder. En 1893, il visite l'Italie, étudie la Renaissance, et se tourne délibérément vers le passé. Embourbé dans un mysticisme de plus en plus contraignant (il adhérera à l'ordre catholique Rose-Croix du mage Péladan), il perd définitivement toutes ses qualités plastiques : « Je m'enivrais d'encens, d'orgue, de prières, de vitraux anciens, de tapisseries hiératiques, racontera-t-il plus tard pour évoquer cette période, et je remontais les siècles, m'isolant de plus en plus des miens dont les préoccupations industrielles ne m'inspiraient que dégoût. Je redevins peu à peu un homme du Moyen Age. »

162

Émile Bernard (1868-1941).
Le Blé noir. 1888. Toile. H. 0,73 m, L. 0,90 m.

Dans ce visage busqué, cloisonné, simplifié
comme un éclat de vitrail,
l'affirmation entêtée d'une nouvelle peinture.

Paul Gauguin (1848-1903). *Bonjour, monsieur Gauguin.* 1889. Toile. H. 1,13 m, L. 0,92 m.

TAILLÉ À LA SERPE, le visage de Gauguin, sans relief, cerné d'un trait foncé comme un morceau de vitrail, exprime tout l'arbitraire d'une peinture « cloisonnée » qui impose puissamment ses partis pris. Félix Fénéon évoque « l'aspect mystérieux, hostile, fruste » des toiles de cette époque, et attire l'attention sur « une couleur opulente et lourde [qui] s'enorgueillit mornement, sans attenter aux couleurs voisines. » Si Gauguin s'est installé à Pont-Aven puis au Pouldu, c'est pour puiser dans l'âme celte un climat d'archaïsme anticlassique : « J'aime la Bretagne, écrit-il. J'y trouve le sauvage, le primitif. Quand mes sabots résonnent sur ce sol de granit, j'entends le ton sourd, mat et puissant que je cherche en peinture. » Au Pouldu, il est pris d'une frénésie de création. Il peint les murs, les volets, les portes, exécute des reliefs, des bustes, des poteries, des motifs d'assiette et d'éventail. Gide, qui visite la région fin 1889, tombe par hasard sur l'auberge où sont cantonnés Gauguin et ses amis. « Il me parut qu'il n'y avait là qu'enfantins bariolages, mais aux tons si vifs, si particuliers, si joyeux que je ne songeai plus à repartir [...] Ils étaient trois, qui s'amenèrent bientôt, avec boîtes à couleurs et chevalets [...] Ils étaient tous trois pieds nus, débraillés superbement, au verbe sonore. Et durant tout le dîner, je demeurai pantelant, gobant leurs propos, tourmenté du désir de leur parler, de me faire connaître, de les connaître, et de dire à ce grand, à l'œil clair, que ce motif qu'il chantait à tue-tête et que les autres reprenaient en chœur n'était pas de Massenet, comme ils le croyaient, mais de Bizet. »

Paul Gauguin. *Bonjour, monsieur Gauguin.* Détail.

La raideur rustique des calvaires donne à Gauguin une leçon de sobriété et de puissance.

Paul Gauguin. *Le Christ vert*. 1889. Toile. H. 0,92 m, L. 0,73 m.

C'EST DANS L'ARCHAÏSME CELTE, dans la patrie des druides et des chouans, dans la raideur et l'intensité des sculptures bretonnes que Gauguin capte ce qu'il appelle « la grandeur rustique et la simplicité superstitieuse » de ses chefs-d'œuvre religieux. Inspiré d'un crucifix de bois polychrome de l'ancienne chapelle de Trémalo, tout près de Pont-Aven, son *Christ jaune* frappe par la teinte insolite des chairs et la simplicité linéaire du supplicié. On pense aux schématisations puissantes de l'art chrétien d'Orient.

Même hiératisme dans *le Christ vert* (*à droite*) repris d'un des nombreux calvaires qui bordent les chemins de campagne. Barrès, notant ses impressions de Bretagne en 1886, écrivait : « Sous le ciel d'un vert si doux, il faut aimer le soir ces chapelles sans nom, ces pierres grises et pauvres. » C'est bien cette mélancolie qu'exprime Gauguin dans ses représentations chrétiennes dont l'arrière-plan est occupé, comme chez Brueghel, par une nature indifférente et les travaux quotidiens des hommes. Mélancolie qui transparaît dans les lettres de cette époque : « De tous mes efforts de cette année, écrit-il à Bernard, il ne reste que des hurlements de Paris qui viennent ici me décourager, au point que je n'ose plus faire de peinture et que je promène mon vieux corps par la bise du Nord sur les rives du Pouldu ! [...] Mais l'âme est absente et regarde tristement le trou béant qui est devant elle [...] Qu'ils regardent attentivement mes tableaux derniers (si toutefois ils ont un cœur pour sentir) et ils verront ce qu'il y a de souffrance résignée. Ce n'est donc rien un cri humain ? »

Paul Gauguin (1848-1903).
Le Christ jaune. 1889. Toile. H. 0,92 m, L. 0,73 m.

Paul Gauguin (1848-1903). *Le Christ au jardin des Oliviers*. 1889. Toile. H. 0.73 m. L. 0.92 r

Par l'usage d'une seule tache vive, Gauguin dramatise sa construction et la fait basculer sur la gauche.

UNE CONSTRUCTION BASCULÉE qui pivote tout entière sur le point roux de la chevelure, une avancée presque cinématographique du personnage principal — c'est par ces procédés dramatiques que Gauguin isole la figure douloureuse du Christ priant à l'écart dans le jardin de Gethsémani. L'influence d'Émile Bernard et de ses profondes convictions mystiques se fait sentir dans cette imagerie religieuse. Mais simultanément, c'est lui-même que Gauguin peint sous les traits du Christ. Il s'identifie au Messie et à son calvaire. Avec une naïveté qui n'excluait ni roublardise ni brutalité, il se voit comme le messager incompris d'une nouvelle école, trahi par les siens et rejeté par tous. Il n'a plus d'espoir que dans une vie nouvelle, sous les tropiques. « Puisse venir le jour (et peut-être bientôt) où j'irai m'enfuir dans les bois sur une île de l'Océanie, vivre là d'extase, de calme et d'art, écrit-il à sa femme en février 1890. Entouré d'une nouvelle famille, loin de cette lutte européenne après l'argent, là, à Tahiti, je pourrai au silence des belles nuits tropicales écouter la douce musique murmurante des mouvements de mon cœur en harmonie amoureuse avec les êtres mystérieux de mon entourage. Libre enfin, sans souci d'argent, et pourrai aimer, chanter et mourir. »

Paul Gauguin (1848-1903). *Portrait-charge de Gauguin.* 1889. Toile. H. 0,80 m, L. 0,52 m.

L'ARABESQUE qui envahit les tableaux de Gauguin annonce l'Art nouveau. La nature n'est plus qu'un prétexte. L'accent est mis sur la valeur purement décorative des entrelacs. L'homme qui, selon Apollinaire, « retourna aux limites de l'humanité pour surprendre la divine pureté de l'art », est l'ancêtre des sophistications du style Nouille. Françoise Cachin mentionne, à propos de *Fatata te miti* (*à droite*), « un étonnant premier plan qui a l'air d'un dessin de tissu Liberty modern style, mauve, orange et jaune ». Le conflit est saisissant, dans ce tableau, entre la verticalité des aplats et le puissant relief du torse féminin. Gauguin oscille en permanence entre la recherche du volume expressif et le goût de la décoration abstraite et sinueuse. Dès 1889, dans son autoportrait (*à gauche*) — avec auréole, fleurs stylisées et diverses allusions sexuelles —, Gauguin se plaisait à tracer un réseau de lignes contorsionnées et serpentines. « Méfiez-vous du modelé, conseillait-il à ses disciples ; le vitrail simple attirant l'œil par ses divisions de couleurs et de formes, voilà encore ce qu'il y a de mieux [...] Ne copiez pas d'après nature. L'art est une abstraction. » Au bas du tableau, une signature « synthétiste » : « P. GO » pour « Gauguin ».

Du cœur même des tropiques, l'artiste garde un étroit contact avec les cultures les plus éloignées : l'Égypte, Java, le Japon, la Grèce sont passés au crible de son art. C'est ainsi que le mouvement de *l'Homme à la hache* (*en bas*) est inspiré d'un cavalier de la frise du Parthénon.

Gauguin. *L'Homme à la hache.* 1891. Toile. H. 0.92 m. L. 0.7

atata te Miti

P. Gauguin

Paul Gauguin. *Fatata te miti : près de la mer.* 1892. Toile. H. 0,68 m, L. 0,92 m.

Dans l'entrelacs de ces courbes allègres,
les prémices du modern style.

En observant les robes immaculées de leurs compagnes, les peintres rendent au blanc le prestige d'une couleur.

L'EXPLORATION DU BLANC, de ses nuances, de sa profondeur, l'étude de ses rapports avec la lumière et le bleuté des ombres n'ont cessé de passionner les impressionnistes. Cette page en regroupe quatre exemples. *A gauche* : dès 1864, Whistler peint l'élégante robe blanche pour laquelle a posé, nonchalante, rêveuse, Johanna Heffernan, son modèle préféré qui fut aussi pendant dix ans le centre de sa vie. (Courbet admirait sa riche chevelure rousse. Il fit son portrait sous le titre *la Belle Irlandaise*.) Le blanc est ici tout mystère et délicatesse. Whistler en tire des accents de grâce tendre et mélancolique.

En haut : en revanche, chez Gauguin le blanc est une tache de craie, que vient rehausser le point vif d'une cocarde. Inspirée d'une photographie, la pause est alanguie et sereine. La masse arrondie des épaules et du corps fait contraste avec l'aplat vertical immaculé qui rappelle certaines nappes de Cézanne.

En bas : Manet, qui disait : « Le personnage principal du tableau, c'est la lumière », réussit avec sa *Nana* un superbe tableau de genre, qu'il orchestre autour d'un jupon transparent et crissant. C'est une jeune actrice, Henriette Hauser, réputée peu sauvage, qui servit de modèle. Manet fit installer dans son atelier une console Louis XV et différents meubles qui lui donnèrent l'aspect d'un boudoir. Il ne pouvait et ne voulait peindre que ce qu'il voyait. Le personnage à demi coupé, à droite, accentue le caractère galant de la scène. Nana surgit, raide et tendue, furtive et charmante, comme si elle était « saisie par l'objectif ».

A droite : pour Renoir, qui peint ici sa compagne du moment, Lise, il s'agit de tenter une figure en plein air et de soumettre une vaste plage blanche aux jeux changeants de la lumière naturelle. Ce premier essai, s'il annonce les chefs-d'œuvre de la période montmartroise (pages 102-103), n'en a pas encore la liberté. La masse est compacte, les tavelures de lumière restent imperceptibles. Pourtant, à vingt-six ans, c'est déjà un maître qui s'affirme. Acceptée au Salon de 1868, *Lise à l'ombrelle* sera volontairement mal placée par le jury. Castagnary, champion du réalisme, prend sa défense : « Pauvre jeune homme ! Il avait envoyé un tableau que je ne dirai pas bon, mais intéressant à tous égards [...] Les terrains étaient mous, l'arbre cotonneux, mais la figure était modelée dans les demi-teintes avec beaucoup d'art, et, dans tous les cas, la tentative était audacieuse. Eh bien ! Parce que *Lise* avait du succès, qu'elle était regardée et discutée par quelques connaisseurs, à la révision on l'a portée au dépotoir, dans les combles. »

James McNeill Whistler (1834-1903). *La Petite Jeune Fille en blanc*. 1864. Toile. H. 0,76 m. L. 0,51 m.

Paul Gauguin (1848-1903). *Jeune fille à l'éventail.* 1902. Toile. H. 0,91, L. 0,73

Édouard Manet (1832-1883). *Nana.* 1877. Toile. H. 1,50 m, L. 1,16 m.

Auguste Renoir (1841-1919). *Lise à l'ombrelle.* 1867. Toile. H. 1,82 m, L. 1,18 m.

173

L'éclair pâle des corps féminins
zèbre les atmosphères confinées de Degas.

VIOLENTE COMME UNE FLAMME, une forme zèbre la toile de son éclat blême dans une atmosphère irréelle, dense et rouge (*à droite*). Jamais Degas n'a poussé plus loin l'éclat et l'artifice de la couleur que dans cette *Femme s'essuyant*, peinte à soixante-deux ans. Le corps, modelé par un trait à la fois large et précis, est divisé en plages claires et sombres. On admire la dextérité sensible de l'artiste séparant l'ombre de la lumière, à l'intersection de ces deux zones.

A mesure que sa vue baissait, les tons montaient sur la palette de Degas. « Cet hiver, j'y vois plus mal que jamais, écrit-il à un ami, dès 1891. Je ne lis pas même un peu de journal. C'est Zoé, ma bonne, qui me le lit pendant le déjeuner. »

On retrouve la même audace chromatique dans *la Toilette* (*ci-dessous*) dont les tons camaïeu sont ponctués d'une soudaine tache rouge. Dans les deux œuvres, les personnages sont saisis « en tension » et Degas dramatise à plaisir une activité pourtant fort paisible. Interprétés par l'artiste, les soins du corps prennent une sorte de violence convulsive où tout l'organisme est engagé.

A l'époque de ces œuvres, Degas, vieillissant, se renferme de plus en plus sur lui-même. Sa correspondance se remplit de contestations amères contre ceux qui veulent l'exposer malgré lui. Les amateurs achètent ses œuvres directement chez Durand-Ruel. Bientôt, presque aveugle, ne pouvant plus ni peindre ni profiter de sa collection où sont regroupés Ingres, Delacroix, Cézanne, Gauguin, il ne lui restera plus qu'à errer dans les rues de Paris. Il meurt en 1917, pendant la guerre. Renoir, apprenant sa disparition, s'écriera : « C'est bien heureux pour lui... Vivre comme il était, mieux vaut toutes les morts imaginables. »

Edgar Degas (1834-1917). *La Toilette.* 1892-95. Huile et pastel. H. 0,82 m, L. 0,87 m.

Edgar Degas. *Après le bain. Femme s'essuyant.* 1896. Toile. H. 0,89 m, L. 1,16 m.

Paul Gauguin (1848-1903). *Les Amants*. 1902. Toile. H. 0,72 m, L. 0,92 m.

GAUGUIN REFUSE DE JOUER SUR L'OPPOSITION DES TEINTES. Il déteste les heurts exagérés et criards. Il marie souplement ses gammes de couleurs et s'il emploie l'excitation réciproque des complémentaires, c'est généralement par grandes masses. « Les tons de M. Gauguin sont très peu distants les uns des autres, explique Félix Fénéon. De là, en ses tableaux, cette harmonie sourde. »
Ci-dessus : dans *les Amants* — qu'il peint en 1902, à quelques mois de sa mort, après sa fuite de Tahiti, dans l'ultime exil de l'île Dominique — les jaunes et les ocres s'associent au bleu sombre du ciel pour composer une atmosphère d'intimité, que renforce encore l'absence de lignes de fuite. Une branche d'arbre traverse la scène, comme pour nous rappeler *Jacob et l'ange* (page 161). « Toute perspective d'éloignement serait un non-sens, explique Gauguin. Voulant suggérer une nature luxuriante et désordonnée, un soleil des tropiques qui embrase tout autour de lui, il me fallait bien donner à ces personnages un cadre en accord. »
A droite : dans la *Nature morte au jambon*, le coup d'audace est de faire d'un papier peint qui tapisse le fond du décor le véritable sujet du tableau. Ce grand plan jaune qui s'avance vers nous a une telle présence chaleureuse que par contraste la table et le jambon semblent presque abstraits. Gauguin refuse de distinguer forme et couleur : « Pouvez-vous réellement me faire croire, écrit-il en 1890, que le dessin ne relève pas de la couleur et vice-versa? Et pour preuve, je me charge de vous rapetisser ou agrandir le même dessin selon la couleur avec laquelle je le remplirai. »

Le peintre juxtapose des teintes très voisines.
Ses jaunes et ses beiges se répondent,
paisibles et chaleureux comme un effet d'écho.

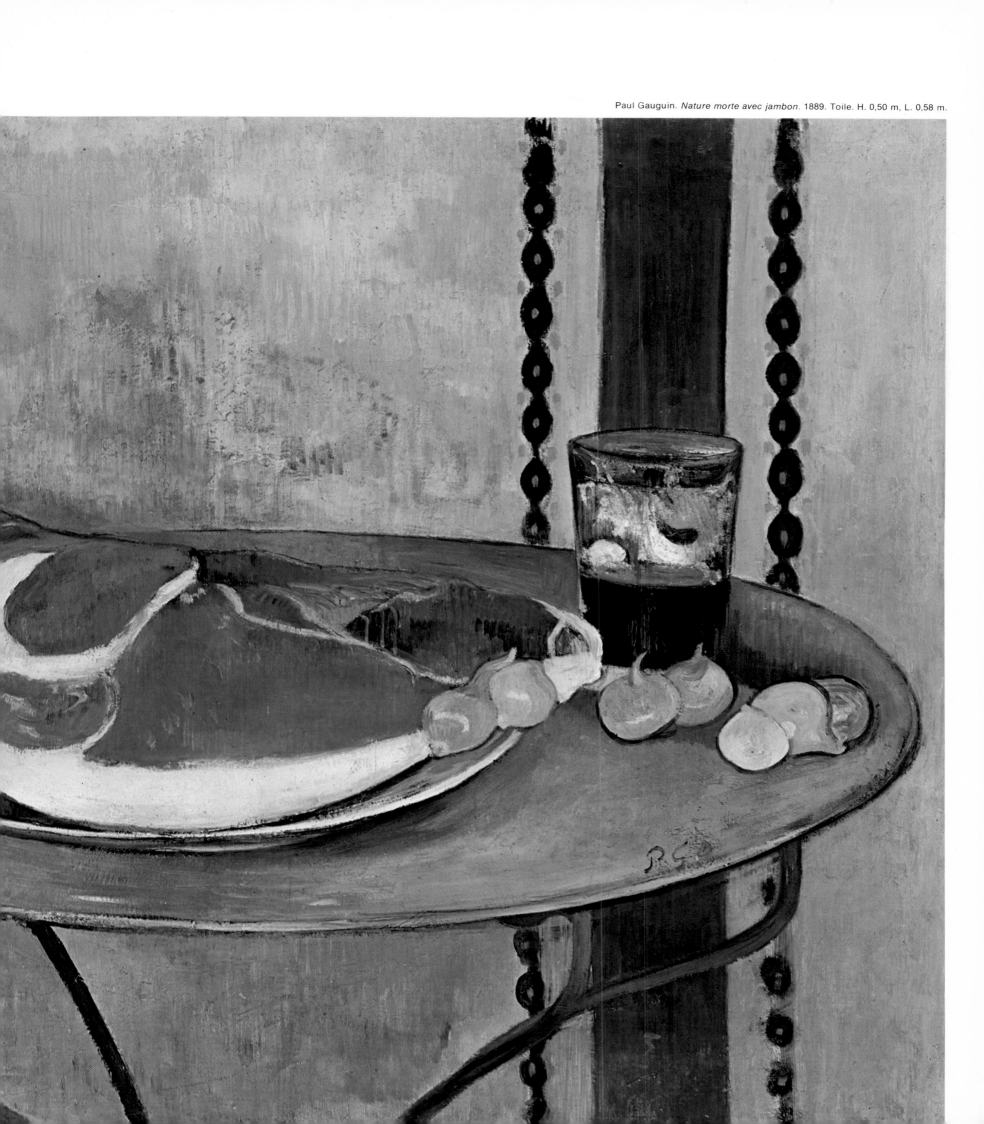

Paul Gauguin. *Nature morte avec jambon*. 1889. Toile. H. 0,50 m, L. 0,58 m.

C'EST SEULEMENT CHEZ MATISSE — le Matisse de *la Musique* et de *la Danse* — qu'on retrouvera, vingt ans après Gauguin, la liberté qui éclate dans ces pages. L'artiste dispose ses grands aplats roses sans tenir aucun compte des habitudes réalistes. Ce qui importe pour lui, c'est l'impact psychologique d'une couleur qui, liée à ces nus exotiques, évoque avec une fraîcheur sans pareille le sentiment de l'éden.

Ci-dessous : avec *Eh quoi, es-tu jalouse?* Gauguin réussit une gageure : associer dans un rythme commun le modelé des corps aux entrelacs quasi abstraits d'un paysage sans ombres ni profondeur. « L'arabesque qui organise l'ensemble est d'une fermeté et d'une fantaisie magistrale, écrit le professeur Charles Sterling, elle unit de la façon la plus inattendue le puissant relief des chairs et le fond plan, purement décoratif. Mais en même temps, Gauguin s'est surpassé en évoquant la vie, la jeune fermeté et la souple lourdeur des corps qui mûrissent et s'étirent au soleil comme des plantes. » Gauguin semble mentionner ce tableau quand il écrit en 1892 à Monfreid : « J'ai fait dernièrement un nu de chic, deux femmes au bord de l'eau, je crois que c'est encore ma meilleure chose jusqu'à ce jour. »

A droite : peint à Paris entre les deux séjours tahitiens, *Annah la Javanaise* est une œuvre d'une frontalité puissante et d'une audace chromatique incroyable si l'on songe aux valeurs dominantes de l'art officiel sous la IIIe République. Installé rue Vercingétorix dans un bric-à-brac d'ancien de la coloniale, Gauguin recevait ses admirateurs en costume exotique, flanqué d'un perroquet, d'une guenon et d'une mulâtresse. C'est cette ambiance d'étrangeté et de nostalgie qu'il nous peint ici : « Ceux qui me font des reproches ne savent pas tout ce qu'il y a dans une nature d'artiste, écrivait-il en 1891. Et pourquoi vouloir nous imposer des devoirs semblables aux leurs? Nous ne leur imposons pas les nôtres. »

Les grands aplats roses de Gauguin ouvrent la voie aux débauches chromatiques du fauvisme.

Paul Gauguin (1848-1903). *Eh quoi, es-tu jalouse?* 1892. Toile. H. 0,68 m, L. 0,92 m.

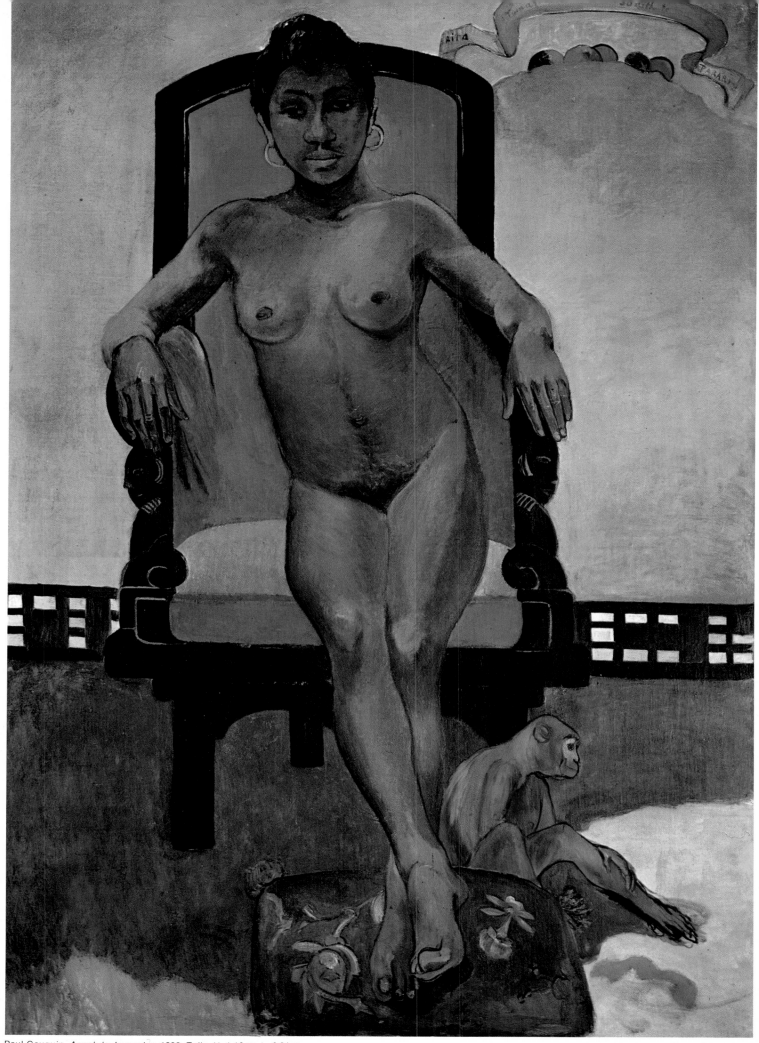

Paul Gauguin. *Annah la Javanaise*. 1893. Toile. H. 1,16 m, L. 0,81 m.

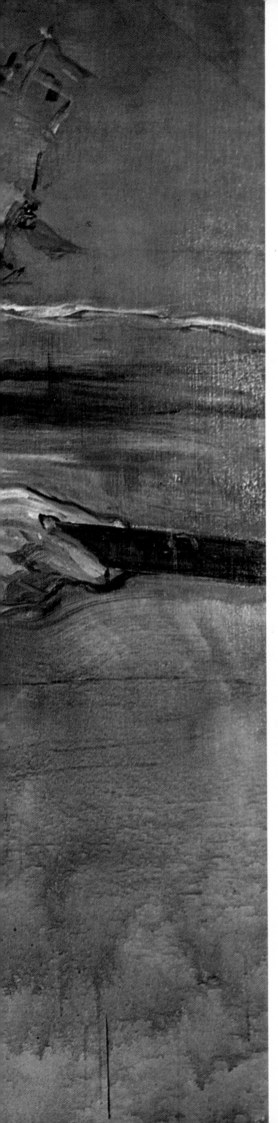

Par la fulguration d'un rouge,
Lautrec change
en morceau de bravoure
une peinture de convention.

Henri de Toulouse-Lautrec. *Messaline*. 1900. Toile. H. 1 m, L. 0,72 m.

C'EST L'AFFICHE qui dicte à Lautrec
son art consommé de la mise en page.
Il enveloppe dans la nervosité d'un
trait électrique de larges aplats qui se
lisent d'un coup, comme on saisit en
une seconde le raccourci d'une
réclame. Interné en février 1899, après
une crise de delirium tremens,
libéré non sans mal au bout de trois
mois, Lautrec, qui travaille de moins en
moins, passe l'hiver 1900-1901 à
Bordeaux. C'est là qu'en vieil
amoureux du théâtre il s'enthousiasme
pour l'opéra d'Isidore de Lara
Messaline. Il en tirera six tableaux —
dont la grande huile ci-contre.
Il restructure à sa façon la mise en
scène, donnant au personnage de
Messaline, grâce à une brillante
ponctuation rouge, une imposante
présence dramatique.
En 1901, Lautrec, de plus en plus
malade, retourne mourir au château
de Malromé, chez sa mère, où la
paralysie va le terrasser. Son dernier
tableau représente, de profil, un vieil
ami de la famille, Paul Viaud, déguisé
en amiral britannique. « Le profil
joue, dans le style de Lautrec, un rôle
extrêmement important, observe
Lionello Venturi. Il lui permet
d'accentuer sa ligne et de rendre le
côté « canaille » de l'image. » Dans
cette œuvre d'une autorité magistrale,
un des chefs-d'œuvre de Lautrec, rien
ne laisse soupçonner la décrépitude de
l'artiste. Il ne parviendra pas à la finir
et s'éteint le 9 septembre 1901, à
trente-sept ans — le même âge que
son ami Van Gogh.

Henri de Toulouse-Lautrec (1864-1901).
L'Amiral Viaud. Été 1901. Toile. H. 1,39 m, L. 1,53 m.

Bonnard fait du monde visible un poudroiement de couleurs chaudes, fruitées, saturées de soleil.

LE RUISSELLEMENT SENSUEL DE LA COULEUR compose chez Bonnard un chant panthéiste et solaire. « Ses objets, note Charles Sterling, sont comme pénétrés par le rayon et sa chaleur [*ci-dessous*]. Le soleil semble fondre ses fruits pour ne laisser qu'une essence colorée de leur chair et de leur goût. Ils embaument les intérieurs où ils se trouvent. » Cette conception de la couleur rayonnante conduit Bonnard aux frontières de l'abstraction. Il s'en faudrait de peu que le grand paysage de *l'Atelier* (*page de gauche*), frontalisé par la transparence et l'armature de la verrière, ne devienne un tableau non figuratif. Mais, dit Bonnard, « l'art ne pourra jamais se passer de la nature ». Il s'arrête avant l'informel. La série importante des *Baignoires* lui a causé les plus grandes peines. Pour obtenir ces halos poudreux de pigments flottant dans l'espace (*à droite*), ces nuages impondérables qui lient ensemble l'étonnante diversité des teintes, il a dû batailler ferme : « Je n'oserai plus jamais m'engager dans un motif si difficile. Je n'arrive pas à faire ressortir ce que je veux. J'y suis déjà depuis six mois et j'ai du travail pour plusieurs mois encore. » Bonnard a consacré d'innombrables tableaux à l'intimité de la vie quotidienne. « S'il peut se passer d'un atelier et pouvait se contenter pour sa femme et lui d'une chambre à coucher et d'une salle à manger, écrit Thadée Natanson, ils ne se sont jamais passés d'une salle de bains où l'eau ruisselle et qu'ils ont, à la fin, parfois à grands frais, fait installer dans très peu plus qu'une bicoque. Le monde entier saura ce que le peintre a vu de choses entre la baignoire et le lavabo. »

Bonnard. *Nu dans la baignoire.* 1938-41. Toile. H. 1,22 m, L. 1,55 m.

Pierre Bonnard (1867-1947). *Jeune Femme à la nappe rayée.* Vers 1921. Toile. H. 0,60 m, L. 0,77 m.

Pierre Bonnard. *L'Atelier aux mimosas.* 1928-46. Toile. H. 1,27 m, L. 1,27 m.

Plombée de jaune,
plus vraie que nature,
la mer de Bonnard
nous restitue
l'écrasement tiède
des heures
de vacances.

L'ART DES ÉQUIVALENCES CHROMATIQUES
est poussé à ses limites extrêmes dans
ce tableau de Saint-Tropez où l'artiste,
aux dépens de toute vraisemblance,
peint jaune vif la mer et le ciel.
« Mallarmé, note Thadée Natanson,
fut l'admiration profonde de la
maturité de Bonnard et jusqu'à la
vieillesse il l'a lu, relu, vers à vers,
ligne à ligne. » Le peintre emploie ici,
à sa façon, les méthodes du poète. Il
ne nous donne pas la couleur locale,
mais, par un jeu d'approximations, il
reconstitue une ambiance particulière,
il assemble une suite de « sonorités »
qui font paraître son paysage plus
vrai, plus « vécu » qu'aucune carte
postale. Ces couleurs denses, cette
ambiance solaire, cette mer de plomb
jaune où se reflètent des nuages
rouges évoquent pour le spectateur
l'écrasement des heures chaudes, la
saturation insidieuse de la peau, la
détente, la fusion, l'alanguissement
dans l'intemporel des vacances.

Pierre Bonnard (1867-1947). *Le Golfe de Saint-Tropez*. 1937. Toile. H. 0,41 m, L. 0,68 m.

**un ensemble de
au sein de la toile,**

L'œuvre n'est plus
formes qui s'équilibrent
mais un morceau de nature
qui se prolonge
au-delà du cadre.

Jean Dubreuil. La Perspective pratique. 1642.
Au XVIIe siècle, la fondation de l'Académie impose un modèle officiel : la perspective monoculaire inventée à Florence deux siècles plus tôt. Les appareils se multiplient. Ils figent en recettes d'atelier des conceptions spatiales qui correspondent de moins en moins aux mutations techniques, scientifiques et artistiques des temps modernes.

Pendant quatre siècles, l'artiste, pour réduire la diversité de la nature aux deux dimensions de son tableau, se soumet à une grille unitaire, un tracé régulateur — la perspective renaissante — auquel chaque détail de l'œuvre est assujetti. La peinture est « métamorphose du monde perçu en un univers péremptoire et rationnel » (Merleau-Ponty). Le réel est réductible à des quantités mesurables, il s'organise selon une trame qui vaut pour la totalité de l'espace transposé. Un rapport numérique unit entre elles les composantes disparates de la nature.

Il aura fallu, au XVe siècle, un effort prodigieux de l'intelligence collective pour que la variété infinie du monde visible trouve à s'inscrire au sein d'un seul et même schéma graphique. Mais cet effort a son revers. Il indique, note Merleau-Ponty, « à quel point celui qui peint le paysage et celui qui regarde le tableau sont supérieurs au monde, comme ils le dominent, comme ils l'embrassent du regard. » La perspective est l'expression visuelle du rationalisme anthropocentrique des sociétés occidentales, lequel plonge ses racines dans la tradition gréco-romaine. L'Empire, dès qu'il avait conquis un territoire, établissait son tracé cadastral. Il étendait sur l'anarchie de la réalité géophysique — avec ses montagnes, ses déserts, ses forêts, ses populations — une grille régulière, un système de mesures dont l'unité était la centurie (un carré de sept cent dix mètres de côté). Les arpenteurs romains balisaient l'univers pour mieux le dominer ; ils faisaient du monde réel une abstraction, du territoire une carte. Ils ne se contentaient pas d'occuper un pays : ils le quadrillaient, comme s'ils avaient eu besoin d'une règle géométrique pour faire entrer dans un seul ordre commun les innombrables diversités de l'Empire.

Cette conception d'un ordre transcendant le chaos naturel se retrouve tout entière dans la peinture occidentale. Certes, elle y sera fréquemment bousculée. Chez les Vénitiens, Rembrandt, Watteau, le schéma perd de sa netteté, les contours sont rongés, noyés dans le flou de la lumière (voir notre chapitre IV). D'autres vont dans le sens inverse. C'est le trompe-l'œil. On accentue le modelé, on débouche sur l'illusionnisme, on fausse l'ordonnance de l'espace projeté par l'excès de la précision. Le surréalisme, avec Chirico, Magritte, etc., reprendra la recette. Mais dans l'ensemble, le système inventé par la Renaissance « tient » quatre siècles et c'est lui que vont investir, dépasser et détruire les impressionnistes.

Or ce système postule qu'on fasse cohabiter dans un même espace des objets que l'œil avait souvent distingués séparément et appréhendés successivement. Le tracé renaissant suppose qu'on range dans un cadre restreint — le tableau — toute une suite de perceptions, parfois très divergentes, éprouvées devant la nature. L'appel « sauvage » des *stimuli* doit être contrôlé, négocié, réinséré dans le schéma régulateur au prix d'un jeu de compromis et d'arbitrages. « La composition, écrivait Élie Faure, c'est l'introduction de l'ordre intellectuel dans le chaos des sensations. »

Maurice Merleau-Ponty a magistralement analysé, dans *la Prose du monde*, le caractère mutilant de l'espace renaissant par rapport au flux tumultueux des sensations que nous éprouvons au spectacle de la nature. « Alors que j'avais, écrit-il, l'expérience d'un monde de choses, fourmillantes, exclusives, dont chacune appelle le regard et qui ne saurait être embrassé que moyennant un parcours temporel où chaque gain est en même temps perte, voici que ce monde cristallise en une perspective ordonnée [...] Tout le tableau est au passé, dans le mode du révolu ou de l'éternité ; tout prend un air de décence et de discrétion ; les choses ne m'interpellent pas et je ne suis pas compromis par elles. » Il prend l'exemple de deux objets fort disparates : la lune et une pièce de monnaie. Ces deux objets, impossible de les percevoir simultanément dans la nature : « Il fallait que mon regard fût fixé sur l'un des deux, et l'autre m'apparaissait alors en marge, objet-petit-vu-de-près ou objet-grand-vu-de-loin, incommensurable avec le premier, et comme situé dans un autre univers. »

Quand on tente de faire tenir dans un même tableau deux mondes aussi éloignés, Il faut, dit Merleau-Ponty, « arbitrer leur conflit [...] coaguler sur le papier une série de visions locales [...] construire une représentation où chacune [des choses visibles] cesse d'exiger pour soi toute la vision, fait des concessions aux autres et consent à n'occuper plus sur le papier que l'espace qui lui est laissé par elles ».

C'est au prix de ces concessions que le tableau classique peut étaler devant nous les vastes panoramas, les paysages réguliers d'un Carrache, d'un Dominiquin, d'un Poussin — où chaque chose a sa place au sein d'une vision globale architecturée par l'artiste.

L'académisme renchérit sur cet ordre, sans en avoir les qualités. « Il y avait eu l'éducation de Rome, note Gustave Geffroy dans sa *Vie de Claude Monet*, il y avait le règne de David et de ses adeptes, et un paysage était alors un fond de collines, un duo d'arbres, un ruisseau de verre filé, qui servaient d'accessoires à une scène de l'histoire sainte ou de l'histoire grecque ou romaine. »

L'art pompier qui triomphe au Salon, sous le second Empire et la IIIe République, et qui barre la route de l'impressionnisme, caricature la logique formelle de la Renaissance. Il rejette à la fois le luminisme issu des Vénitiens, Rembrandt, Watteau, et l'arabesque constructive héritée de Raphaël. Celui-ci orchestrait sa toile selon des rythmes impérieux auxquels l'anecdote se soumettait (Ingres et Seurat dans ses premières toiles tireront profit de cet enseignement). Le tableau était avant tout l'organisation subtile d'un équilibre, d'un jeu de courbes et l'unité abstraite de cette « technonique » faisait sa force. Mais l'art bourgeois du XIXe siècle ne retient même pas la logique constructive des classiques. Il s'intéresse à l'accumulation des substances, au détail des valeurs matérielles qui encombrent son monde. Il veut du palpable, du concret. Il aspire au quantifiable, aux exploits du rendu, il veut un art sans équivoque, une peinture aussi précise que la photo, des tableaux qui sentent le travail. En 1879, le critique Bergerat, mentionnant une fresque guerrière d'Édouard Detaille, écrit : « On compterait près de deux cents soldats sur cette toile et le plus éloigné comme le plus rapproché y conserve son caractère. J'aime cet art si français dans l'esprit de sa touche, par sa précision sans subterfuge. »

Entre cette manie du fignolage et la conception du détail que va élaborer l'impressionnisme, il y a un abîme. D'un côté, des certitudes de comptables, de l'autre la mise en cause de la conception géométrique de l'espace mise au point par la Renaissance, dont on a vu qu'elle était, dans sa volonté synthétique, un moyen terme et une réduction du champ sensoriel.

A quoi s'ajoutent l'inquiétude et le doute d'une génération qui a pris conscience des grandes mutations scientifiques du temps. On s'aperçoit que l'inconnu s'accroît à mesure qu'on l'explore. Prétendre décrire le monde d'un seul coup, dans un tableau, comme obéissant tout entier à une logique dont le peintre aurait la clé, c'est mentir. En 1859, avec *l'Origine des espèces*, Darwin a mis en cause l'idée de l'homme comme création privilégiée et image de Dieu. La géométrie non euclidienne, le machinisme, la microphysique, l'électromécanique, l'astronomie, la radioactivité ébranlent les certitudes du XIXe siècle et prouvent que toute figuration unitaire et simplifiée du réel est un leurre. Rien désormais n'est sûr. Pas même nos sens : « L'homme s'apercevra vite, écrit Pierre Francastel, que son œil, dans lequel il avait pris tant de confiance, est incapable de lui révéler naturellement la position des membres d'un cheval au galop. Les grands mystères de la nature ont cessé aussitôt d'être des ensembles et des lointains pour devenir des détails, et les plus proches. »

Devant cette imperfection de nos sens, devant l'immensité de l'univers décrit par les savants, l'artiste est pris d'un sentiment de modestie. Il ne prétend plus lire le fond des choses ni dresser le catalogue complet du monde physique. Il ne propose ni un microcosme ni un résumé plausible de l'ordre naturel mais, tout au contraire, un gros plan, un détail de la nature sur lequel il s'acharne pour en extraire le plus de vérité possible, tout en sachant bien que cette vérité est fluctuante, relative et finalement incontrôlable.

Edgar Degas. Le Vicomte Lepic et ses filles. Vers 1871.

L'artiste réduit ses ambitions : il ne prétend plus dire la vérité totale d'un personnage, mais simplement décrire un court moment de son existence. Le décentrage accentue ce sentiment de fugacité.

Édouard Manet. Une allée des jardins de Rueil. 1882.

La nature n'est plus saisie dans son ensemble mais comme détail. On ne la présente plus comme claire, ordonnée, lisible, mais comme touffue et chaotique. Elle se prolonge manifestement au-delà de la toile.

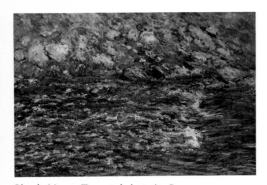

Claude Monet. Torrent de la petite Creuse à Fresselines. 1889.
L'artiste nous montre non la rivière, mais un gros plan de celle-ci. Il analyse la ligne de partage entre terre et eau.

Jan Van Goyen. Le Chêne foudroyé. 1638.
Quand Van Goyen veut donner son importance au motif (le chêne du premier plan), il l'isole sur un fond de nature. Van Gogh (p. 210) ira plus loin en écartant toute vision panoramique.

Claude Monet. Le Rocher. 1889.
La montagne est montrée comme matière, non comme paysage.

Raoul Dufy. Acrobates sur un cheval de cirque. 1934.
Les couleurs flottent, indépendantes du contour. La profondeur est traitée librement, selon la subjectivité de l'artiste.

Il resserre son objectif. Il réduit ses ambitions sur un double terrain : il montre un *espace* limité et un *temps* limité, un détail et un moment. « Vous devineriez la saison, l'heure et le vent ! » s'étonne Baudelaire devant une marine de Boudin — lequel en effet titre tel de ses tableaux : *8 octobre, midi, vent du nord-ouest.* Et Geffroy décrit en Monet un enquêteur inlassablement minutieux et passionné : « Il réussit à analyser la couleur toujours changeante, toujours mouvante, de l'eau qui court dans les rivières, qui bout et écume au pied des rochers et des falaises. Il montre cette couleur faite de l'état du fond, de l'état du ciel et des reflets des objets. Il étudie les terrains, écroulements de dunes, flancs de falaises, comme un géologue : du bout de son pinceau, il met en lumière les pierres, les minerais, les filons. Il tient compte des actions extérieures. Il peint l'herbe desséchée par le vent et trempée par la pluie, il reproduit les rocs mouillés, découverts par la marée basse, sur lesquels le flot a laissé des amas d'herbes marines. »

La peinture se propose désormais de nous montrer le monde comme une suite de détails, et chaque détail comme un monde. « L'artiste, remarque Francastel, ne donne plus au mécène la vue d'une partie de la terre à dominer ; le monde des artistes contemporains est un univers rempli de secrets redoutables et qui échappent aux anciennes mesures de dimensions et de valeurs [...] Ce qui compte essentiellement, c'est la vision rapprochée du monde c'est-à-dire une vision inquisitive et qui ne se contente plus de sensations globales. La vision cubique de la Rènaissance était avant tout une vision éloignée du monde. La vision moderne est une vision tendue dans la découverte d'un secret dans les détails [...] Le plus mystérieux, c'est le plus proche. »

Il suffit de comparer tel tronc d'arbre de Van Gogh (page 210) avec tel autre de Van Goyen (à gauche) ; ou encore tel rocher de Monet (à gauche) avec n'importe quel paysage du XVIIe siècle, pour voir combien la vision impressionniste resserre son enquête. Les objets se présentent brusquement, en gros plan. L'œil les sélectionne et les décadre, ils se jettent sur nous par un effet de zoom, comme la mer quand elle envahit la totalité d'une fenêtre. Mieux : l'artiste en arrive à juxtaposer, comme dans un assemblage, des scènes qui participent d'espaces différents. Il découpe sa surface à la façon d'un vitrail (page 213). Il jouxte des anecdotes dont on voit bien qu'elles flottent, imprécises et indépendantes les unes des autres (page 212). Il superpose une scène réelle à une scène mythique (pages 161 et 212). Bref, il met en cause l'espace unitaire, selon des méthodes qui auront une large postérité au XXe siècle.

Ainsi Fernand Léger qui mélange dans un tableau le détail d'une noce et des évocations de la campagne normande, ce qu'il a sous les yeux et ce qui traîne dans sa mémoire. Ou bien Chagall, qui associe les souvenirs de Vitebsk aux images de la tour Eiffel. Ou encore Dufy, qui étale sa « sténographie » sur des dizaines de mètres carrés sans obéir à aucune hiérarchie spatiale (à gauche). Braque et Picasso montrent *en même temps* ce qu'on verrait *successivement* si on faisait le tour de l'objet. Celui-ci est « mitraillé » d'en haut et d'en bas, du dedans et du dehors, de face et de profil, de tous les côtés à la fois. L'ensemble de ces observations est présenté synthétiquement sur une même surface et mêlé à d'autres qui concernent le décor, l'ambiance, ou qui sont puisées dans le passé. Des morceaux de guitare se juxtaposent à des morceaux de vitrines et les mots « ma jolie » au pochoir viennent se mêler dans une composition qui s'efforce de figurer le tohu-bohu de notre cerveau.

Cela, c'est le XXe siècle. Mais comparez les natures mortes de Cézanne et celles des Hollandais. Dans la nature morte, remarque Meyer Schapiro, les objets sont « plus petits que nous et à portée de notre main. Ils doivent leur existence et leur emplacement à la volonté et à l'intervention des hommes. Faits et utilisés par lui, ils nous communiquent le sentiment qu'a l'homme de son pouvoir sur les choses. »

Or, de cette peinture d'appropriation, Cézanne fait un champ d'inquiétude. Chez lui, les choses débordent. Elles sortent du cadre. Elles s'étirent et se déforment. Les objets les plus familiers nous échappent.

Claude Monet. Le Jardin des iris, Giverny. 1900.
Le tableau semble le fragment d'une toile plus grande. Aucune composition n'est plus perceptible.

Jan Vermeer. La Leçon de musique. 1660.
Le cadre coupe en deux les objets. Nous les complétons par l'imagination.

Francisco Goya. Una Manola. 1819-23.
Le gros volume insolite qui occupe le centre, et qui déporte à gauche le personnage, est ressenti comme étant l'extrémité d'un volume beaucoup plus grand.

Vincent Van Gogh. Arbre en fleur. 1888.
Le haut de l'arbre est saisi comme au téléobjectif. Il se détache sur un fond confus. L'artiste traduit le caractère abrupt, instantané, préhensif de la vision.

On ne compose plus. Toute la peinture impressionniste participe de ce que Wölfflin appelait « la forme ouverte », et qu'il décelait déjà chez les paysagistes du Nord. « Au XVIIe siècle, écrit-il dans les *Principes fondamentaux de l'histoire de l'art*, le contenu s'est dégagé de la servitude du cadre. Rien ne doit laisser supposer que la composition a été conçue précisément pour entrer dans le cadre du tableau. Bien qu'une sorte de coïncidence cachée soit naturellement présente et efficace, il faut que l'ensemble apparaisse comme un fragment du monde visible découpé au hasard. »
Ce divorce entre le cadre physique du tableau et la scène qui s'y inscrit sera mené à terme par les impressionnistes, sans que ne persiste plus chez eux aucune des « coïncidences » que Wölfflin trouvait encore chez Ruysdaël ou Hobbema. « L'image est devenue étrangère à son cadre. » C'est ce qu'exprime Félix Fénéon en 1889 quand il écrit : « Un paysage de M. Monet ne développe jamais intégralement un thème de nature et semble l'un quelconque des vingt rectangles que l'on taillerait dans une toile panoramique de cent mètres carrés. » Cézanne, dans une de ces phrases lapidaires dont il avait le secret, résume parfaitement le problème quand il écrit à Émile Bernard, à propos des classiques : « Ils faisaient le tableau et nous tentons un morceau de nature. »

Un « morceau de nature », un détail du monde saisi presque au hasard : nous ne sommes plus devant un décor distribué sur la toile selon la logique des hommes. La nature n'a plus besoin de ceux-ci pour s'organiser. On nous en livre une parcelle — anarchique, incontrôlable, discontinue. Un vague chemin s'enfonce dans les fourrés. Tout autour la végétation prolifère. On sent bien qu'elle se poursuit très au-delà des limites du châssis — dans l'illimité.
Peu à peu, l'art moderne développera cette conception du *cadre charnière*, simple frontière entre ce que l'artiste figure explicitement et ce qu'il nous suggère d'imaginer dans le prolongement logique de la surface peinte. Déjà Vermeer sectionne brutalement son motif (à gauche) et nous laisse le soin d'ajouter le morceau de portrait ou de bout de table qui nous manquent. Ou bien c'est Goya qui décadre son point de vue (à gauche). Il envahit sa toile avec un gros volume dont on perçoit qu'il n'est que l'extrémité d'un volume plus grand. Mais ces artistes, s'ils s'écartent de la construction classique, ne l'éliminent pas totalement. Un équilibre subsiste entre ces plans tronqués.
Il n'en va déjà plus de même pour un Bonnard (page 219), et plus tard encore pour un Kandinsky, un Van Doesburg, ou un Franz Kline. C'est toute la construction qui, chez eux, bascule hors du cadre — comme si le tableau n'était plus qu'une base de départ pour l'expansion dynamique d'une forme. Ou encore la surface se couvre tout entière. La structure est noyée dans une masse indistincte qui envahit la toile de bout en bout. C'est le « all over » cher aux artistes américains et surtout à Tobey, Pollock, Sam Francis, etc. La toile devient un immense détail sans contours, elle ressemble à une gigantesque photo d'un mouvement brownien, telle que pourrait l'obtenir un microscope électronique.

A mesure que l'image grossit, que le détail semble envahir et couvrir la toile, le spectateur réduit la distance physique et psychique qui le tenait éloigné à bonne distance du tableau. Celui-ci le contourne et l'enveloppe. C'est l'environnement. Le goût du gros plan, des valeurs tactiles déclenche chez le visiteur un mouvement d'attirance réciproque. Il se rapproche. Quelquefois il devient partie intégrante de l'œuvre. Il engage plusieurs de ses sens à la fois. Le XXe siècle verra naître des propositions singulières : manipulables et transformables (groupe Madi, Agam, Lygia Clark, etc.). D'autres exigeront que le spectateur abandonne toute neutralité, toute passivité devant la toile. Celle-ci ne produira ses métamorphoses que s'il se déplace. C'est le cas pour les « œuvres profondes » de Soto, Vasarely ou Cruz Diez.
De telles propositions semblent situées à des années-lumière de Monet ou Cézanne. Par des chemins parfois détournés, à travers près d'un siècle de bouleversements, elles en sont pourtant les héritières.

Manet taille dans le vif du paysage.
Ses cadrages serrés reconstituent
l'instantanéité de la vision.

Édouard Manet. *Le Grand Canal à Venise*. 1875. Toile. H. 0,57 m. L. 0,48 m.

Toutes les libertés de l'impressionnisme, Manet les pressent dès 1869 quand il observe de sa fenêtre, au deuxième étage de l'hôtel Folkestone, la foule des vacanciers sur l'embarcadère. Ce qui frappe ici, c'est d'abord la touche allusive, le style d'esquisse — ce que Huysmans appelait « un dessin concisé mais titubant » — qui mêle et nivelle tous les personnages. « Manet, écrit Charles Sterling, est peut-être le premier à sentir confusément que les déplacements rapides dus à l'usage de la vapeur et le grouillement de la foule citadine nécessitent un changement de la vision artistique dans le sens de l'abréviation. » Autre nouveauté : le cadrage. L'artiste ne cherche nullement à équilibrer sa composition, ni même à donner une version plausible du bateau. Il taille spontanément dans le vif de la scène qu'il a sous les yeux, et peu importe que le sujet se prolonge au-delà de ce que nous voyons. L'épisode est cadré serré, nous ne sommes pas devant une marine, une vision élargie de la nature, mais devant un épisode précis

et limité que l'artiste enferme dans un flash pictural.

Même spontanéité, même lumière éclatante, même fraîcheur dans la vue du Grand Canal que Manet exécute en septembre 1875 à ras de l'eau, au cours d'une brève visite à Venise en compagnie de sa femme et du peintre britannique James Tissot. Entre-temps, il est allé à Argenteuil observer Monet aux prises avec le plein air (pages 98-99) — ce qui a précipité son évolution. Dans *le Grand Canal*, l'axe et le choix du cadre nous font littéralement entrer dans le sujet. Nous ne sommes plus *en face* des choses, nous y participons. Conceptions mal comprises des contemporains ; Zola écrit en 1868 : « Quand ils voient le nom de Manet, ils essaient de pouffer de rire. Mais les toiles sont là, claires, lumineuses, qui semblent les regarder avec un dédain grave et fier. Et ils s'en vont, mal à l'aise, ne sachant plus ce qu'ils doivent penser, remués malgré eux par la voix sévère du talent, préparés à l'admiration pour les prochaines années. »

Édouard Manet (1832-1883). *Le Départ du vapeur de Folkestone*. 1869. Toile. H. 0,60 m. L. 0,73 m.

Un passage se creuse
entre deux haies, comme pour engager
notre regard
au cœur de la toile.

Claude Monet. *Un coin d'appartement.* 1875. Toile. H. 0,80 m, L. 0,60 m.

UNE MÊME OUVERTURE AU CŒUR DE LA TOILE creuse ces deux compositions de Monet exécutées à cinq ans de distance. L'artiste semble, dans les deux cas, s'avancer entre des rideaux, comme pour mieux pénétrer — et nous plonger simultanément — dans la scène qu'il peint. Axe central, disposition quasi symétrique des plans autour d'un vide : un telle régularité n'est pas fréquente dans l'impressionnisme. Elle engendrerait la monotonie s'il n'y avait, dans les deux toiles, un audacieux contraste entre la verticalité des premiers plans et la franche percée de la ligne de fuite. Formé sur le motif, rebelle à tout enseignement académique, démissionnaire dès les premiers jours de l'atelier Gleyre, où il s'était inscrit en 1863, Monet dispose ses masses avec une liberté sans pareil. Il ne croit qu'à son œil et refuse toute leçon du passé. En cette période de sa vie, l'artiste connaît la misère et le découragement. Dans *le Figaro* du 3 avril 1876, l'influent critique Albert Wolff tourne en dérision les « cinq ou six aliénés, dont une femme, un groupe de malheureux atteints de la folie de l'ambition » qui exposent chez Durand-Ruel. « Il y a, écrit-il, des gens qui pouffent de rire devant ces choses. Moi j'en ai le cœur serré. Ces soi-disant artistes s'intitulent les intransigeants, les impressionnistes, ils prennent des toiles, de la couleur et des brosses, jettent au hasard quelques tons et signent le tout [...] Effroyable spectacle de la vanité humaine s'égarant jusqu'à la démence. » En 1878, douze œuvres de Monet seront dispersées à la vente Hoschedé. Elles ne dépasseront pas le prix moyen de 184 francs.

Claude Monet (1840-1926).
Le Jardin de l'artiste à Vétheuil. 1880.
Toile. H. 1,52 m, L. 1,21 m.

Monet passe du lointain au proche
et plante son chevalet
tout contre le motif.
Des formes démesurées
envahissent l'espace.

Claude Monet. *L'Aiguille creuse à Étretat*. 1883. Toile. H. 0,60 m, L. 0,80 m.

Claude Monet. *Grosse mer à Étretat*. Vers 1873. Toile. H. 0,66 m, L. 1,31 m.

DU PANORAMA AU GROS PLAN, Monet marque sa volonté de serrer la nature au plus près. Ce sont d'abord, à Étretat, de larges vues de la mer et de la côte avec parfois, en contre-jour, des silhouettes humaines. Parlant du tableau de 1873 (*page de droite, au centre*), Geffroy mentionne « le groupe minuscule des spectateurs, si bien vu, dans son anxiété et son impuissance, en face du ciel bas, des rochers noirs et d'une mer au mauvais visage qui déferle en grosses vagues contre les chétifs personnages, si petits devant les hautes lames, le galop furieux de la mer ».
Mais Monet ne se satisfait pas de cette vision large et lointaine.
En 1886, il descend jusqu'au pied des « abrupts remparts d'où s'élancent, comme des trompes, des arcs-boutants de granit » (Félix Fénéon). Il plante son chevalet tout contre le rocher et peint cette patte massive (*à gauche*) plantée dans la mer, qui envahit la quasi-totalité de la toile où elle

rayonne d'une présence étrange.
« On peut dire de Monet, écrivait Octave Mirbeau en 1887, qu'il a véritablement inventé la mer, car il est le seul qui l'ait comprise ainsi et rendue avec ses changeants aspects, ses rythmes énormes, son mouvement, ses reflets infinis et sans cesse renouvelés, son odeur. » Et Geffroy raconte dans ses souvenirs cette confession du peintre : « Quand je mourrai, je voudrais être enterré dans une bouée. » « Cette idée semblait lui plaire, ajoute le critique. Il riait dans sa barbe à la pensée d'être enfermé pour toujours dans cette espèce de bouchon invulnérable dansant parmi les flots, bravant les tempêtes, se reposant mollement au mouvement harmonieux des temps calmes, sous la lumière du soleil. Cette évocation n'avait pour lui rien de funèbre, lui semblait la conclusion logique de son amour pour la mer. »

Claude Monet. *Falaise à Étretat*. Vers 1883. Toile. H. 0,81 m, L. 1 m.

Claude Monet (1840-1926). *Étretat*. 1886. Toile. H. 0,81 m, L. 0,65 m.

En une série de « flashes »,
l'artiste cerne le charme
furtif et bonhomme
des brasseries littéraires.

Vuillard (1868-1940). *Le Café au bois de Boulogne*. Vers 1893. Carton. H. 0,35, L. 0,39.

CETTE GUINGUETTE près de la cascade (*ci-dessus*), Vuillard la peint dans son style brillamment elliptique, aux couleurs simplifiées, qui change les personnages en taches, leur enlève tout relief et les enfonce dans le décor. Décor charmant, en l'occurrence, où erre le fantôme d'Odette de Crécy poursuivie par Swann, dans l'atmosphère proustienne des allées du Bois, saisies avec fraîcheur et simplicité.

L'ENTASSEMENT DES CAFÉS impose au consommateur une vision fragmentée de l'agitation qui l'entoure, et Manet — comme plus tard Vuillard — veut rendre par une image « bourrée », rapprochée, rapide, ce sentiment de confusion et de désordre. La serveuse qui passe, le couple qu'on surprend devant deux bières sont les composantes d'un kaléidoscope dont chaque facette nous est livrée à part.
Les cafés ont joué un rôle essentiel dans la bataille de l'impressionnisme qui fut la victoire de la Brasserie sur l'Académie. Rue des Martyrs, derrière Notre-Dame-de-Lorette, où se réunissaient les réalistes, autour de Duranty et de Courbet ; puis au café Guerbois, avec Manet ; à la Nouvelle Athènes ; chez le père Lathuile ; à la brasserie de Reichshoffen, boulevard Rochechouart, etc., ce fut chaque fois le même petit monde bavard et bohême de peintres, de critiques, de poètes, de grisettes, de modèles, qui n'en finissaient plus de s'expliquer et de se disputer — pour le plus grand profit de leurs idées communes.

Édouard Manet (1832-1883). *Au café*. 1878. Toile. H. 0,77 m, L. 0,83 m.

Édouard Manet. *La Serveuse de bocks*. 1878-79. Toile. H. 0,77 m, L. 0,65 m.

Le peintre sectionne dans l'infini de la mer une parcelle de surface vibrante.

Édouard Manet (1832-1883). *L'Évasion de Rochefort.* 1881. Toile. H. 1,43 m. L. 1,14 m.

LA MER ENVAHIT la totalité de la toile, à l'exception d'un mince filet de ciel. Mouvante, dense, opaque, elle captive les impressionnistes qui lui consacrent d'innombrables études scrupuleuses et documentées. Geffroy nous montre Monet s'acharnant à Belle-Ile « dans le vent et la pluie, vêtu comme les hommes de la côte, botté, couvert de tricots, enveloppé d'un ciré à capuchon. Les rafales lui arrachent parfois sa palette et ses brosses des mains. Son chevalet est amarré avec des cordes et des pierres. N'importe, le peintre tient bon et va à l'étude comme à une bataille. » Édouard Manet, candidat malheureux à l'École navale, embarqué dans sa jeunesse comme pilotin jusqu'à Rio de Janeiro, était lui aussi un passionné de la mer à laquelle — parfois sous le prétexte de scènes de batailles — il consacra de nombreux tableaux. L'évasion du directeur de *la Lanterne*, opposant farouche à l'Empire, sympathisant de la Commune, emprisonné en Nouvelle-Calédonie, est traitée par Manet avec des scrupules d'historien : « J'ai vu Rochefort hier, écrit-il en décembre 1880 à Mallarmé. L'embarcation qui leur a servi était une baleinière. La couleur était gris foncé. Six personnes, deux avirons. » C'est le même scrupule qui le conduit quand il s'agit de rendre sa vision de la mer, vaste surface glauque où flottent des paraphes d'écume.

Claude Monet (1840-1926). *Roches de Belle-Ile.* 1886. Toile. H. 0,65 m. L. 0,80 m.

Vincent Van Gogh (1853-1890). *Les Tournesols*. 1887. Toile. H. 0,60 m. L. 1 m.

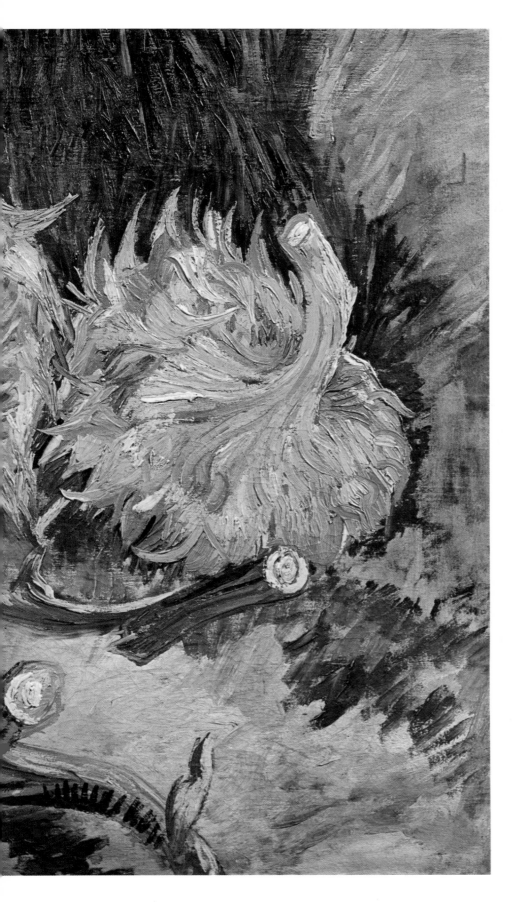

UNE AMBIANCE presque morbide flotte sur les tournesols de Van Gogh. Les fleurs sont plus grandes que nature. Le fond est bouché, la palette monochrome, les nuances vont du jaune au marron. Jamais jusqu'à Van Gogh la nature morte n'a eu cette puissance agressive, cette capacité d'interpellation qui nous bouscule et nous amène à soupçonner on ne sait quel tourment humain dans l'allure contournée des branches et des fleurs.

Peint à Paris pendant l'été 1887, le tableau fait la transition entre les toiles sévères et denses de Nuenen (*Nature morte aux nids, Nature morte à la Bible, etc.*) et les tournesols de la période d'Arles en 1888. « Je veux bien, écrivait Van Gogh, dans la vie et dans la peinture aussi me passer de Bon Dieu, mais je ne puis pas, moi souffrant, me passer de quelque chose de plus grand que moi, qui est ma vie : la puissance de créer. »

Aigus, craquants, alvéolés
comme des yeux d'insectes,
les tournesols tendent vers nous
leurs couronnes étranges.

Edgar Degas (1834-1917). *Après le bain*. Vers 1895-98. Pastel. H. 0,76 m, L. 0,83 m.

DEGAS TOURNE AUTOUR DU MODÈLE. Il nous livre par observations successives une sorte de reportage obsessionnel sur la femme dans l'intimité. « M. Degas poursuit le corps féminin d'une vieille animosité qui ressemble à de la rancune ; il le déshonore d'analogies animales », écrit Félix Fénéon en 1888.
Pour Degas, témoin amer et passionné, il s'agit de faire surgir la vérité la plus secrète des gestes quotidiens — fût-ce au risque de passer pour indiscret. « C'est la bête humaine qui s'occupe d'elle-même, explique-t-il à propos de ses pastels. Jusqu'à présent le nu avait toujours été présenté dans des attitudes qui supposent un public. Mes femmes sont des gens simples, honnêtes, qui ne s'occupent de rien d'autre que de leur occupation physique [...] C'est comme si vous regardiez par le trou de la serrure. » Recherche minutieuse, singulier tête-à-tête quotidien avec des jeunes femmes qui prennent la pose sous son œil renfrogné de vieux misanthrope. « Il lui arrivait, explique l'une d'elles, de déjeuner dans l'atelier sur son journal, au coin d'un tréteau encombré de dessins, d'Ingres souvent. » Comportement de scrupuleux, d'introverti, que comprendront mal des hommes comme Gauguin. « Quant à Degas, écrit ce dernier à Schuffenecker en mai 1886, je ne m'en occupe guère. Je ne vais pas passer ma vie à poncer un pouce pendant cinq séances d'après un modèle. Au prix qu'est le beurre, c'est trop cher ! »

Edgar Degas. *La Lettre*. 1888-92. Pastel. H. 0,50 m, L. 0,59 m.

Degas veut être
« le portraitiste de la bête humaine ».
Par des approches successives...

Edgar Degas. *Femme s'essuyant*. 1886. Pastel. H. 0,55 m, L. 0,71 m.

Edgar Degas (1834-1917). *Devant le miroir*. Vers 1889. Pastel. H. 0,49 m. L. 0,64 m.

... il nous livre
l'intime d'une nuque
ou le soyeux d'une chevelure.

Edgar Degas. *Femme se coiffant*. Vers 1887-90. Pastel. H. 0,82 m, L. 0,52 m.

UNE ESPÈCE DE TENDRESSE CRISPÉE
se glisse, comme malgré lui, dans les
gros plans de Degas, quand il dispose
la lumière sur la fragilité d'une nuque
ou le moelleux d'un bras. Notations
fragmentaires et délicates,
nouvelles par l'audace du point de
vue rapproché et la tension des
personnages qui, comme toujours chez
lui, sont saisis dans l'équilibre
précaire de l'effort. « Ne me parlez
pas de ces gaillards qui encombrent
les champs de leurs chevalets », disait
Degas pour se moquer de Monet et
de ses successeurs. Il ajoutait, pour
Mallarmé : « L'art c'est le faux.
L'étude de la nature est insignifiante.
La peinture est un art de convention ;
il vaut infiniment mieux apprendre
à dessiner d'après Holbein. » Fénéon,
dès 1888, mettra en évidence cet
aspect anti-spontané de Degas :
« Il ne copie pas d'après nature :
il accumule sur un même sujet une
multitude de croquis où son œuvre
puisera une véracité irréfragable ;
jamais tableaux n'ont moins évoqué
la pénible image du " modèle " qui
" pose ". »

207

Sous l'œil visionnaire de Van Gogh, les arbres deviennent barreaux et la forêt prison.

PAR L'ARBITRAIRE D'UN DÉCOUPAGE HORIZONTAL, Van Gogh casse brutalement le rythme de la nature. Il prend à contresens la logique verticale des arbres. La forêt n'est plus une cathédrale, une voûte élancée, mais une prison. L'artiste écarte les sollicitations logiques du paysage et n'en retient que ce qui correspond à ses obsessions. Là où nous voyons un sous-bois, il voit une accumulation de troncs-barreaux qui le séparent du reste des hommes comme la grille scellée à la fenêtre de sa cellule le coupe du monde des vivants. Ces êtres-ectoplasmes qui errent parmi les arbres, à demi effacés, un peu à la façon des personnages de Giacometti, Van Gogh nous en indique surtout la *distance*, tout ce qui les éloigne, tout ce qui nous en sépare. Peinture d'un être souffrant. L'artiste lutte contre la maladie qui peu à peu gagne sur lui. « Je prends tous les jours le remède que l'incomparable Dickens prescrit contre le suicide, écrit-il en avril 89. Cela consiste en un verre de vin, un morceau de pain et du fromage, et une pipe de tabac. » Après avoir lu le seul article — enthousiaste — qu'un critique lui ait consacré de son vivant, il supplie son frère Théo : « Veuillez prier M. Aurier de ne plus écrire des articles sur ma peinture, dis-le lui avec insistance, que d'abord il se trompe sur mon compte, puis que réellement je me sens trop abîmé de chagrin pour pouvoir faire place à de la publicité. Faire des tableaux me distrait, mais si j'en entends parler, cela me fait plus de peine qu'il ne sait. »

Vincent Van Gogh (1853-1890). *Sous-bois*. 1890. Toile. H. 0,50 m, L. 1 m.

Van Gogh observe
le cheminement crevassé
des écorces.
Il veut pénétrer
la vitalité secrète
de la matière.

John Constable (1776-1837). *Étude d'arbre et de tronc.* 1821-22. Huile sur papier.
H. 0,25 m, L. 0,30 m.

EN GROSSISSANT LES ANECDOTES
les plus ordinaires de la nature avec
la minutie d'un botaniste et
l'exagération d'un objectif
photographique à grand angle,
Van Gogh leur donne un caractère
hallucinatoire. Ce double tronc
puissamment craquelé semble grouiller
d'une vie opaque, secrète et
menaçante. L'excès de réalisme
s'achève en surréalisme. Peinte
par l'artiste deux mois avant son
suicide, l'œuvre appelle la comparaison
avec une étonnante esquisse de
Constable exécutée soixante-dix ans
plus tôt dans la campagne anglaise.

L'angle de vue, le sectionnement
du tronc, la division de la touche,
tout est prophétique dans cette
étude qui n'a été connue qu'à
la fin du XIXe siècle, quand le
public, précisément formé par
l'impressionnisme, a été capable
d'en comprendre les beautés.
Mais quelle que soit l'identité
des cadrages, on sent bien ici
la différence entre une vision idyllique
de la nature et le sentiment tragique
de la vie qui animait Van Gogh.

Vincent Van Gogh (1853-1890). *Herbe fraîche dans un parc.* Mai 1890. Toile. H. 0,72 m, L. 0,90 m.

L'artiste s'en prend à l'espace unitaire qui prévalait depuis la Renaissance.
Ci-dessous : si les groupes de personnages semblent flotter dans le vaste et célèbre panneau de Gauguin, si on les imagine mal s'adressant la parole, c'est qu'ils s'inscrivent chacun dans un espace particulier qui ne communique pas avec les autres. Bien que posés côte à côte, ils sont séparés par des cloisonnements invisibles. Comme au Moyen Age, l'artiste n'hésite pas à juxtaposer au sein de son rectangle des scènes hétéroclites qui n'obéissent pas à la même logique spatiale.
D'où venons-nous ? Que sommes-nous ? Où allons-nous ? fut exécuté par Gauguin au plus profond d'une dépression qui devait déboucher sur une tentative de suicide. Dans un ultime effort, l'artiste tente une sorte de testament métaphysique où il pose à sa façon la question de la destinée humaine. La plupart des thèmes sont repris de tableaux antérieurs et l'influence de Puvis de Chavannes se perçoit dans la disposition de l'ensemble. « Non seulement cette toile dépasse en valeur toutes les précédentes, mais je n'en ferai jamais une meilleure ni une semblable, écrit Gauguin à Daniel de Monfreid. J'ai mis là, avant de mourir, toute mon énergie, une telle passion douloureuse dans des circonstances terribles, et une vision tellement nette sans correction que le hâtif disparaît, et que la vie en surgit [...] Durant tout le mois j'ai travaillé jour et nuit dans une fièvre inouïe [...] Malgré

les passages de ton, l'aspect du paysage est constamment d'un bout à l'autre bleu et vert Véronèse. Là-dessus toutes les figures nues se détachent en hardi orangé. »
Page de droite : alors que dans le grand panneau de Tahiti les séparations entre espaces hétéroclites demeurent implicites, dans *la Belle Angèle*, Gauguin procède à un découpage effectif des surfaces. Un cercle isole le portrait principal du reste de la toile. Commentant l'œuvre pour son frère Vincent, Théo Van Gogh la compare « aux grosses têtes dans les crépons japonais [...] L'expression de la tête et l'attitude sont très bien trouvées. La femme ressemble un peu à une jeune vache, mais il y a quelque chose de si frais et encore une fois de si campagne, que c'est bien agréable à voir. » La « jeune vache » en question, Mme Satre, femme du futur maire de Pont-Aven, devait refuser le tableau avec horreur.
Ci-contre à droite : c'est une version maniériste de l'espace double que propose le jeune Picasso quand il peint, à vingt ans, sur le modèle de *l'Enterrement du comte d'Orgaz*, cette évocation destinée à saluer le suicide par amour, pendant l'hiver 1901, de son camarade le peintre catalan Casagemas. Tandis que le corps repose sur le sol, le ciel révèle — douze ans avant les premiers Chagall — l'envol libre des amants réconciliés. Cette juxtaposition d'un espace fictif et d'un espace réel est aussi l'occasion de rapprocher deux peintres qui tous les deux inspirent Picasso : Greco et Cézanne.

Pablo Picasso (né en 1881). *L'Enterrement de Casagemas*. 1901. H. 1,50 m, L. 0,90 m.

Paul Gauguin (1848-1903). *D'où venons-nous ? Que sommes-nous ? Où allons-nous ?* 1897. Toile. H. 1,39 m, L. 3,74 m.

En accolant sur la même toile des espaces différents,
l'artiste retrouve les libertés narratives du Moyen Age.

Paul Gauguin. *La Belle Angèle*. 1889. Toile. H. 0,92 m, L. 0,73 m.

Edgar Degas. *Danseuses.* 1899. Pastel. H. 0,63 m, L. 0,60 m.

COMME UNE CAMÉRA EN TRAVELLING, Degas se rapproche de ses danseuses et les cadre de si près que le tableau semble trop petit pour les contenir. Le paradoxe de cette peinture, c'est son abstraction : si le gros plan accentue les valeurs tactiles et chromatiques de la toile, si nous éprouvons un plaisir sensuel à contempler les couleurs chaudes et profondes du pastel, les personnages n'en sont pas moins inexorablement fermés sur eux-mêmes. Nous restons extérieurs à ces ballerines fragiles et immatérielles, inaccessibles.

Les danseuses de Degas « ne sont point des femmes, écrivait Valéry, mais des êtres d'une substance incomparable, translucide et sensible, chairs de verre follement irritables, dômes de soie flottante ».

On voit bien dans le grand pastel du musée de Dresde (*ci-dessus*) combien le prestige de la couleur pure l'emporte chez l'artiste sur la description des personnes. Associées dans une même forme, les deux danseuses composent un seul insecte à deux pattes, d'un splendide pelage roux et gaufré. Pourtant Degas aimait passionnément le monde de la danse : « Il me semble que tout vieillit en moi proportionnellement, écrit-il le 7 janvier 1886. Et même ce cœur a de l'artificiel. Les danseuses l'ont cousu dans un sac de satin rose, du satin rose un peu fané, comme leurs chaussons de danse. »

Edgar Degas. *Danseuses en bleu*. Vers 1898. Pastel. H. 0,64 m, L. 0,65 m.

A la fois toutes proches et lointaines,
les danseuses de Degas
détachent le rythme grêle de leurs arabesques
sur l'acidulé d'une palette prestigieuse.

En dédoublant l'image,
le miroir confère
l'insolite d'un puzzle
à notre champ visuel.

Manet (1832-1883). *Le Bar aux Folies-Bergère.* 1881. Toile. H. 0,96 m, L. 1,30 m.

Pierre Bonnard (1867-1947). *Torse de femme vu dans un miroir.* 1916. Toile. H. 0,81 m, L. 1,11 m.

Pierre Bonnard. *La Glace du cabinet de toilette.* 1908. Toile. H. 1,20 m, L. 0,97 m.

L'ARTIFICE DU MIROIR permet de décontenancer nos habitudes visuelles et de disposer côte à côte, en des rapprochements inattendus et quelquefois brutaux, des morceaux de réalité hétérogènes.

Ainsi ce torse (*à gauche*) qui vient se superposer à un nu horizontal accroché au mur, ou bien cette géométrie insolite (*ci-dessus*) qui ramène sur un plan frontal les différentes profondeurs et confronte dans un même assemblage une fenêtre, un mur, un bout de tableau, un nu de dos, une commode, etc.

Seul, comme invisible, le peintre ne se reflète pas dans ses miroirs. Bien avant Bonnard, Manet avait

expérimenté dans *le Bar aux Folies-Bergère* (*page de gauche, en haut*) la complexité de l'espace démultiplié par la réflexion. Celle-ci lui permet en premier lieu de faire surgir dans toute sa netteté la silhouette de la barmaid sur le fond imprécis qui l'enveloppe. Dans cette confusion, on distingue les jambes d'un trapéziste (en haut, à gauche), la foule des clients, le visage rapproché d'un consommateur, enfin la barmaid vue de dos. On a maintes fois observé que l'axe du reflet n'est pas rationnel et que le dos de la jeune femme devrait être en partie caché par le premier plan. Mais Manet semble ici se moquer de la logique. Plus que la fidélité immédiate, il cherche

une tension, une « perspective curieuse ». Jeanniot, qui l'a vu peindre, raconte dans *la Grande Revue*, en août 1907 : « Le modèle, une jolie fille, posait derrière une table chargée de bouteilles et de victuailles [...] Manet, bien que peignant ses tableaux d'après le modèle, ne copiait pas du tout la nature ; je me rendis compte de ses magistrales simplifications. La tête de sa femme se modelait, mais son modelé n'était pas obtenu avec les moyens que la nature montrait. Tout était abrégé : les tons étaient plus clairs, les couleurs plus vives, les valeurs plus voisines. Cela formait un ensemble d'une harmonie tendre et blonde. »

Édouard Vuillard (1868-1940). *Vase de fleurs sur une cheminée.* 1900. Toile. H. 0,37 m, L. 0,28 m.

Édouard Vuillard. *Le Petit Livreur en blouse noire.* 1892. Huile sur carton. H. 0,39 m, L. 0,24 m.

L'œil de l'artiste se fixe sur les espaces intermédiaires. Au lieu de centrer son attention sur la table, la glace, le fauteuil, il décrit ce qui se passe dans les zones neutres, *entre* la table et la chaise, *entre* le fauteuil et la cheminée. Il met au net les moments creux de la vision, quand l'œil, errant d'un objet à l'autre, perçoit fugitivement le rythme inattendu de deux verticales, flotte un instant sur une surface composite où s'imbriquent par hasard les éléments d'un angle droit.

« Il faut que l'ensemble apparaisse comme un fragment du monde visible découpé au hasard », écrivait l'historien d'art Wölfflin pour qualifier les œuvres de ce type. Les tableaux de Bonnard et de Vuillard ne se construisent pas à partir du cadre. Ils développent une géométrie indépendante dont les rythmes se prolongent au-delà du tableau. Chaque croisement d'axes est le point de départ d'une suite de droites qui échappent aux limites conventionnelles du châssis. Le peintre ne prétend plus décrire un monde, mais tel gros plan d'une réalité dont il sait bien qu'elle le déborde de tous côtés.

Le tableau devient une marqueterie
de formes géométriques
— aux frontières de l'abstraction.

Pierre Bonnard (1867-1947). *Intérieur.* 1930. Toile. H. 0,55 m, L. 0,71 m.

CHAPITRE V

Le peintre

écrase la perspective
et ramène l'espace
vers la frontalité.

En un demi-siècle, la peinture subit une aventure singulière : elle s'identifie peu à peu à la frontalité de son support. Longtemps fondée sur un illusionnisme, un trompe l'œil — la représentation en deux dimensions d'un espace tridimensionnel — elle combat désormais cette convention. La perspective se raccourcit, les lointains se rapprochent, les vides accèdent à l'existence plastique et dialoguent avec les pleins. Avant d'être motif, sujet, histoire, le tableau se découvre surface. Cézanne est l'artisan principal de cette mutation, Mondrian son aboutissement.

« L'art de Cézanne, note Charles Sterling, a appelé l'attention sur cette vérité essentielle plus ou moins dissimulée depuis des siècles sous l'intention naturaliste : que chaque touche du pinceau, tout en contribuant à former des images des choses naturelles, appartient à la surface du tableau, qu'elle la meuble d'une certaine manière, qu'elle fait partie d'un certain ordre de couleurs et de lignes. »

C'est ce que démontre *a contrario* Pierre Francastel quand il décrit, de son côté, l'art classique comme « un espace où la silhouette des objets et des individus se profile sur un décor ». Cet espace s'apparentait à une scène de théâtre et les personnages à des accessoires répartis *en avant* de la toile peinte. Nous étions en présence d'une « nature-spectacle » où les objets s'échelonnaient et se répartissaient sans se confondre avec le fond.

Johannès Hackaert. L'Allée de frênes. XVIIe siècle.
Chez Hackaert, l'alignement des arbres laisse une large place à la troisième dimension. Deux siècles d'évolution et on débouchera sur la frontalité des peupliers de Monet (pages 254-255).

Lorsque Cézanne, dans ses lettres ou ses citations, évoque sa méthode, il s'inscrit le plus souvent dans cette conception issue de la Renaissance. Sa définition de la perspective pourrait être signée Piero della Francesca. Il « pense » en termes euclidiens. Toute son organisation intellectuelle s'inscrit dans cet « inconscient géométrique » dont parlait Bachelard, cette pente naturelle qui nous ramène toujours vers les modèles dictés par notre éducation — celle-ci reflétant à son tour les conceptions les plus générales de l'époque concernant la matière et l'espace.

A l'heure où, du vivant même de Cézanne, le système euclidien était englobé et dépassé par les nouvelles géométries, où toute la physique moderne s'élaborait hors d'un cadre vieux de deux mille ans, où les concepts de forme fermée, de solide, de matière inaltérable, étaient mis en cause dans les laboratoires, c'était encore le vieux schéma spatial hérité de l'antique qui régnait sur l'inconscient collectif, c'est lui que l'homme de la rue tentait de plaquer sur la diversité de la nature.

Ces deux visions — archaïque et moderne — on les voit coexister chez Cézanne. Petit bourgeois d'Aix, il veut « faire de l'impressionnisme quelque chose de solide et durable comme l'art des musées ». Mais tous les jours, sur le motif, l'expérience concrète vient contredire cet « art des musées ». La connaissance empirique du réel, nourrie des grands courants de pensées du moment : scientisme, positivisme, ne parvient plus à s'articuler sur les canons classiques. Or Cézanne est un prodigieux « regardeur ». Gasquet nous le décrit fixé maniaquement sur le motif, guettant de longues minutes avant de poser la touche. « Mes yeux sont tellement collés au point que je regarde, lui avoue-t-il, qu'il me semble qu'ils vont saigner [...] Il faut la nuit pour que je puisse détacher mes yeux de la terre, de ce coin de terre où je me suis fondu [...] Le cerveau, libre, de l'artiste doit être comme une plaque sensible, un appareil enregistreur simplement, au moment où il œuvre. Mais cette plaque sensible, des bains savants l'ont amenée au point de réceptivité où elle peut s'imprégner de l'image consciencieuse des choses. »

Robert Delaunay. La Ville de Paris. 1910-12.
A la mort de Cézanne, les cubistes reprennent et développent son langage. Chez Delaunay, les plans flottent dans l'espace et les objets se confondent inextricablement.

Tout se passe comme si Cézanne tentait littéralement de fusionner avec la nature, comme s'il voulait être partie dans le flux cosmique qui l'entoure. Cet homme qui réagit furieusement et maladivement dès que quelqu'un le touche par inadvertance, protestant qu'on veut « lui mettre le grappin dessus », semble chercher, par le canal des yeux, à communier passionnément avec les sources profondes, géologiques, de la matière, comme pour mieux en percer les secrets : « Je ne fais qu'un avec mon tableau. Nous sommes un chaos irisé. Je viens devant mon motif, je m'y perds. Je songe vague. Le soleil me pénètre sourdement, comme un ami lointain, qui réchauffe ma paresse, la féconde. Nous germinons [...] Le paysage se reflète, s'humanise, se pense en moi. Je l'objective, le projette, le fixe sur ma toile [...] Le hasard des rayons, la marche,

James Ensor. Nature morte dans l'atelier. 1889.

Jan Toorop. Le Retour sur soi-même. 1893.

Charles Filiger. Notation chromatique. 1903.

Gustav Klimt. Mort et vie. 1908.

Adversaire de toute référence prosaïque à la réalité quotidienne, l'art symboliste, issu en grande partie de Gauguin, rejette la troisième dimension et tend vers l'aplat. Le refus de la perspective accentue le caractère artificiel et onirique de l'ambiance proposée. On s'appuie s'il le faut sur des recettes pré-renaissantes empruntées au modèle byzantin.

l'infiltration, l'incarnation du soleil à travers le monde, qui peindra jamais cela, qui le racontera ? Ce serait l'histoire physique, la psychologie de la terre. »

Cette esthétique de la fusion cosmique — dont on retrouve l'écho dans la poésie contemporaine d'un Lautréamont ou d'un Rimbaud — vient directement s'opposer à l'ordre spatial qui domine la peinture occidentale depuis quatre siècles. Tout le drame de Cézanne réside dans cette tension, ce conflit entre un projet de construire, d'asseoir sa vision selon la leçon des maîtres, et les violentes pulsions dont il est le siège. Il s'efforce d'être un classique, un orthodoxe, il rêve de faire « du Poussin sur nature ». Or voici que, sous ses yeux, le paysage se décompose, le monde se défile. Après cent quinze séances de pose, il abandonne le portrait de Vollard : « Comprenez un peu, monsieur Vollard, le contour me fuit. » Sa volonté éperdue d'ordre et de raison se heurte aux exigences impitoyables de son regard « sauvage », à l'honnêteté de son âme candide et forte. Il ne peut peindre que ce qu'il a vu : un monde en plein dégel, un tournoiement de matière. Toute sa culture lui recommande de fermer la forme, de cerner l'objet, de le définir. Mais toute son expérience s'y oppose.

Pour que rien n'interfère dans son appréhension du monde, il met au point une méthode qui l'amène à reproduire ce qu'il voit avant même d'en percevoir le sens. L'observation précède le décryptage. Il peint une tache rouge, et non une maison : « Je prends à droite, à gauche, ici, là, partout, les tons, les couleurs, les nuances [du paysage], je les fixe, je les rapproche [...] Ils deviennent des objets, des rochers, des arbres, sans que j'y songe. Ils prennent un volume. Ils ont une valeur. Si ces volumes, si ces valeurs correspondent sur ma toile, dans sa sensibilité, aux plans, aux taches que j'ai, qui sont là sous nos yeux, eh bien ! ma toile joint les mains. Elle ne vacille pas. Elle ne passe ni trop haut, ni trop bas. Elle est vraie, elle est dense, elle est pleine. » Sa grandeur est dans cette soumission modeste aux impératifs de la vision, dans ce refus de toute tricherie. Il ne peint que ce qu'il « ramène vivant dans son filet » — quitte à être le premier surpris de ce qu'il y trouve. « On dirait, remarque Lionello Venturi, que Cézanne découvre ses formes abstraites au fur et à mesure et se sent stupéfait devant ses propres découvertes. » C'est ainsi qu'il ira jusqu'à incriminer les prétendues déficiences de ses yeux : « Le défaut dont il avait le plus à se plaindre, raconte Bernard, était celui de sa vue : « Je vois les plans se chevauchant, me disait-il, et parfois les lignes droites me paraissent tomber. » Ces défauts, que je croyais des négligences volontaires, il les accusait comme des faiblesses et des vices de son optique. »

Pris dans sa principale contradiction — la volonté et l'impossibilité de fixer, de construire dans l'immuable le réel qui l'entoure — Cézanne tente par tous les moyens d'étaler devant nos yeux ce monde brouillé, insaisissable. Jusqu'au cœur de la fusion cosmique qu'il vit sur le motif, il s'entête à vouloir clarifier l'obscur, le trouble, l'ambigu. La frontalité cézannienne est la conséquence de ce besoin. Elle est un essai obstiné de mise au net. Sur chaque objet, le peintre d'Aix donne le maximum d'informations, quitte à enfreindre pour la première fois une règle d'or de la peinture occidentale depuis la Renaissance : le point de vue monoculaire. Là où le système hérité d'Alberti postulait un observateur immobile, fixant le paysage à partir d'un emplacement unique, Cézanne commence à se déplacer légèrement autour du motif. Il rabat vers nous les contours fuyants des volumes, les courbes qui se dérobent aux regards, il ramène vers le plan les flancs latéraux de la montagne Sainte-Victoire. Il présente à la fois le profil et le dessus d'une cafetière, la façade et les côtés d'une maison. Il additionne dans la même toile les perspectives cavalière et frontale (pages 260-261). Par ce début d'encerclement de l'objet, Cézanne s'affirme comme « le primitif » des temps à venir, et le précurseur du cubisme. « Ici, au bord de la rivière, écrit-il à son fils, les motifs se multiplient, le même sujet vu sous un angle différent offre un sujet d'étude du plus puissant intérêt, et si varié que je crois que je pourrais m'occuper pendant des mois sans changer de place en m'inclinant tantôt plus à droite tantôt plus à gauche. »

Paul Cézanne. L'Orgie. 1864.
Dès sa première époque romantique et fiévreuse, Cézanne donne à ses fonds une grande importance dramatique. L'élément nuageux qui occupe le haut de sa toile fait basculer vers nous la composition.

Kung Hsien. Marécage. Chine. XVIIe siècle.
Kung Hsien construit par petites touches verticales échelonnées sur une profondeur raccourcie.

Camille Pissarro. Paysage. Vers 1852.
Les croquis du jeune Pissarro au Venezuela, vingt ans avant l'impressionnisme, annoncent la méthode cézannienne de construction par taches sans modelé (voir page 269).

Pour accentuer la frontalité, Cézanne peint ses lointains aussi nets, voire plus nets que ses plans rapprochés. Les phénomènes atmosphériques : le flou, le *sfumato* ne jouent plus leur rôle habituel, la distance ne brouille pas les choses — au contraire : une montagne éloignée dans l'espace sera plus dessinée qu'une roche au premier plan (page 268). Cézanne emploie la perspective inversée, chère aux Japonais : le côté de la table le plus proche du spectateur est souvent le plus étroit (page 259 en bas). Dans un grand nombre de toiles, l'artiste en arrive à donner même valeur sur son tableau aux pleins et aux vides, aux objets qu'il décrit et aux espaces qui les séparent. « Avec lui, note Pierre Francastel, apparaît l'unité de toutes les parties de l'image figurative. » Plus de fond neutre. C'est tout le tableau qui s'avance sur nous (pages 230-231). Règle qu'on pressent déjà dans ses premières œuvres de la période romantique, où se perçoit l'influence des grands décorateurs vénitiens : Véronèse, Tintoret, etc. (ci-contre). « Il ne faut pas, explique Cézanne, qu'il y ait une seule maille trop lâche, un trou par où les émotions, la lumière, la vérité s'échappent. Je mène, comprenez un peu, toute ma toile à la fois, d'ensemble. Je rapproche dans le même élan, la même foi, tout ce qui s'éparpille. »

Enfin l'artiste emploie fréquemment, pour souder ses plans échelonnés dans l'espace et contracter sa perspective, une touche étroite et verticale (pages 112-113) qui unifie toute la surface et lie entre elles les anecdotes figuratives. Cette construction par taches ou par aplats n'est pas nouvelle dans l'histoire de l'art. Elle caractérise la peinture chinoise (ci-contre). On la distingue dans certaines aquarelles de Dürer, dans des lavis de Poussin, des paysages français du XVIIIe siècle (pages 32-33). Elle s'impose en Grande-Bretagne, au XIXe siècle, chez Girtin et surtout Cotman. Elle surgit sans ostentation dans de nombreux paysages de Corot (page 43). Enfin, comme l'a montré Alfredo Boulton dans son *Pissarro au Venezuela*, elle règne sur les dessins du jeune Camille (ci-contre). On y lit une nette volonté de traiter la nature par un échelonnement rigoureux d'aplats. C'est cette expérience qui donnera à Pissarro, lors de ses débuts en France, l'autorité et la maîtrise où va plus tard puiser Cézanne. Celui-ci, en 1876, écrit à son aîné : « Le soleil est si effrayant qu'il me semble que les objets s'enlèvent en silhouettes non pas seulement en blanc ou noir mais en bleu, en rouge, en brun, en violet. Je puis me tromper mais il me semble que c'est l'antipode du modelé. » Le paradoxe de cette amitié entre les deux hommes, c'est que le peintre d'Aix ne va plus cesser d'avancer dans cette recherche de la frontalité pour déboucher, comme on va le voir, sur une nouvelle conception de la peinture, tandis que Pissarro retombera peu à peu dans le schéma perspectif de la Renaissance et s'adonnera, au fil des années, à un art de plus en plus conventionnel.

La frontalité cézannienne est à l'origine de l'art de Gauguin : « Je n'avais qu'une petite sensation, M. Gauguin me l'a volée !... » se plaignait l'ermite du Jas de Bouffan. Gauguin, de son côté, s'écriait en partant travailler sur le motif, à Pont-Aven : « Allons faire un Cézanne. » Possesseur d'une nature morte du maître — à l'époque encore inconnu — il affirmait y tenir « comme à la prunelle de mes yeux. A moins de nécessité absolue, je m'en déferai après ma dernière chemise... » (voir page 259 en haut à gauche). Ce que Cézanne déclenche chez Gauguin c'est la volonté d'en finir avec l'impressionnisme classique et le désir de « tout oser ». Libéré des contraintes perspectives, il peut tourner les yeux vers l'estampe japonaise, la fresque romane, la peinture égyptienne. Ses paysages sans ligne de fuite, composés de grands aplats juxtaposés, sombreraient dans la décoration, s'il ne dégageait simultanément une nouvelle pratique de la couleur qui va créer un rapport inédit entre le spectateur et le tableau (voir chapitre v).

A leur tour, nabis et symbolistes prendront comme point de départ le peintre du *Christ jaune*. Ils condamnent après lui « l'agaçante manie de modeler » (Maurice Denis). On distingue clairement (pages 246-247) comment la frontalité de Gauguin inspire les audaces d'un Sérusier et d'un Bonnard. Quant à Vuillard, il pousse à ses limites extrêmes l'art de l'aplat. Ses personnages s'enfoncent dans le mur ou le paysage

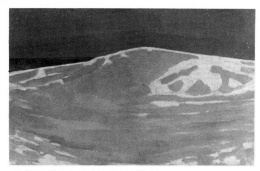

Piet Mondrian. Dune IV. 1909-10.
L'artiste simplifie ses contours pour donner plus de puissance à sa forme.

Henri Matisse. Intérieur rouge. 1947.
Pour accentuer la verticalité de sa composition, le père du fauvisme traite en continuité le sol et les murs de sa pièce.

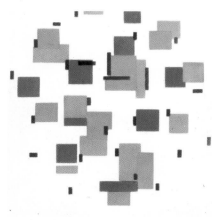

Piet Mondrian. Composition en bleu. 1917.
Les carrés de Mondrian se chevauchent et naviguent dans une profondeur imprécise. Pendant trente ans sa peinture oscillera entre un léger mouvement optique et l'affirmation d'une frontalité rigoureuse.

Hokusaï. Le Mont Fuji par beau temps. Vers 1830.
Le Fuji ne « tourne » pas. Il est plus le *signe* d'une montagne qu'un essai de reconstitution naturaliste.

comme dans du papier peint (page 265). Ils s'évanouissent dans l'épaisseur des pâtes (pages 262-263), ils font corps avec les tapisseries (page 265). La diffusion publique de la lampe à incandescence, à la fin du XIXe siècle, renforcera cette évolution, puisqu'elle tend à confondre, aplatir et foncer les teintes froides. C'est ce que peint Vuillard. Mais les artistes peuvent aussi combattre cette évanescence de la forme, faire claquer leurs couleurs, simplifier et dégager leurs contours. Pierre Baqué, dans sa thèse sur « le créateur, la création et le public » (1970), établit un parallèle significatif entre la généralisation de l'électricité en France (vers 1907), grâce à l'unification des services publics, et la montée de la couleur pure. Le fauvisme, la *Danse* de Matisse, les *Dunes* de Mondrian (ci-contre) sont bien de ce temps-là.

Le génie de Cézanne, ce n'est pas la frontalité. Il ne s'y établit que pour aller plus loin. L'enquête qu'il poursuit fiévreusement à travers ses soixante *Montagne Sainte-Victoire* aurait pu déboucher sur quelque *Mont Fuji* (en bas de page). Quoi de plus frontal qu'un Hokusaï? Mais l'on sent bien (pages 268-269) que Cézanne cherche tout autre chose. Un souvenir d'Émile Bernard nous éclaire sur ses véritables objectifs : « Les plans! c'était sa continuelle préoccupation. « Voilà ce que Gauguin n'a jamais compris », insinuait-il. Je devais aussi pour beaucoup prendre ma part de ce reproche car je sentais que Cézanne avait raison, il n'est pas de belle peinture si la surface plane reste plate, il faut que les objets tournent, s'éloignent, vivent. C'est là toute la magie de notre art. »
« Tournent, s'éloignent, vivent » : pour Cézanne le monde n'est pas *fixable*. Il refuse de bloquer dans l'immuable une forme, un paysage. Chaque touche postule plusieurs lectures. Elle signifie à la fois « très loin » et « très près ». L'espace est simultanément convexe et concave. Les plans s'emboîtent, se télescopent. L'artiste montre l'ambiguïté de toute profondeur, l'ambivalence de toute notation. Ses coups de pinceau flottent dans l'espace. Ils décrivent un monde aux assises mouvantes, aux hiérarchies indécises, un monde où la compacité et la passivité de la matière sont niées par le rayonnement. Cézanne inaugure l'esthétique de l'instabilité qui sera un des courants dominants du XXe siècle, dont on perçoit les progrès à travers les plans fluides de Mondrian (ci-contre), les surfaces modulées de l'art optique et les « continuels mobiles » du cinétisme.

L'artiste utilise magistralement les mécanismes automatiques de *constance visuelle* qui nous font rétablir, corriger les observations brutes de la vision. A dix mètres, un homme n'est pas plus grand qu'un ongle. Ce sont nos facultés de compensation qui nous indiquent sa véritable taille. Le cerveau restitue l'échelle que le nerf optique n'avait pas perçue. Par le flou, l'indécis, l'indéterminé, Cézanne oblige son « lecteur » à s'engager activement dans le processus de remise en place de son tableau. Un choix nous est laissé dans l'interprétation de telle tache rouge ou verte. Sa taille, sa situation dans l'espace décrit, c'est nous qui les établissons (page 269). Grâce à la riche ambivalence des solutions possibles, l'artiste crée un espace vivant, une « œuvre ouverte ».
Mais c'est par l'usage des blancs que s'impose le mieux l' « ouverture » cézannienne. Au soir de sa vie, le peintre se refuse à couvrir certaines surfaces. Il emploie cette méthode dans de nombreux dessins, mais aussi dans plusieurs tableaux (pages 236, 268 en bas). Le blanc avec ses multiples sens possibles, lui paraît plus *vrai* que telle ou telle application pigmentaire qui enfermerait en une seule solution la palpitation changeante de la vie. En 1905, un an avant sa mort, Cézanne constate : « Les sensations colorantes qui donnent la lumière sont causes d'abstractions qui ne me permettent pas de couvrir ma toile, ni de poursuivre la délimitation des objets quand les points de contact sont ténus, délicats. » Seul le blanc — qui est aussi lumière pure, transparence, saturation impalpable, incommensurable — peut rendre compte d'une réalité aux articulations si « délicates », si « ténues ». L'espace blanc du peintre rejoint ici la page immaculée devant laquelle rêvait Mallarmé. Il devient le lieu de tous les possibles.

Manet enferme dans des espaces bouchés la terrible banalité de la mort.

Édouard Manet (1832-1883). *L'Exécution de l'empereur Maximilien.* 1867. Toile. H. 1.95 m. L. 2.59 m.

Édouard Manet. *L'Exécution de l'empereur Maximilien.* 1867. Toile. H. 2,52 m, L. 3,05 m.

POUR NOUS CONCENTRER sur le drame qu'il dépeint, Manet bouche l'horizon de ses tableaux. Dans la majorité de ses œuvres, l'œil ne s'évade pas vers les lointains. Un sous-bois, un mur, un écran de fumée, une perspective plongeante cloisonnent la scène et en accentuent la frontalité. « Il est le premier parmi les modernes, remarque Charles Sterling, à aplanir la peinture, à lui faire avouer sa qualité primordiale de surface couverte de couleurs, à suggérer une certaine autonomie de la ligne et de la tache colorée. » Dans les *Exécution de Maximilien* présentées ci-dessus, l'artiste s'inspire du célèbre *Tres de Mayo* peint par Goya en 1814. Manet avait visité le Prado en 1865 et c'est deux ans plus tard, à l'annonce de la mort courageuse du protégé de Napoléon III au Mexique, qu'il tente à son tour une large esquisse (*en haut*) bientôt suivie de trois versions beaucoup plus précises pour lesquelles il dispose

d'une escouade de militaires. Là où Goya nous livre une vision d'épouvante, « Manet, note Georges Bataille, peint la mort du condamné avec la même indifférence que s'il avait pour objet de son travail une fleur, ou un poisson [...] Ce tableau est la négation de l'éloquence. » Les spectateurs suspendus au mur sont directement inspirés des corridas du maître espagnol. Même volonté de frontalité dans l'*Explosion* du musée d'Essen (*à droite*), datée de 1871, dont l'attribution a été contestée par certains auteurs. Le thème est emprunté aux dramatiques événements de la capitale parisienne, successivement en lutte, cette année-là, avec les Prussiens et les versaillais. Ces silhouettes gesticulantes et disloquées, sur un fond blanc, composent un tableau étonnamment moderne de la violence. Elles annoncent les contours torturés d'un Van Gogh et d'un Soutine.

Édouard Manet. *L'Explosion.* 1871. Toile. H. 0,38 m, L. 0,46 m.

Édouard Manet (1832-1883). *Courses à Longchamp*. Étude. 1872. Toile. H. 0,12 m, L. 0,21 m.

L'œil du peintre désarticule le galop des .chevaux.
Un tumulte d'ombres noires déferle sur l'hippodrome.

PÉTRIFIÉS DANS UN PIÉTINEMENT IMMOBILE, déformés par la tension du rush final, les chevaux de Manet semblent saisis par la brutalité d'un téléobjectif. Dans le tableau de Chicago et plus encore dans l'esquisse du musée de Washington (*à gauche*), l'artiste veut restituer l'instantanéité d'un simple coup d'œil. Il nous montre ce qu'enregistre véritablement la rétine quand elle appréhende au quart de seconde une scène d'action. Formes et fond se confondent dans un « tachisme » généralisé. Ces masses noires écrasées contre la perspective confuse des coteaux de Saint-Cloud sont mouvement avant d'être contours. A contempler cette cavalcade forcenée, indistincte, on mesure l'évolution de la peinture française depuis les chevaux lustrés, détaillés, impeccables peints par Géricault.

Le traitement allusif des foules entassées sur la pelouse (ci-dessous, à gauche) s'apparente, sur un mode souriant, aux processions hallucinées exécutées par Goya pour sa *Maison du sourd*.

Édouard Manet. *Courses à Longchamp.* 1872. Toile. H. 0,44 m, L. 0,84 m.

229

230   Paul Cézanne (1839-1906). *L'Éternel féminin*. 1875-77. Toile. H. 0,45 m, L. 0,53 m.

Cézanne jette aux pieds de l'éternel féminin une pyramide de corps en désordre.

POUR CONTRÔLER une imagination fougueuse et une sensualité bouillonnante dont témoignent ses lettres de jeunesse et ses premiers tableaux, Cézanne se plie à une double discipline. Il inscrit son allégorie de la femme dans le carcan d'une construction en triangle que renforce, au sommet, la régularité du baldaquin. Composition presque aussi rigoureuse et symétrique, à sa façon, qu'un « Couronnement » de Fra Angelico. Puis Cézanne échelonne ses personnages selon une disposition verticale, de part et d'autre de la figure féminine. Il réduit au minimum la perspective et ferme le tout par un mur. Les protagonistes sont grossièrement esquissés. « Les figures de Cézanne, note Pierre Francastel, cessent d'être traitées comme des repaires humains au centre d'une nature-cadre pour devenir les éléments d'un espace homogène. »

L'Éternel féminin représente, au pied d'un nu triomphant, un groupe d'adorateurs qui symbolisent divers arts et corps de métiers — dont un évêque et un peintre. La rudesse du traitement, la violence des coups de pinceau ne pouvaient que paraître intolérables aux contemporains et la production de Cézanne fut tout particulièrement tournée en dérision lors des expositions impressionnistes de 1874 et 1877. D'où le ressentiment et le découragement du peintre qui en

vint à se réfugier de plus en plus dans son Midi natal. « Travailler sans le souci de personne, et devenir fort, tel est le but de l'artiste, écrira-t-il quelques années plus tard. Le reste ne vaut pas le mot de Cambronne. » A l'époque de l'Éternel féminin, Cézanne est encore sous l'influence de « l'humble et colossal Pissarro », son aîné de neuf ans et le principal soutien de ses débuts. C'est Pissarro, au cours d'une cohabitation prolongée à Pontoise, qui lui a fait abandonner sa palette sombre et la texture « couillarde », toute en pâte des premières œuvres. « Notre Cézanne nous donne des espérances, écrit-il en 1872, et j'ai vu et j'ai chez moi une peinture d'une vigueur, d'une force remarquables. Si, comme je l'espère, il reste quelque temps à Auvers où il va demeurer, il étonnera bien des artistes qui se sont hâtés trop tôt de le condamner. »

Cézanne ira jusqu'à copier un Paysage de Louveciennes pour se pénétrer de la méthode constructive de Pissarro, fondée sur l'échelonnement des aplats, le refus du modelé, la construction simultanée de tous les points de la toile et la contraction de la perspective. Pissarro fait sortir de lui-même ce tempérament romantique et le force à « étudier la réalité extérieure au lieu de se contenter d'aimer et de haïr le modèle » (Lionello Venturi).

Un écran de frondaisons papillotantes
envahit le champ visuel.

Claude Monet (1840-1926). *Les Bords de la Seine (le printemps à travers les branches)*. 1878. Toile. H. 0,52 m, L. 0,63 m.

LE PAYSAGE S'ESTOMPE, l'anecdote se désagrège dans les lointains, cachée par les branches et les feuillages qui occupent le premier plan. L'intérêt se porte sur le jeu abstrait des lignes noires qui parcourent la surface, prolongées par un frémissement de particules colorées. Quelque quatre-vingts ans à l'avance, cette peinture annonce l'abstraction gestuelle de Kline ou de Pollock.

Pissarro révèle le meilleur de lui-même dans ces sous-bois modestes et sensibles. « On y entend les voix profondes de la terre, disait Zola dès 1868, on y devine la vie puissante des arbres [...] Il suffit de jeter un coup d'œil sur de pareilles œuvres pour comprendre qu'il y a un homme en elles, une personnalité droite et vigoureuse, incapable de mensonge, faisant de l'art une vérité pure et éternelle. »

Pourtant Pissarro reste incompris. Il meurt littéralement de faim et sa femme fait la récolte des pommes de terre pour nourrir la famille. « Ce que j'ai souffert est inouï, écrit-il à l'époque où il peint les tableaux ci-dessous, ce que je souffre actuellement est terrible, encore bien plus qu'étant jeune, plein d'enthousiasme et d'ardeur, convaincu que je suis d'être perdu comme avenir. Cependant il me semble que je n'hésiterais pas, s'il fallait recommencer, à suivre la même voie. »

Le sort de Sisley n'est guère plus brillant. A la vente Hoschedé, en 1878, un seul de ses treize tableaux atteindra deux cent cinquante et un francs. Au seuil de la mort, on verra le plus discret des impressionnistes se demander anxieusement si les honoraires de son médecin ne vont pas dépasser deux cents francs.

Alfred Sisley (1839-1899). *Sentier sur les roches*. 1881. Toile. H. 0,54 m, L. 0,73 m.

Camille Pissarro. *Bords de l'Oise, près de Pontoise, temps gris*. 1878. Toile. H. 0,55 m, L. 0,65 m.

Camille Pissarro (1830-1903). *La Côte des Bœufs à Pontoise*. 1877. Toile. H. 1,14 m, L. 0,87 m.

Du convexe à l'aplat, le visage géométrisé de l'artiste s'enfonce peu à peu dans le décor.

S'INTÉGRANT PROGRESSIVEMENT dans le fond du tableau, le visage de Cézanne perd sa compacité. La rondeur convexe de la boîte crânienne se change en aplat. Le décor, géométrisé, gagne en présence plastique. L'espace se raccourcit entre le modèle et le mur. On assiste, écrit Pierre Francastel, à « la mise sur le même pied du fond et des personnages. Ils sont placés sur le même plan d'intérêt, à la même distance psychique du spectateur. » Simultanément la matière s'affine. On passe d'un visage tout en pâte, puissamment truellé, à une texture fluide, voire transparente (page de droite : les manches, la fenêtre). Le compte rendu psychologique s'estompe au profit d'une conception volontairement inexpressive et stéréométrique de la figure humaine.

Cézanne s'est peint plus de trente fois. De caractère entier, totalement voué à sa tâche, il ne manquait cependant pas d'humour. Monet racontait qu'au café Guerbois il donnait une poignée de main à la ronde, sauf à l'élégant Manet : « Je ne vous serre pas la *maing*, M. Manet, je ne me suis pas lavé depuis huit jours. » Incompris, balançant constamment entre la modestie et l'orgueil, encore considéré en 1887 comme « un artiste aux rétines malades » (Huysmans), Cézanne verra son influence sur la nouvelle génération écraser petit à petit celle de tous les autres artistes. Cinq jours avant sa mort, il écrit à son fils, dans son style rugueux et truculent : « Tous mes compatriotes sont des c... à côté de moi [...] Je crois les jeunes peintres beaucoup plus intelligents que les autres, les vieux ne peuvent voir en moi qu'un rival désastreux. »

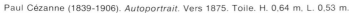

Paul Cézanne (1839-1906). *Autoportrait.* Vers 1875. Toile. H. 0,64 m, L. 0,53 m.

Paul Cézanne. *Autoportrait.* Entre 1879 et 1882. Toile. H. 0.34 m, L. 0.27 m.

Paul Cézanne. *Autoportrait au chapeau.* Entre 1879 et 1882. Toile. H. 0,65 m, L. 0,51 m.

Paul Cézanne (1839-1906). *Le Vieux Jardinier.* 1902-1906. Toile. H. 0,65 m, L. 0,54 m.

Paul Cézanne. *Portrait de Victor Chocquet.* Entre 1879 et 1882. Toile. H. 0,46 m, L. 0,38 m.

Les personnages de Cézanne adossent leur immobilité au fond qui les soutient.

APPUYÉ AU DÉCOR, LE MODÈLE en conserve une rigidité quasi minérale. Dans le portrait de Chocquet (*à droite*), un jeu d'horizontales encadre la silhouette hiératique du collectionneur. Composition en damier : quelques diagonales, réduites au minimum (la jambe, les mains, le support d'accotoir du fauteuil), suffisent à éviter la monotonie. A quoi s'ajoute une habile ponctuation colorée, depuis le tapis du premier plan jusqu'au semis de taches en forme de poire qui occupent le panneau du fond. Plusieurs axes figurant des profondeurs différentes convergent vers un seul point : le poignet gauche du personnage. Cézanne, exclusivement fidèle à la sensation, fût-ce aux dépens de la vraisemblance, ne peint pas à la même hauteur les deux fragments d'horizontales noires, à droite et à gauche du fauteuil, qui marquent l'extrémité du parquet. « Je vois, dira-t-il, les plans se chevauchant et parfois les lignes me paraissent tomber. »
Victor Chocquet, simple employé du ministère des Finances, fut un des grands collectionneurs du XIXe siècle. Il commence par consacrer ses économies à l'achat de plusieurs Delacroix. En 1875, il demande à Renoir, encore totalement incompris, de faire le portrait de sa femme. Puis il acquiert deux Cézanne chez le père Tanguy, s'exclamant : « Comme cela fera bien entre un Delacroix et un Courbet ! » Devenus amis, les deux hommes communient dans une même admiration pour le maître du *Sardanapale*. « Delacroix servit d'intermédiaire entre vous et moi », disait Cézanne. Et c'est les larmes aux yeux qu'ils scrutent ensemble, dans l'appartement de la rue de Rivoli, les aquarelles de Delacroix possédées par Chocquet. Celui-ci aura jusqu'à trente-deux Cézanne. Théodore Duret le décrit, à l'exposition impressionniste de 1876, « prenant les uns après les autres les visiteurs qu'il connaissait et s'insinuant auprès de beaucoup d'autres pour chercher à les pénétrer de sa conviction et leur faire partager son admiration et son plaisir. C'était un rôle ingrat... »
Quant au vieux jardinier (*à gauche*) il sera le modèle des ultimes chefs-d'œuvre (voir page 92, *Portrait de Vallier*). « En peignant Vallier en 1906, la dernière année de sa vie, soit à l'huile soit à l'aquarelle, on dirait que Cézanne se peint lui-même et s'entretient avec lui-même », écrit Lionello Venturi. Le 20 octobre 1906, Marie Cézanne, la sœur du peintre, écrit au fils de celui-ci : « Ton père est malade depuis lundi [...] Il est resté exposé à la pluie pendant plusieurs heures, on l'a ramené sur une charrette de blanchisseur ; et deux hommes ont dû le monter dans son lit. Le lendemain, dès le grand matin, il est allé au jardin travailler à un portrait de Vallier, sous le tilleul, il est revenu mourant. » Cézanne succombera deux jours plus tard.

Paul Gauguin (1848-1903). *Femmes dans un jardin.*
1888. Toile. H. 0,73 m, L. 0,91 m.

Par des regards plongeants inspirés d'Hokusaï, l'artiste transforme en *Ukiyo-e* la promenade des Arlésiennes.

« TU SAIS, JE ME SENS AU JAPON »,
écrit Van Gogh à son frère Théo
quelques jours après son installation
dans la ville d'Arles le 21 février 1888.
Et un peu plus tard : « L'art japonais
en décadence dans sa patrie reprend
racine dans les artistes français
impressionnistes. » Le peintre, qui
avait passé des journées entières
galerie Bing, à Paris en 1886, pour
étudier les milliers d'estampes
importées d'Orient, subit encore bien
davantage cette influence quand
Gauguin le rejoint dans le Midi.
A Pont-Aven, ce dernier vient
d'expérimenter aux côtés de Bernard
la formule du cloisonnisme, où
l'influence orientale est sensible. Il
apporte avec lui les *Bretonnes dans
la prairie* de son jeune camarade

(voir page 160) qui constituent l'acte
de baptême de la nouvelle école.
Van Gogh entreprend de copier à
l'aquarelle le tableau de Bernard pour
bien se pénétrer de leur doctrine.
Puis, il transcrit de mémoire une
œuvre de Gauguin faite en Provence
à ses côtés (*ci-dessus*). Ce sera la
Promenade à Arles (*en bas, à droite*).
En confrontant les deux tableaux,
on voit clairement ce que Van Gogh
emprunte à ses amis : la perspective
cavalière, l'absence d'horizon, les
personnages du premier plan coupés
brutalement à mi-corps. Mais on voit
aussi tout ce qui les sépare : là où
Gauguin nous donne une scène
décorative, sereine, assez froide,
meublée d'étranges arbres coniques,
Van Gogh engage comme d'habitude

Vincent Van Gogh (1853-1890). *Les Alyscamps*. 1888. Toile. H. 0,73 m, L. 0,92 m.

toute sa fièvre et nous livre une
œuvre pleine de buissons tordus, de
couleurs violentes, épaisses, jetées par
petites touches rectangulaires.
L'influence japonaise est encore plus
sensible dans *les Alyscamps* (*en haut, à
droite*), peints en novembre 1888. On y
retrouve l'angle de vue vertical de
certaines estampes d'Hiroshighe. On
notera également le personnage à
l'ombrelle (à droite). Van Gogh
consacra deux tableaux à la célèbre
allée : « C'est des troncs de peupliers
lilas, coupés par le cadre là où
commencent les feuilles, écrit-il à
Théo. La deuxième toile est la même
allée mais avec un vieux bonhomme et
une femme grosse et ronde comme
une boule. »

Vincent Van Gogh. *Promenade à Arles*. Novembre 1888. Toile. H. 0,73 m, L. 0,92 m.

Cézanne exige du modèle qu'il se tienne
« figé comme une pomme ».
Il traite en nature morte la physionomie de ses familiers.

Paul Cézanne (1839-1906). *Portrait de Paul Cézanne, fils de l'artiste.* 1885. Toile. H. 0,65 m, L. 0,54 m.

L'IMMOBILITÉ LA PLUS ABSOLUE, c'est l'effort que demande Cézanne à ses modèles. Il conçoit le portrait comme une catégorie particulière de nature morte. Peu importe la psychologie des personnages, leurs pensées ne l'intéressent pas, mais leur forme. Ils doivent se tenir « comme une pomme » et il s'emporte si la fatigue les pousse à quelque mouvement involontaire. Il ne tolère ni bruit ni distractions, furieux des aboiements d'un chien du voisinage ou des cris d'un passant. « Quand je travaille, j'ai besoin qu'on me foute la paix. » Anxieux, insatisfait, il exige des séances de deux à trois heures : quatre-vingts pour le critique Geffroy, cent quinze pour le marchand Vollard, auquel il déclare pour finir, en abandonnant son tableau inachevé : « Je ne suis pas mécontent du devant de la chemise. » Il ajoute : « Comprenez un peu, M. Vollard, j'ai une petite sensation, mais je n'arrive pas à m'exprimer. Je suis comme qui posséderait une pièce d'or sans pouvoir s'en servir. » Souvent, de colère, il crève la toile en cours, voire la jette par la fenêtre.
Cette attitude devant le modèle explique la fixité tendue de ses figures — qui rappellent parfois l'hiératisme d'un Zurbaran. Pour la femme de Cézanne (*à droite*) — qu'il peindra vingt-six fois — comme pour son fils (*à gauche*), les séances de pose étaient d'autant plus pénibles qu'on ne croyait nullement au talent de l'artiste dans sa famille. Hortense Fiquet, rencontrée en 1870, allait attendre seize ans avant que le peintre, qui craignait son père, ne régularise leur situation. Elle vécut généralement séparée d'un mari dont les motivations lui échappaient. Quant au fils, né en 1872, présenté par Cézanne comme « un homme de génie », il devait surtout s'illustrer dans la diffusion des tableaux de son père.
Dans ces deux œuvres, des formes anguleuses — qui figurent des cadres en partie cachés — interviennent pour contrecarrer la souplesse des lignes. On notera l'étonnant rendu vertical de la jupe d'Hortense et la texture du fond, derrière le fils Cézanne, qui annonce le coup de pinceau hachuré des cubistes.

Paul Cézanne. *Mme Cézanne dans un fauteuil rouge.* Vers 1877. Toile. H. 0,72 m, L. 0,56 m.

FASCINÉ PAR L'ÉCLAT DE L'UNIFORME, Van Gogh devient l'ami du zouave Milliet, en permission à Arles au terme d'une campagne au Tonkin. L'artiste lui donne des leçons de dessin. Il en profite pour le faire poser. « Le buste que j'ai peint de lui était horriblement dur, en uniforme du bleu des casseroles émaillées bleues, à passementerie d'un rouge orangé fané, avec deux étoiles citron sur la poitrine, un bleu commun et bien dur à faire. La tête féline très bronzée coiffée d'un bonnet garance, je l'ai plaquée contre une porte peinte en vert et les briques orangées d'un mur. C'est donc une combinaison brutale de tons disparates, pas commode à mener. L'étude que j'en ai fabriquée me paraît très dure, et pourtant je voudrais toujours travailler à des portraits vulgaires et même criards comme cela. »

Dans le second portrait de Milliet, où le militaire est assis contre un mur blanc (*ci-dessous*) Van Gogh tente une disposition spatiale qu'il reprendra pour sa célèbre *Chaise* (*à droite*). Il relève fortement le sol, comme pour le mettre dans le prolongement du mur. Aucune logique traditionnelle dans ces deux perspectives contradictoires. L'artiste veut simplement nous rapprocher du motif, le projeter vers nous, rendre justice à un élément d'ambiance — le quadrillage de tomettes marron clair — qui, dans la pièce réelle, devait sans doute contraster fortement avec les parois à la chaux.

Par la juxtaposition de couleurs grinçantes comme par l'artifice du sol redressé, Van Gogh déclenche chez le spectateur un sentiment de proximité immédiate. Ses tableaux nous interpellent; les objets ou les êtres décrits s'imposent à nous avec la même force obsessionnelle que celle qu'il a dépensée pour les créer. Le modèle, Milliet, ne devait pas garder un très bon souvenir de Van Gogh. Retrouvé beaucoup plus tard, il déclara aux journalistes : « C'était un curieux bonhomme. La tête un peu brûlée, comme un blédard [...] Parfois il dressait sa toile et commençait à peinturlurer. Alors ça n'allait plus. Ce garçon qui avait du goût et du talent pour le dessin devenait anormal dès qu'il touchait un pinceau [...] Il n'avait pas un caractère facile et quand il était en colère, il paraissait fou... Il peignait trop large. Il ne prêtait aucune attention aux détails, il ne dessinait pas, quoi... Il remplaçait le dessin par les couleurs » (cité par John Rewald).

Couleurs « vulgaires » et fausses perspectives donnent aux figures peintes de Van Gogh l'évidence brusque d'une carte à jouer.

Vincent Van Gogh. *Le Zouave*. 1888. Toile. H. 0,81 m, L. 0,61 m.

Vincent Van Gogh (1853-1890)
Un zouave. 1888. Toile.
H. 0,65 m, L. 0,54 m.

Vincent Van Gogh. *La Chaise et la pipe*. Décembre 1888-janvier 1889. Toile. H. 0,92 m, L. 0,73 m.

Le peintre nous emporte
dans le réseau
de ses arabesques.
La dynamique des courbes
remplace
l'ancienne composition.

Paul Gauguin (1848-1903). *Nature morte aux trois chiots.* 1888. Huile sur bois. H. 0,92 m, L. 0,63 m.

DE NOUVELLES MÉTHODES de construction surgissent qui eussent paru des aberrations à la génération de Courbet. Caillebotte, longtemps considéré comme un participant mineur au groupe impressionniste, était surtout apprécié pour son soutien généreux et discret aux chefs de file les plus démunis du mouvement. Mais cet artiste mécène compte aussi à son actif quelques toiles qui égalent en audace les figures les plus inventives de Degas. *Le Balcon*, présenté ici en son entier (*page de gauche*), traduit une spontanéité de la vision que seul le XXᵉ siècle — le siècle de la photographie — pourra pleinement

apprécier. Au lieu de plonger directement son regard sur le grand terre-plein de l'Opéra qu'il domine de sa fenêtre (voir page 77), l'artiste prend comme thème pictural les éléments décoratifs en fonte, au premier plan, qui en obstruent la vue. Il fait d'un plan vertical de trois ou quatre centimètres d'épaisseur le motif de son œuvre. Aucune considération d'ordre plastique — équilibre, composition — ne vient mettre en cause le constat brut du regard. Un effet de clair-obscur — la rampe sombre, l'extérieur illuminé — souligne le mouvement gracieux des volutes métalliques dont on sent

bien qu'elles se prolongent de part et d'autre de cet insolite gros plan. C'est aussi par une dynamique des courbes que Gauguin promène notre œil d'un bout à l'autre de sa toile (*ci-dessus*). Construction en virgules, où la queue des chiots renvoie à celle des poires et la rondeur des coupes à celle du récipient en terre cuite. Un rythme ternaire — trois coupes, trois poires, trois chiots — anime la surface, où apparaissent çà et là, inscrites dans la nappe, de curieuses silhouettes de feuilles ou de plantes qui évoquent les frottages d'un Max Ernst, les textures d'un Klee ou d'un Jasper Johns.

Cette œuvre tout en hauteur est la conséquence d'un croisement d'influences : la nature morte aux fruits est inspirée de Cézanne, tandis que l'argument animalier semble provenir d'une estampe japonaise de Kuniyoshi. « On pense déjà à Matisse ou au Bonnard de *la Revue blanche*, écrit Françoise Cachin [...] La volonté de faire naïf et le trait qui cerne les petits chiens appartiennent certainement à la « peinture d'enfant » dont Émile Bernard et Gauguin annonçaient l'entreprise à Vincent. »

Gustave Caillebotte (1848-1894). *Le Balcon.* 1880. Toile. H. 0,65 m, L. 0,54 m.

Paul Sérusier (1864-1927). *Paysage du bois d'Amour (le Talisman)*. 1888. Huile sur bois. H. 0,27 m, L. 0,22 m.

La nature se change en taches.
A travers trois visions, la même frontalité.

GAUGUIN ENTRAÎNE SES DISCIPLES sur le chemin de l'abstraction. Le sujet n'est plus qu'un prétexte. L'artiste cherche à déclencher « les affinités mystérieuses qui sont entre nos cerveaux et tels arrangements de couleurs et de lignes ». Imbriquées comme dans un puzzle, les formes souples, féminines d'*Au-dessus du gouffre* (*ci-dessous*) dialoguent avec la tache déchiquetée qui occupe le centre de la toile. L'écrasement de la perspective — la vache et le bateau sont pratiquement sur le même plan — a pour fonction d'enlever tout caractère naturaliste à l'espace décrit. Nous ne sommes pas devant un paysage mais devant une pure combinaison de couleurs.

C'est Sérusier qui, sous la férule de Gauguin, mènera la formule à terme. Son *Paysage du bois d'Amour* (*page de gauche*) a joué un rôle essentiel dans l'évolution du groupe des nabis. Massier de l'académie Julian, Sérusier est encore un jeune peintre traditionnel quand il visite Pont-Aven durant l'été 1888. Il y compose, sous l'œil sévère de Gauguin, l'étonnante pochade présentée ci-contre. « Comment voyez-vous cet arbre ? lui demande son aîné. Il est bien vert ? Mettez donc du vert, le plus beau vert de votre palette. Et cette ombre, plutôt bleue ? Ne craignez pas de la peindre aussi bleue que possible. »

Simplifications, refus du modelé : Sérusier ne fera jamais mieux et le maître lui-même ne s'aventurera pas aussi loin dans la non-figuration. Otez quelques troncs d'arbres, le toit de la maison : on se trouve en présence d'un tableau d'aujourd'hui, qui pourrait être, à peu de chose près, signé Lacasse, Poliakoff ou de Staël.

A Paris, en octobre 1888, *le Bois d'Amour* fait sensation : « C'est à la rentrée que le nom de Gauguin nous fut révélé par Sérusier au retour de Pont-Aven, raconte Maurice Denis. Il nous exhiba, non sans mystère, un couvercle de boîte à cigares sur quoi on distinguait un paysage informe à force d'être synthétiquement formulé, en violet, vermillon, vert Véronèse et autres couleurs pures, telles qu'elles sortent du tube, presque sans mélange de blanc. »

Le Bois d'Amour va transformer radicalement les conceptions du petit groupe de débutants : Vuillard, Vallotton, Denis, Bonnard qui gravitent autour de l'aîné des nabis, Sérusier. « Nous connûmes, écrit encore Denis, que toute œuvre d'art était une transposition, une caricature, l'équivalent passionné d'une sensation reçue. » Un demi-siècle plus tard, sous l'alchimie de la couleur, on perçoit encore chez Bonnard (*à droite*) la leçon de ce premier choc.

Pierre Bonnard (1867-1947). *Le Jardin.* Vers 1937. Toile. H. 1,27 m, L. 1 m.

Paul Gauguin (1848-1903). *Au-dessus du gouffre.* 1888. Toile. H. 0,72 m, L. 0,61 m.

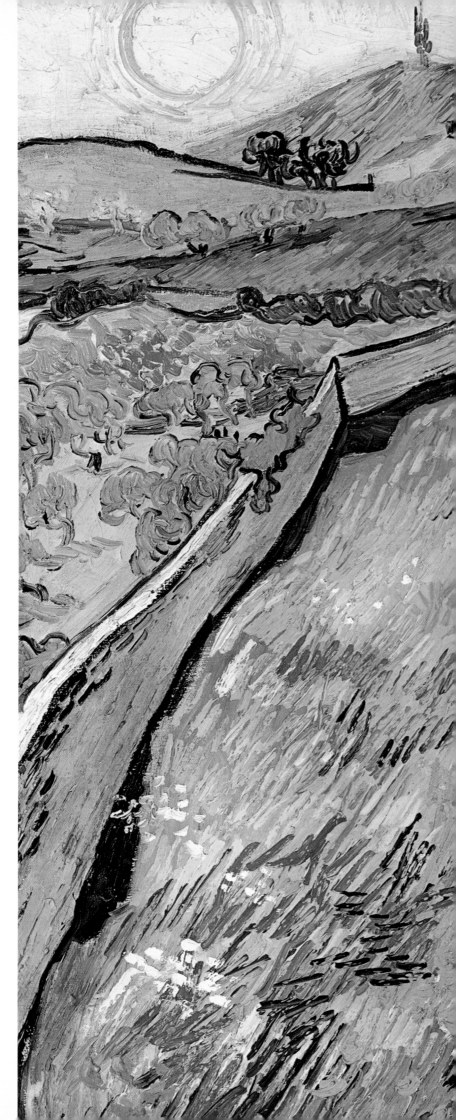

Vincent repousse aux frontières de la toile les anecdotes figuratives. Il libère un espace tumultueux où se projette sa solitude.

COMME UN POUMON QUI SE DILATE, *le Pré clôturé* de Van Gogh semble traduire la soif éperdue de liberté qui possède l'artiste aux derniers jours de son internement à Saint-Rémy. A travers les barreaux de sa fenêtre, au premier étage de l'asile, Vincent a peint plusieurs fois, en 1889, l'espace fermé qui s'étend devant lui, bordé à l'horizon par les contreforts des Alpilles. Mais jamais il n'a mieux montré que dans la version de 1890 (*ci-contre*) la présence obsédante de ce mur-digue qui canalise à grand-peine l'agitation d'un champ tumultueux comme la mer. Interné volontaire en mars 1889, terrassé à plusieurs reprises par des crises atroces, Van Gogh restait parfois des semaines prostré dans sa cellule. « Depuis ma maladie, le sentiment de solitude s'empare de moi dans les champs d'une façon si redoutable que j'hésite à sortir », écrit-il à sa sœur Wil. Les œuvres qu'il peint dans les périodes de répit impressionnent par leur violence son frère Théo qui lui recommande de se modérer : « Comme ta tête doit avoir travaillé et comme tu t'es risqué jusqu'à l'extrême point où le vertige est inévitable [...] il ne faut pas te risquer dans ces régions mystérieuses qu'il paraît que l'on peut effleurer mais non pénétrer impunément » (juin 1889). Mais Van Gogh, au sortir d'une nouvelle crise en mars-avril 1890,

éprouve de plus en plus le besoin de fuir l'atmosphère débilitante de l'asile. Il veut remonter vers le nord : « Il me faut de l'air, je me sens abîmé d'ennui et de chagrin. » C'est à ce moment qu'il peint *le Pré clôturé.* Cette audacieuse frontalité d'un espace tout en hachures qui repousse sur les bords les anecdotes figuratives, le grouillement confus et organique de la nature, Van Gogh le rend possible par l'extrême autorité de sa construction. Le tracé en balafre qui traverse le tableau semble le produit d'un geste où tout le corps a été engagé. Influence, ici encore, de l'Orient et d'une pratique régulière du dessin au roseau. « Le Japonais dessine très vite, comme un éclair, c'est que ses nerfs sont plus fins, son sentiment plus simple ». écrivait-il en juin 1888. Quelques jours après avoir terminé cette œuvre, Vincent quitte Saint-Rémy pour Auvers, où il arrive le 21 mai 1890. Il se remet tout de suite au travail. « J'ai peint d'immenses étendues de blé sous de ciels troublés, écrit-il à son frère, et je ne me suis pas gêné pour chercher à exprimer de la tristesse, de la solitude extrême. »

Vincent Van Gogh (1853-1890). *Le Pré clôturé.* Mai 1890. Toile. H. 0,72 m, L. 0,92 m.

ANGULEUX ET CONTORSIONNÉS, des
troncs de pins traversent le champ
visuel et ajoutent un accent de
malaise à la sérénité des paysages
provençaux saturés de soleil.
Le cinéma moderne fera grand usage
de cette rhétorique inquiétante du
gros plan, quand par exemple la
caméra glisse en panoramique sur
des obstacles qui bouchent la vue pour
révéler d'un coup l'espace béant où
le drame se noue.
En introduisant des éléments
verticaux dans le premier plan,
l'artiste ramène sa composition vers
la frontalité du support. L'espace
peint — les arbres — s'identifie à
l'espace réel — la toile sur son châssis.
Vlaminck, Dufy, Braque, Picasso
reprendront la formule. Mondrian,
procédant par décantations successives,
fera de l'arbre un des sujets principaux de sa transition entre la période
figurative et l'abstraction. Les troncs
de Cézanne et de Van Gogh
préfigurent le quadrillage des lignes
noires employées par le père du *Stijl*
pour stabiliser dans le plan ses
constructions géométriques.
Mais Cézanne se sert également du
thème de l'arbre pour créer un espace
ambigu, grâce aux branchages qui se
confondent avec les frondaisons de
l'arrière-plan. C'est pour lui un moyen
d'écraser la perspective.
Chez Van Gogh, celle-ci est beaucoup
plus fixée. En copiant notamment
le *Prunier fleuri* d'Hiroshighe, le
peintre de Saint-Rémy assimile la mise
en page japonaise. Influence durable
qui n'efface cependant pas celle
du maître d'Aix : « Involontairement
ce que j'ai vu de Cézanne me revient
à la mémoire parce que lui a tellement
donné le côté âpre de la Provence »
(été 1888).

Vincent Van Gogh (1853-1890). *L'Hôpital Saint-Paul*. 1889. Toile. H. 0,90 m, L. 0,71 m.

Paul Cézanne (1839-1906). *L'Arbre tordu*. 1882-85. Toile. H. 0,46 m. L. 0,55 m.

Vincent Van Gogh. *Parc de l'hôpital Saint-Paul*. 1889.
Toile. H. 0,42 m, L. 0,32 m.

Un premier plan d'arbres torturés
anime et dramatise
les paysages de Provence.

Dans l'envol abstrait d'une vague japonaise, des corps compacts issus de Courbet et de Renoir.

Paul Gauguin (1848-1903). *Ondine (femme dans les vagues)*. 1889. Toile. H. 0,92 m, L. 0,72 m.

La virtuosité décorative de Gauguin éclate dans la mise en page décentrée de cette *Ondine* (*ci-contre*) peinte au Pouldu en 1889. On retrouve la même silhouette de dos dans de nombreux bois et tableaux exécutés par l'artiste — même dans des œuvres de la période tahitienne. C'est l'époque où Gauguin, appuyé sur les modèles japonais, tente de dépasser l'influence de Cézanne. « Il ne m'a pas compris, dira celui-ci. Il n'est pas un peintre, il ne fait que des images chinoises. »
Ondine fut au nombre des dix-sept œuvres exposées en juin par Gauguin au Café des Arts, une brasserie située à l'intérieur de l'Exposition universelle de 1889 (l'année de la tour Eiffel). Écartés de la sélection officielle, les synthétistes avaient réussi à convaincre le patron, Volpini, d'accrocher une centaine de leurs œuvres sur ses murs. « L'approche de ces toiles, explique Fénéon dans *la Cravache* du 6 juillet, est défendue par des buffets, des pompes à bière, des tables, le corsage de la caissière de M. Volpini et un orchestre de jeunes Moscovites dont l'archet déchaîne dans le vaste hall une musique sans relation avec ces polychromies. »
Pas un tableau ne fut vendu, mais l'exposition — où figuraient aussi une vingtaine de Bernard — impressionna considérablement les jeunes nabis qui n'avaient jamais pu encore étudier de près la manière de Gauguin. Les femmes de Vallotton doivent quelque chose au contour dessiné d'*Ondine* et Maillol, le futur sculpteur, rencontre là son chemin de Damas. Ancien élève de Cabanel aux Beaux-Arts, marqué par Puvis de Chavannes, il est stupéfait par ce qu'il

découvre chez Volpini : « La peinture de Gauguin fut pour moi une révélation. L'École des beaux-arts, au lieu de m'éclairer, m'avait voilé les yeux. Devant ces tableaux de Pont-Aven, je sentais que je pourrais travailler dans cet esprit. Je me suis dit aussitôt que ce que je ferais serait bon lorsque Gauguin l'aurait approuvé » (cité par John Rewald). Neuf ans plus tard, avec *la Vague*, il devait rendre hommage à son premier inspirateur.
Ce prestige du peintre de Pont-Aven, Maurice Denis en a témoigné dans plusieurs textes : « Gauguin était tout de même le maître, le maître incontesté, celui dont on recueillait, dont on colportait les paradoxes, dont on admirait le talent, la faconde, le geste, la force physique, la rosserie, l'imagination inépuisable, la résistance à l'alcool, le romantisme des allures. Le mystère de son ascendant fut de nous fournir une ou deux idées très simples, d'une vérité nécessaire, à l'heure où nous manquions totalement d'enseignement [...] C'était pour notre temps corrompu une sorte de Poussin sans culture classique qui, au lieu d'aller à Rome étudier avec sérénité les antiques, s'enfiévrait à découvrir une tradition sous l'archaïsme grossier des calvaires bretons et des idoles maories ou bien dans le coloriage indiscret des images d'Épinal. »

Aristide Maillol (1861-1944). *La Vague*. 1898. Toile. H. 0,95 m, L. 0,89 m.

« MONET PEINT NOTRE DISTANCE AUX CHOSES », écrit le critique Geffroy. Dans la série des *Peupliers*, l'artiste parvient à nous faire ressentir la présence impalpable de l'air qui nous sépare de ces hautes et fragiles constructions dressées dans la lumière. Monet installe son chevalet à ras de l'eau, ce qui accroît l'élan des grands arbres filiformes, dont les rayons solaires grignotent les contours. Le reflet, saisi de face, accentue symétrie et frontalité. Jamais le peintre de l'informe n'ira plus loin dans la rigueur géométrique que dans la toile carrée du Metropolitan Museum (*à droite*) — montrée ici dans sa totalité — où la répétition d'une même structure rectangulaire, à peine perturbée par la silhouette lointaine d'une rangée d'arbres jaunes, nous conduit aux abords de l'abstraction. Les paysans de Giverny, qui connaissaient la passion de Monet pour la campagne environnante, lui menaient la vie dure dès qu'ils le voyaient attaché à un site. Il lui faudra payer pour conserver quelques mois une meule dont il étudie les métamorphoses. « Une autre fois, raconte son beau-fils Jean-Pierre Hoschedé, arrivant en canot sur l'Epte, où il peignait sa série des *Peupliers*, il remarqua qu'ils étaient tous marqués à la hache, à la base du tronc. Renseignements pris, nous sûmes qu'ils devaient être abattus d'un jour à l'autre et, bien sûr, Monet dut encore payer pour obtenir un sursis d'abattage. »

Claude Monet (1840-1926). *Peupliers au bord de l'Epte*. 1891. Toile. H. 1 m, L. 0,65 m.

Claude Monet. *Peupliers au bord de l'Epte*. Vers 1890. Toile. H. 0,90 m, L. 0,74 m.

Claude Monet. *Les Peupliers.* 1891. Toile. H. 0,87 m, L. 0,81 m.

Monet dresse
ses architectures frémissantes
dans la transparence de l'air.

Témoins des heures familières, les nabis traduisent en virtuoses le confinement des intérieurs 1900.

Pierre Bonnard (1867-1947). *Les Trois Âges*. 1893. Toile. H. 0,46 m. L. 0,33 m.

EXPLORATEURS DU QUOTIDIEN, Bonnard et Vuillard vont chercher leur inspiration dans les squares, les boudoirs et les chambres d'enfant. Chez l'un comme chez l'autre, l'observation est au départ du tableau. Ces compositions où tout se brouille et s'imbrique : le bouquet de fleurs, la tapisserie, le corsage des femmes (*à droite*) sont nourries d'expérience. « Pour mettre en mouvement et faire travailler cet esprit, explique Thadée Natanson, qui a beaucoup observé Vuillard, c'est assez, au cours d'une visite qu'il va faire, d'une lampe qui s'allume, d'un corsage qui se penche, tout simplement d'un coussin ou du coin de tapis dont sa sensualité se repaît. Cela peut devenir, à force de regarder, un tumulte en lui de chamade, dont nous hériterons une féerie. » Mais cette féerie est corrigée par l'influence japonaise. En 1890 a eu lieu la grande rétrospective nipponne de l'École des beaux-arts, qui a sensibilisé toute la nouvelle génération aux mérites de la mise en page orientale. Bonnard est surnommé par ses camarades « le Nabi japonard ». Maurice Denis, membre et historien de la nouvelle école, parlera en 1903 du « japonisme, ce levain qui peu à peu envahissait toute la pâte ». Dans la robe qui couvre le personnage principal des *Trois Âges* (*à gauche*), exécuté par Bonnard à vingt-six ans, un motif en damier s'étale régulièrement. Le peintre n'a pas tenu compte des plis engendrés par la position assise du modèle. Cette manière de construire par trames autonomes, indépendantes de l'anecdote, est un emprunt au style d'Utamaro ou de Tubo Shunman. Elle intègre la figure humaine dans le décor, elle l'enfonce dans le mur. Le tableau paraît un assemblage de morceaux de papier peint. Ce qui compte ici, c'est l'harmonie discrète des teintes et des motifs et non plus le rendu réaliste. Le sujet figuratif n'est pas chassé de la toile — ce qui sera bientôt le cas chez les abstraits —, il s'y absorbe comme dans un buvard, il devient une composante parmi d'autres dans le jeu des taches.

Édouard Vuillard (1868-1940).
Le Corsage rayé. 1891. H. 0,65 m, L. 0,58 m.

THÈME MAJEUR DE CÉZANNE, LA NATURE MORTE lui permet de construire de ses mains, en toute liberté, le motif qu'il veut peindre. Un désordre savant, fruit d'une mise en place minutieuse, caractérise ces compositions. « On ne peut se défendre de l'impression que le souvenir des Hollandais et de Chardin ne quitte pas Cézanne quand, avant de peindre les objets, il arrange sur la table une serviette blanche qui pend du bord », écrit Charles Sterling qui ajoute, parlant de *Pommes et biscuits* (*ci-dessous*) : « L'arrangement

y est d'une simplicité parfaite et la composition n'est même pas fermée, c'est-à-dire qu'une forme — l'assiette de biscuits à droite — est coupée par le cadre [...] On sent dans ce tableau une merveilleuse aisance, une grâce, une joie de la couleur et du rythme qui font penser à la musique de Mozart. »
Qu'elles soient sévères, comme dans le tableau qui appartint à Gauguin (*page de droite, en haut*), ou bien dominées par un zigzag vertical blanc (*à l'extrême droite*), ou encore fondées

sur le contrepoint d'un ovale et d'un jeu de lignes brisées (*page de droite, en bas*) — la composition cézannienne est toujours saisie en vue plongeante —, les nappes, raides et tendues, semblent tirées violemment par une main invisible. Les couleurs les plus vives se concentrent sur les masses les plus petites, le reste du tableau étant formé de teintes généralement douces et de hachures légères. Certains coins de draperies tombantes (*à l'extrême droite*) préfigurent l'impressionnisme abstrait d'un Bissière,

d'un Manessier et d'un Bazaine au XXe siècle.
« Dans la préférence de Cézanne pour les pommes — objets solides, compacts, organiquement centrés, d'une beauté banale et cependant tout en finesse, disposés sur une table à la nappe rugueuse, ravinée et creusée comme une montagne — il y a une parenté avouée entre le peintre et les objets, note Meyer Schapiro. Ce fruit l'attirait en raison de ses qualités naturelles par analogie à ce qu'il éprouvait comme son être même. »

Paul Cézanne (1839-1906). *Pommes et biscuits*. Vers 1880-82. Toile. H. 0,46 m, L. 0,55 m.

Paul Cézanne. *Compotier, verre et pommes*. 1879-82. Toile. H. 0,46 m, L. 0,55 m.

Paul Cézanne. *Pommes et oranges*. 1895-1900. Toile. H. 0,74 m, L. 0,93 m.

« Avec une pomme, déclare Cézanne,
je veux étonner Paris. »
De quelques fruits agencés sur une table...

Paul Cézanne. *Compotier et pommes*. Toile. H. 0,55 m, L. 0,74 m.

... il fait un champ de bataille où s'affrontent l'ordre et le chaos.

UNE FORCE TUMULTUEUSE traverse en diagonale cette extraordinaire nature morte. Personne avant Cézanne n'avait osé une telle véhémence à l'égard d'objets statiques et familiers disposés sur une table. Le rideau coloré qui déferle verticalement semble distordu par une énergie vitale incontrôlable. Quelque chose d'organique, lié aux pulsions de la nature, sous-tend la dynamique de la composition. On pressent les basculements des premiers Kandinsky abstraits. « Sauvage », c'est le mot qu'emploie par deux fois Pissarro, dès 1895, quand il visite, chez Vollard, la première exposition Cézanne de quelque envergure, grâce à laquelle le maître d'Aix va enfin percer le mur de l'indifférence et de l'hostilité parisienne. « Des natures mortes d'un fini étonnant, des choses inachevées, mais vraiment extraordinaires de sauvagerie et de caractère. Je crois que cela sera peu compris [...] Mon enthousiasme n'est que de la Saint-Jean à côté de Renoir. Degas lui-même qui subit le charme de cette nature de sauvage raffiné, Monet, tous... Sommes-nous dans l'erreur ? Je ne le crois pas [...] Comme Renoir me disait très justement, il y a un je ne sais quoi d'analogue aux choses de Pompéi, si frustes et si admirables [...] Degas et Monet ont acheté des choses épatantes, moi j'ai fait un échange de quelques petits admirables Baigneurs et d'un portrait de Cézanne pour une mauvaise esquisse de Louveciennes. »

Reconnu par ses pairs, Cézanne peut enfin commencer à se rassurer. Trois ans avant sa mort, il écrit à Vollard : « Je travaille opiniâtrement, j'entrevois la Terre promise. Serai-je comme le grand chef des Hébreux ou bien pourrai-je y pénétrer ? [...] J'ai réalisé quelques progrès. Pourquoi si tard et si péniblement ? L'art serait-il, en effet, un sacerdoce, qui demande des purs qui lui appartiennent tout entiers ? »

Paul Cézanne (1839-1906).
Nature morte au rideau à fleurs. 1900-1906.
Toile. H. 0,76 m, L. 0,92 m.

Dans des assemblages fragiles de surfaces granuleuses, Vuillard nous livre des confidences modestes, déjà évanouies.

L'ART DE VUILLARD : une accumulation de taches rehaussées çà et là par des dissonances volontaires (*à droite* : l'écharpe de l'enfant). Vision très subjective, secrète, émotionnelle, qui n'est pas sans analogie avec les impressions du jeune narrateur de Proust attendant Gilberte, sa compagne de jeux, à peu près à la même époque et en ce même endroit des Champs-Élysées que nous décrit l'artiste (*à gauche*).

Né en 1868, amené à la peinture par K.X. Roussel, son condisciple à Condorcet et son futur beau-frère, Vuillard était le plus modeste et le plus silencieux des nabis. Ce groupe de jeunes peintres cultivés s'était fondé en 1888 pour analyser collectivement le message de Gauguin. Ils se réunissaient chaque semaine, d'abord dans un restaurant de l'impasse Brady, puis, à partir de 1890, chez le peintre Paul Ranson, boulevard du Montparnasse. Liés au symbolisme littéraire et musical, ils participèrent de près à l'expérience du théâtre de l'Œuvre, dont le directeur, Lugné-Poe, était lui aussi un ancien condisciple de Vuillard. Ils purent y expérimenter — notamment à l'occasion de la première d'*Ubu* en 1896 — une conception nouvelle de la toile peinte, « où le trompe-l'œil, proscrit, faisait place au décor d'imagination, à la tenture de rêve » (Maurice Denis). Vuillard, avide d'innovations techniques, développa à cette occasion ses recherches sur la peinture à la détrempe et à la colle.

Edouard Vuillard (1868-1940).
Aux Champs-Élysées. 1895. Toile.
H. 0.24 m. L. 0.26 m.

Edouard Vuillard. *Enfant portant une écharpe rouge*. Vers 1891.
Toile. H. 0.30 m. L. 0.18 m.

263

Gustav Klimt (1862-1918). *Le Parc.* Avant 1910. Toile. H. 1,10 m, L. 1,10 m.

Ni profondeur ni modelé :
le papier peint se change en feuillage,
et le feuillage en papier peint.

FORÊT OU PAPIER PEINT, la nature devient décorative et perd toute profondeur. Chez l'étrange Gustav Klimt (*ci-dessus*), un des champions de l'Art nouveau viennois, c'est la quasi-totalité de la surface qui est envahie par la matière crissante, presque ferreuse des arbres. Si l'on cache d'une main l'étroite barre horizontale qui court au bas du tableau, *le Parc* se métamorphose en un mur infranchissable, une prolifération opaque et angoissante qui fait penser aux *Texturologies* d'un Jean Dubuffet.

Vuillard emploie lui aussi de grands aplats à thème végétal dans les vastes panneaux destinés au salon du docteur Vaquez. C'est un foisonnement contrôlé qu'il veut obtenir : il encadre ses motifs floraux dans des bandeaux géométriques (en haut). La vocation décorative des nabis, qui souhaitaient tous sortir de la peinture de chevalet, affronter l'échelle murale, trouve dans la série *Vaquez* une élégante solution de transition. « Ses tableaux avaient dit déjà le pittoresque et l'intimité des intérieurs de notre temps, écrit Maurice Denis en 1905. On connaît maintenant comme il sait les orner, et par quelles ressources d'imagination et de métier il arrive à faire de ces peintures à la colle, des tentures sompteuses comme d'anciennes tapisseries. »

Devant des œuvres comme la *Décoration Vaquez*, certains ont parfois reproché à Vuillard de se complaire dans une gamme assez terne, fort éloignée par exemple des exploits colorés de son ami Bonnard. « Vuillard n'est ni triste ni éteint, écrit le jeune peintre français Martial Raysse. C'est sourd, avec une grande profondeur dans le ton, une texture d'une grande qualité. Il est toujours plus difficile d'obtenir une gamme de tons mineurs que de parvenir à une harmonie éclatante. Il y a chez Vuillard une justesse de coloris, une élégance dont on a perdu le goût dans la multiplicité des tons. Je ne vois guère après lui qu'Ensor qui soit allé aussi loin, et peut-être Fautrier. Il y a chez lui comme une tentative désespérée de faire des notations presque tactiles de tout ce qui l'entourait, meubles, objets, tissus, et cela jusqu'à l'accumulation, jusqu'au fourmillement. Il essayait de fixer sur la toile un monde qu'il sentait menacé, en voie de disparition. Que Vuillard ait été sensible aux mouvements d'une époque de transition où toute chose glissait, se défaisait, j'en vois la preuve dans ces tableaux où les tons se décomposent, où les objets et les personnages s'interpénètrent. »

Page de droite :
Édouard Vuillard (1868-1940). *Décoration Vaquez (panneau de gauche : la Liseuse).* 1896. Toile. H. 2,13 m, L. 1,54 m.

Cézanne « germine » avec le paysage.
Il en explore les assises géologiques.
Sa touche plate et vibrante
anéantit la perspective.

Paul Cézanne. *Le Lac d'Annecy*. 1896. Toile. H. 0,65 m. L. 0,81 m.

ABOUTISSEMENTS DE LA FRONTALITÉ CÉZANNIENNE, les deux tableaux qui figurent sur cette double page sont en rupture totale avec la conception renaissante de la perspective. Pas de contour, pas de ligne de fuite. L'espace du *Château noir* (*à gauche*) est construit à coups de larges touches plates juxtaposées — qui expriment aussi bien le proche que le lointain. Les deux tiers du tableau sont occupés par une masse verte et confuse que le spectateur « lit » et répartit comme il l'entend dans la troisième dimension. En peignant le bâtiment du fond plus net que le premier plan, Cézanne accentue la verticalité de l'ensemble. *Le Lac d'Annecy* (*ci-dessus*) est partagé horizontalement en deux grands plans égaux. On constate en regardant le tableau à l'envers qu'ils sont aussi frontalisés l'un que l'autre et que la surface du lac est traitée comme un mur. Cézanne ne fait aucun effort pour simuler la profondeur. Au

contraire : c'est plutôt la partie supérieure de l'œuvre — avec l'avancée du château de Duingt sur la berge — qui semble la plus proche du spectateur. Le mélange des branches (au premier plan) et des montagnes (au fond) accentue cette ambiguïté spatiale, encore renforcée par le tronc d'arbre qui sert de charnière entre le haut et le bas. « Pour bien peindre un paysage, disait Cézanne, je dois découvrir d'abord les assises géologiques. Songer que l'histoire du monde date du jour où deux atomes se sont rencontrés, où deux tourbillons, deux danses chimiques se sont combinés [...] Des couches s'établissent, des grands plans de la toile. J'en dessine mentalement le squelette pierreux. Je vois affleurer les rochers sous l'eau, peser le ciel [...] Les grands pays classiques, notre Provence, la Grèce et l'Italie telles que je les imagine, sont ceux où la clarté se spiritualise, où un paysage est un sourire flottant d'intelligence aiguë. »

Paul Cézanne (1839-1906). *Le Château noir*. Entre 1904 et 1906. Toile. H. 0,73 m. L. 0,92 m.

L'œil scrupuleux du peintre
perçoit le flottement ondulatoire de la nature.
Chaque touche désigne plusieurs profondeurs.

Paul Cézanne (1839-1906). *Montagne Sainte-Victoire*. 1904-1906. Toile. H. 0,60 m, L. 0.72 m.

« Un motif étourdissant se développe du côté du Levant : la montagne Sainte-Victoire » — c'est ainsi qu'à trente-neuf ans Cézanne signale à Zola le paysage sur lequel il ne va plus cesser de s'acharner jusqu'à sa mort. Il peindra soixante fois cette colline des environs d'Aix, pour déboucher, dans ses dernières tentatives des années 1904-1906, sur une conception rayonnante, vibrante, où chaque plan semble flotter dans un espace ouvert, dans un miroitement lumineux. Espace qui n'est plus *fixé*, mais libre. La touche ne figure plus tel ou tel objet, mais plusieurs profondeurs à la fois. Pris dans un brassage cosmique, chaque coup de pinceau est en même temps la terre et le ciel, le reflet et la matière, l'éphémère et l'immémorial. « Longtemps je suis resté sans pouvoir, sans savoir peindre la Sainte-Victoire, expliquait Cézanne à Gasquet, parce que j'imaginais l'ombre concave, comme les autres qui ne regardent pas, tandis que, tenez, regardez, elle est convexe, elle fuit de son centre.

Au lieu de se tasser, elle s'évapore, se fluidise. Elle participe toute bleutée à la respiration ambiante de l'air [...] Regardez : quel élan, quelle soif impérieuse du soleil, et quelle mélancolie, le soir, quand toute cette pesanteur retombe [...] Ces blocs étaient du feu. Il y a du feu encore en eux. L'ombre, le jour, a l'air de reculer en frissonnant, d'avoir peur d'eux. »
Le gros plan révèle l'incroyable liberté de Cézanne dans le traitement de ses surfaces. Non seulement il semble jeter en désordre ses taches sombres, mais il laisse à découvert de menues plages blanches qui viennent s'intercaler dans le tissu pigmentaire et le font « respirer ». Ici encore, nous sommes invités à « lire » et à placer nous-mêmes dans la troisième dimension ces fragments d'espaces vierges.

Paul Cézanne. *Montagne Sainte-Victoire*. 1905. Toile. H. 0,63 m, L. 0,83 m. Détail à droite.

CHAPITRE VI

L'artiste sollicité
Par l'organisation méthodique

le nerf optique du spectateur.
de ses couleurs
il engage et perturbe
notre système visuel.

Le divisionnisme demande au spectateur un nouvel « engagement » physiologique. En systématisant les procédés impressionnistes de dissociation de la touche, il déplace l'intérêt, par-delà le tableau, vers les mécanismes de la perception. La peinture se met à jouer avec notre nerf optique. Voir devient un acte complexe où l'intervention active du spectateur est sollicitée. Celui-ci *fait* son tableau, dans la mesure même où il dispose, pour sa « lecture », de plusieurs choix et positions possibles. Avec Seurat commence une peinture où l'ordre succulent des rapports plastiques s'efface devant une mise en cause concertée de notre système rétinien.

La division des teintes n'est pas en soi un procédé nouveau. Elle figure déjà, occasionnellement, chez les Vénitiens. Constable, Delacroix, Baudelaire en formulent clairement l'énoncé : « Il est bon que les touches ne soient pas matériellement fondues, écrit le poète. Elles se fondent naturellement à une distance voulue par la loi sympathique qui les a associées. La couleur obtient ainsi plus d'énergie et de fraîcheur. » Alors qu'en liant deux teintes sur la palette on tend vers le gris (mélange chimique), les couleurs s'exaltent au contraire dans l'œil quand on les dispose séparément sur la toile (mélange optique). L'œil, sollicité simultanément par des ondes chromatiques de fréquences différentes, s'efforce de s'y adapter alternativement — ce qui active le nerf optique.

Dans le cas extrême du « contraste simultané », qui juxtapose délibérément sur la toile les couleurs du spectre dont les fréquences sont les plus écartées (vert et rouge, jaune et bleu, etc.), une lutte d'influence se déclenche au sein de la rétine, qui peut aller — ce sera, au XXe siècle, le principe de l'*op art* — jusqu'à l'impossibilité de lire la surface comme un tout homogène.

Tels sont les mécanismes dont prennent conscience Seurat et ses amis. C'est à partir de là qu'ils vont construire leur esthétique. Leur première ambition est de systématiser et de codifier une pratique de la couleur qui — bien que déjà expérimentée par les scientifiques de l'époque : Chevreul, Rood, et par des historiens d'art : Charles Blanc — est appliquée par Delacroix et les impressionnistes dans la plus grande anarchie.

« Ce que les impressionnistes ont fait, écrit Signac, c'est de n'admettre sur la palette que des couleurs pures. Ce qu'ils n'ont pas fait et ce qui restait à faire après eux, c'est de respecter absolument, en toutes circonstances, la pureté des couleurs pures. » Et Signac dénonce, chez Monet et ses compagnons, la « fantaisie », la « cohue polychrome ». Il n'est que temps de mettre un peu d'ordre dans l'usage de la couleur.

En passant, les néo-impressionnistes entreprennent de liquider deux aspects essentiels de l'impressionnisme classique. Le « petit point » exclut la touche personnelle, le côté gestuel du tracé. Dans un tableau de Monet, chaque particule de pigment est individualisée. Elle incarne un mouvement physique, l'activité motrice d'un bras et d'un corps. Le pointillisme refuse ce « romantisme ». « Ici la *patte* est inutile, le truquage impossible », explique en 1886 son principal théoricien, le critique Félix Fénéon. « Nulle place pour les morceaux de bravoure. Que la main soit gourde, mais que l'œil soit agile, perspicace et savant. »

Cette rapidité du geste, chez Monet, était aussi la conséquence d'un parti pris esthétique : il s'agissait de rendre compte très vite de l'instant qui passe. La fugacité des impressions exigeait une facture à l'emporte-pièce. Les divisionnistes repoussent également cette ambition. Pour Félix Fénéon, « la nécessité d'enlever un paysage en une séance obligeait les impressionnistes à faire grimacer la nature pour bien prouver que la minute était unique et que l'on ne la reverrait plus [...] Les peintres n'ont pas encore perçu l'absurdité de figer dans des matières permanentes une anecdote et généralement tout spectacle exceptionnel et transitoire. »

Ce qu'ils contestent — sans en avoir encore tout à fait conscience — c'est que la peinture prétende figurer fidèlement la réalité extérieure. « Les théoriciens de l'impressionnisme proclamaient que la peinture s'adressait d'abord à l'œil, explique Malraux, mais le tableau s'adressait maintenant à l'œil bien plus comme tableau que comme paysage. » Un basculement de première importance s'opère ici insensiblement :

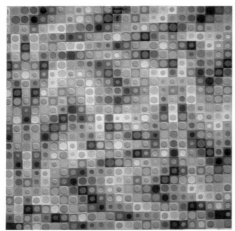

Victor Vasarely. Majus M.C. 1968.
L'*op art*, prolongeant et poussant à ses extrêmes conséquences le principe du contraste coloré, associe les teintes dont les fréquences ondulatoires sont très éloignées. L'œil ne parvient plus à les lire simultanément. D'où l'impression d'un frétillement et d'une pulvérisation optique de la surface.

Charles Angrand. Cour normande. Vers 1907.

Robert Delaunay. Paysage au disque. 1906.

Le sujet figuratif s'estompe peu à peu dans la mosaïque des touches. Celles-ci prennent une valeur par elles-mêmes. Le tableau est surface avant d'être paysage.

Piet Mondrian. Moulin au soleil. Vers 1908.
Tirant la leçon du pointillisme, Mondrian divise ses teintes et réduit sa palette aux couleurs primaires : rouge, bleu, jaune. Ce qui accentue la puissance pulsionnelle de la toile.

nous passons du tableau comme reflet du monde visible à une conception toute nouvelle, le tableau comme surface, comme « en-soi », comme réalité concrète qui ne renvoie qu'à elle-même. L'essentiel n'est plus le rapport de filiation qui unissait la nature à son compte rendu par le peintre, mais bien le rapport de confrontation qui met face à face le tableau et le spectateur. Et ce n'est pas un hasard si, au même moment, par des chemins tout différents — celui de l'aplat coloré — le synthétisme de Gauguin dépasse lui aussi l'impressionnisme classique et se cherche dans un contact sensoriel immédiat avec l'œil de l'observateur (voir chapitre v).

Dans cette marche du pointillisme vers l'autonomie de la surface — qui durera trente ans et qui s'achèvera avec Delaunay — l'école de Seurat développe non seulement une technique particulière de la couleur, mais aussi une conception spécifique de la forme. Conception décorative et anti-réaliste « qui sacrifie l'anecdote à l'arabesque, la nomenclature à la synthèse, le fugace au permanent » (Fénéon). Les paysages de Seurat (pages 282, 291), de Signac (page 290), de Van de Velde (pages 284-285) sont dédramatisés, intemporels. Pas de sujet — ou si peu. Le motif, délibérément anonyme, banal, semble reculer modestement devant nos yeux. Félix Fénéon trouve les marines de Seurat « moroses et si emplies d'air ». Elles « s'épandent calmes et mélancoliques, et jusque vers de lointaines chutes du ciel, monotonement, clapotent ». Il s'agit d' « une peinture très insoucieuse de toute gentillesse de couleur, de toute emphase d'exécution, et comme austère, de saveur amère, salée ». Bientôt, devant ces épures, le mot d'abstraction est prononcé. « Un peu de réflexion nous prouve bien vite que la ligne est une abstraction », explique Seurat. Et Signac, plus tard : « C'est par les harmonies des lignes et des couleurs, qu'il peut manier au gré de ses besoins et de sa volonté, que le peintre doit émouvoir. » La nature s'estompe. La ligne devient essentielle. Non contents de systématiser la couleur, les divisionnistes cherchent à codifier la forme, à lui donner, par-delà toutes les anecdotes, une valeur indépendante.

Pour établir ce code, ils s'appuient dans un premier temps sur les canons du classicisme. A l'École des beaux-arts, Seurat était l'élève d'Henri Lehmann, un disciple d'Ingres. Il s'est formé dans le respect de la tradition. Jean Cassou voit en lui « l'un des plus nobles fils spirituels d'Ingres ». Il a copié Piero della Francesca, étudié l'Égypte, la Grèce, le Quattrocento, Poussin. De là l'hiératisme monumental de ses personnages — par exemple dans *Une baignade* (pages 278-279) ou *la Grande Jatte* (pages 280-281). Sa *Jeune Femme se poudrant* est disposée comme un Memling (page 283). Nous sommes dans le droit fil d'un courant pictural dominé par Raphaël, qui cherche, sous l'anecdote figurative, une structure formelle autonome, close sur elle-même, fondée sur des valeurs d'équilibre, de symétrie, de contrepoids. « L'harmonie, explique Seurat, c'est l'analogie des contraires. » L'inventeur du pointillisme préfigure le programme d'un Juan Gris et plus encore d'un Mondrian qui lui aussi, avec un vocabulaire presque identique, exaltera « l'harmonie », « l'inchangeable », « le beau universel », « le repos », « l'équilibre des tensions ».

Cette aspiration à l'ordre plastique vient se mêler, chez les divisionnistes, au courant rationaliste de l'époque. Ils souhaiteraient définir une fois pour toutes les mécanismes de l'émotion et mettre sur pied un code formel et chromatique qui ferait de l'art une science exacte. Seurat est fasciné par l'idée que « la couleur, soumise à des lois fixes, se peut enseigner comme la musique ». Deux influences se mêlent dans son esprit : les vieilles techniques d'atelier héritées de l'École — nombre d'or, etc. — et le positivisme contemporain qui aspire à déterminer des constantes en s'appuyant sur une documentation méthodique. Ici surgit un singulier et brillant personnage, Charles Henry, ancien préparateur de Claude Bernard, bibliothécaire à la Sorbonne, qui publie en 1885, à l'heure où Seurat peint *la Grande Jatte*, son *Introduction à une esthétique scientifique*. Henry souhaite précisément en finir avec l'intuition, l'inspiration, le vague. Il veut mettre en équation la beauté. Son programme : « Étant donné des lignes quelconques,

Henri Matisse. Luxe, calme et volupté. 1904.

André Derain. Big Ben. 1905.

Kees Van Dongen. Le Moulin de la Galette. 1904-1906.

A Saint-Tropez en 1904, Matisse s'initie au pointillisme, sous l'œil de Cross et de Signac, en peignant *Luxe, calme et volupté (en haut)*. D'entrée, le fauvisme va pousser au paroxysme les audaces chromatiques de la génération précédente. Là où Cross et Signac conservent un principe d'harmonie, fût-ce en montant leurs tons, Matisse, Derain, Van Dongen pratiquent une peinture agressive, toute de défi, où la couleur doit « parler par elle-même ».

trouver la combinaison susceptible de produire fatalement une expression définie. » Signac travaille à ses côtés, mesurant par exemple, en 1889, « plusieurs milliers d'angles pour décomposer les profils de vases de Cnide, de Thasos et de Rhodes » (Henry, cité par Françoise Cachin) qui permettront, explique Signac, « d'enseigner le beau » et de déterminer « si la forme est harmonieuse ou pas ».

Tous ces calculs sont opérés sur un fond d'absolu et personne ne semble se demander, autour de Seurat et d'Henry, si les canons des Grecs et de la Renaissance correspondent encore aux connaissances, aux besoins psychologiques et sensoriels d'une époque en pleine mutation scientifique et technique. On raisonne à peu près comme Ingres : « En dehors de l'art tel que l'ont compris et pratiqué les Anciens, il n'y a, il ne peut y avoir que caprice et divagation. » Or nous sommes au temps de Maxwell et de Marx, bientôt de Planck et d'Einstein. Bref, Henry, Seurat, Signac, dans leur volonté d'asseoir une esthétique « scientifique » et d'établir une fois pour toutes un catalogue universel des formes et des sensations qu'elles provoquent, ont oublié un paramètre : l'évolution historique. Ce qui donne à leurs recherches un caractère irrationnel, poétique, fort éloigné de la véritable science telle qu'elle se présentait à l'aube du XXe siècle.

Reste chez Henry — par-delà le fatras scientiste — cette intuition riche d'avenir : il y a un rapport psychosensoriel entre toute ligne tracée et celui qui la suit des yeux sur la toile. Certes, ici encore, l'auteur simplifie à l'excès ; pour lui, le plaisir est associé aux lignes montantes : allant de gauche à droite, elles sont « dynamogènes », tandis que, de haut en bas et de droite à gauche, elles sont « inhibitoires ». Les premières correspondent au bras qui s'ouvre et qui salue, les secondes au repli sur soi engendré par la fatigue, la souffrance, l'abattement. Description trop mécanique, trop intemporelle, et Félix Fénéon aura raison de conclure dès 1891 que, tout bien pesé, « une œuvre d'art est inextricable ». Mais en dégageant l'idée d'une lecture kinesthésique du tableau qui engendre une émotion corporelle et non plus seulement visuelle, Henry met l'accent sur ce que Merleau-Ponty appellera « l'unité du champ perceptif ». En même temps que nous suivons des yeux la ligne sur la toile, nous la vivons avec tout le corps. « La base physiologique des idées d'Henry, écrit Robert Herbert, un des meilleurs spécialistes de Seurat, s'appuie sur le fait incontestable que la réaction humaine à tout événement ou pensée doit impliquer un mouvement réel, physique ou mental [...] Sans un tel mouvement, il n'y a pas de réaction du tout, pas de conscience du changement extérieur, et l'organisme continue d'être ce qu'il était. »

Le mérite d'Henry est d'avoir signalé et vulgarisé en France cette idée de l'engagement physique du spectateur dans les rythmes de l'œuvre. Réalité vieille comme la peinture, car c'est bien tout le corps que nous mobilisions dans la contemplation d'un tableau baroque du Tintoret ou de Rubens. Mais réalité trop longtemps masquée sous les thèmes figuratifs. Avec Seurat — disciple attentif d'Henry — le point de vue se renverse, le sujet n'est plus qu'un prétexte. L'anecdote est choisie pour habiller la ligne — et non le contraire. Ce qui compte, dit-il, c'est « la direction ». Il choisit ses motifs en fonction du réseau linéaire qu'il veut nous proposer. S'il peint *le Chahut* ou *le Cirque* (pages 298-299), c'est qu'il est tenté par la mise en place d'un certain jeu dynamique de diagonales. Nous sommes entrés dans ce qu'Herbert appelle « la proto-abstraction ».

L'art non figuratif mettra en évidence ce rôle de la ligne en tant que facteur d'activation physique du spectateur. Même une structure géométrique comme celle de Mondrian est profondément enracinée dans la réalité immédiate, dans l'expérience corporelle de l'équilibre, de la verticalité, de l'horizon — tandis que la diagonale de Malevitch nous entraîne dans une lévitation, une perception anti-gravitationnelle de la matière.

« Quand je pars du bas, explique le peintre gestuel Hans Hartung, j'ai un peu l'impression que j'arrache mon trait de la terre. Il ne serait pas pareil dans l'autre sens. Le trait qui s'évade de la pesanteur à une signification psychologique, il correspond à un élan intérieur... »

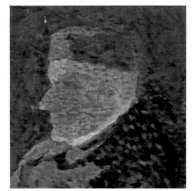

*Paul Signac. La Salle à manger.
Esquisse, détail. Vers 1886.*
Dès les débuts du néo-impressionnisme, Signac pressent les possibilités
destructrices du pointillé. Dans
l'esquisse de *la Salle à manger*
les teintes se heurtent au lieu de se
fondre.

*Giacomo Balla. Jeune Fille courant sur un balcon.
1912.*

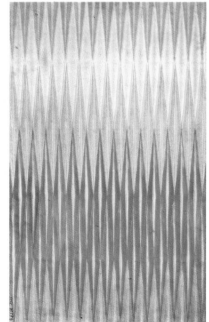

*Giacomó Balla. Compénétration iridescente.
1912.*
Les futuristes cherchent dans la touche divisée le
moyen de traduire la fébrilité de la vie moderne.
Balla l'associe à la vision stroboscopique héritée
des expériences photographiques de Marey. Dans
ses « compénétrations iridescentes » les teintes
sont séparées, le rayonnement lumineux réduit à
une trame géométrique et stylisée.

Pris dans la dynamique abstraite des lignes, le spectateur l'est plus encore par le système chromatique que lui propose le divisionnisme. « Le caractère révolutionnaire de Seurat, écrit Meyer Schapiro, c'est qu'il a été le premier peintre, dans l'histoire, qui ait créé des tableaux dont la matière était tout à fait homogène. » Un tableau pointilliste, c'est d'abord un « voilage », un rideau unitaire, « un semis de menues macules » (Fénéon) qui s'interpose entre l'œil et le sujet figuratif. Or tout déchiffrement de cette trame régulière dépend de deux variables complémentaires : la distance de l'œil au tableau et la taille de la touche. A trente centimètres *la Joconde* est toujours *la Joconde*. Tandis qu'un Seurat n'est plus qu'une masse grouillante de petits points indépendants (page 286). C'est le spectateur qui, en choisissant son recul, choisit la version du tableau qu'il veut voir : version éclatée, abstraite, tout en taches, ou au contraire version synthétique dont les volumes se remodèlent et reprennent avec la distance leur signification figurative. Le pointillé postule une activité motrice du « regardeur ». L'œuvre s'appréhende par une *action*, un vécu, et non plus seulement par une contemplation passive.

Dès leurs premiers essais, les divisionnistes s'interrogent sur cette particularité de leur touche. La plupart n'envisagent que la conception synthétique. Ils se félicitent de ce qu'« à deux pas l'œil ne perçoit plus le travail du pinceau » (Fénéon). Ils ne divisent que pour rassembler. Ils veulent renforcer l'activité, la densité, la lisibilité de la surface — non la faire éclater. Le mérite de Signac — qui préfigure ici les préoccupations du xxᵉ siècle — sera de questionner, dès 1887, cette logique unitaire du « pointillé » : « On sent que *la Grande Jatte* a été faite dans une petite pièce, sans recul. C'est du reste une remarque que plusieurs membres du groupe des Vingt ont faite. Ils disent à Seurat : "Nous aimons mieux votre *Grande Jatte* de près qu'à une certaine distance. Vous n'avez pas dû faire cela dans une grande pièce." Cette infime division, exquise pour les toiles de huit jusqu'à cinquante à peu près, devient trop mesquine pour une grande toile de plusieurs mètres. »

Ce qui se pressent ici, ce sont les propriétés dissolvantes du pointillisme. A la règle qui affirme : plus la distance est grande entre l'œil et la toile, plus les différences s'atténuent entre les couleurs, répond la règle inverse : plus on se rapproche, plus les contrastes s'accentuent — jusqu'au moment où l'œil ne parvient plus, sans fatigue extrême, à lire les teintes simultanément. Elles luttent entre elles jusqu'au point de rupture — la distance pouvant être remplacée, en l'occurrence, par le grossissement délibéré des touches. C'est l'éclatement optique de la surface. Éclatement double : d'une part chaque particule colorée reconquiert son autonomie, d'autre part le sujet figuratif, avec sa perspective, son modelé, s'évanouit dans la cohue des « confetti ».

Un pas en avant : l'anecdote s'atomise, la surface n'est plus qu'un frétillement, un vacillement de taches indépendantes. L'activation se change en destruction. Là où Seurat souhaitait opérer la fusion des teintes dans notre œil (mélange optique), c'est maintenant la « cacophonie », l'agression, l'abstraction de la couleur pure.

Par un singulier paradoxe, le pointillisme ne s'est affirmé dans l'art moderne qu'en prenant le contre-pied de son inventeur. Tous ceux qui, derrière Seurat, voulaient respecter sa conception du petit point, ont fini prisonniers de l'espace renaissant et de la perspective — les Pissarro, Luce, etc. Tous ceux qui, au contraire, sont sortis du pointillisme synthétique pour aller vers la pulvérisation de la surface ont réussi à coïncider avec l'esprit de perturbation et de remise en cause propre aux tumultes et aux tensions du xxᵉ siècle. Le pointillisme exaspéré de Signac (ci-contre, en haut), Van Gogh, Cross (page 213), rejaillit sur les fauves (page de gauche) et les futuristes (ci-contre). Il aboutit au contraste simultané de Delaunay (page 273) et aux jeux troublants de l'*op art*. C'est Gauguin qui, grâce à l'aplat, accomplira le rêve de couleur éclatante formulé par Seurat. Aux descendants de ce dernier, une autre tâche sera dévolue : décrire la parcellisation de la figure et de la surface, l'instabilité de la matière, la relativité de toute perception.

Georges Seurat (1859-1891). *Garçons se baignant*. Étude pour *Une baignade*. 1883-84. Huile sur bois. H. 0,15 m, L. 0,25 m.

Georges Seurat. *Cheval et bateaux*. Étude pour *Une baignade*. 1883-84. Huile sur bois. H. 0,15 m, L. 0,25 m.

Georges Seurat. *Cinq personnages mâles*. Étude pour *Une baignade*. 1883. Huile sur bois. H. 0,15 m, L. 0,25 m.

Seurat prend à l'impressionnisme sa palette et ses thèmes...

FILS REBELLE DE L'IMPRESSIONNISME, Seurat commence par s'inspirer de Manet, Monet, Renoir et Pissarro dans les quatorze esquisses préparatoires qu'il accumule avant de se lancer, à vingt-quatre ans, dans sa première grande composition, *Une baignade*, qui sera réalisée à l'atelier. Travaillant ses « croquetons » sur le motif — les berges de la Seine, près du pont de Courbevoie, face à l'île de la Grande Jatte —, Seurat reprend le folklore de ses aînés : il peint des banlieusards, des petits bourgeois paisibles et sans façons goûtant les joies du farniente au bord de l'eau. La touche, comme chez Monet, est encore jetée en désordre.

Mais déjà l'esprit de construction, la géométrie et l'hiératisme dominent ces rapides tableautins. Les personnages ont une compacité, une raideur que n'ont jamais eues ceux de Pissarro ou de Renoir. Seurat cultive « l'harmonie », « l'analogie des contraires ». Il joue de l'opposition des horizontales (le plan d'eau) et des verticales (les baigneurs). L'examen des esquisses, comparées au tableau final (*page suivante*), montre bien par quels tâtonnements l'artiste tente d'échapper au fugitif pour asseoir sa composition dans une rigidité monumentale. Le tracé de la berge, la mise en place des noirs, le modelé stéréométrique des corps font l'objet de soins attentifs où la leçon de Piero della Francesca recoupe celle de Puvis de Chavannes.

... mais il en tire, monumental et concerté, un nouveau classicisme.

AFFIRMATION PÉREMPTOIRE d'un nouveau classicisme, *Une baignade* témoigne d'une ambition exceptionnelle chez le jeune Seurat. Et d'abord par sa taille : six mètres carrés. Visages hermétiques, anonymes, personnages coupés les uns des autres, immobiles comme des choses, c'est un climat d'attente que l'artiste nous impose comme si nous étions séparés de cette scène familière par beaucoup de temps et de silence. Le cri proféré par le jeune baigneur (détail page de droite) semble s'adresser à quelque rivage oublié.

Toute la scène est une vaste nature morte organisée autour de la composition au chapeau qui occupe le centre de la toile. C'est au Puvis de Chavannes de *Doux Pays* (musée de Bayonne, 1882) que Seurat emprunte cette solennité cotonneuse, ainsi que la disposition du plan d'eau et des bateaux. Mais tandis que Puvis peuple ses Bois sacrés de figures plus ou moins helléniques, Seurat cherche prosaïquement ses modèles dans la banlieue nord de Paris. Il accentue leur caractère géométrique et les encastre avec précision dans la « tectonique » de l'œuvre.

Refusée par le jury des officiels en 1884, *Une baignade* fut exposée au premier Salon des indépendants, présidé par Redon. Même là, elle ne parvint guère à s'imposer : « Elle fut écartée des salles et reléguée pudiquement au buffet, raconte Fénéon. Seuls quelques buveurs inattentifs à leurs bocks surent qu'une neuve manière de chiffrer la réalité venait de se produire et qu'une convention valable s'ajoutait au répertoire des conventions non moins valables, mais peut-être fatiguées, sur lesquelles vivait la peinture. » Parmi ces curieux, Signac qui fait connaissance de Seurat aux Indépendants. Devenus amis, ils forment le noyau du futur groupe divisionniste. « Ce tableau, écrira-t-il plus tard, était peint à grandes touches plates, balayées les unes sur les autres et issues d'une palette composée, comme celle de Delacroix, de couleurs pures et de couleurs terreuses. De par ces ocres et ces terres, le tableau était terni et paraissait moins brillant que ceux que peignaient les impressionnistes avec leur palette réduite aux couleurs du prisme. Mais l'observation des lois du contraste, la séparation méthodique des éléments — lumière, ombre, couleur locale, réactions —, leur juste proportion et leur équilibre conféraient à cette toile une parfaite harmonie. » Les petits points qui parsèment le chapeau du baigneur (*page de droite*) furent ajoutés par Seurat en 1887.

Georges Seurat (1859-1891). *Une baignade, Asnières*. 1883-84. Toile. H. 2 m, L. 3 m.

Georges Seurat. *Une baignade, Asnières*. Détail.

MANIFESTE DU POINTILLISME, *Un dimanche après-midi à l'île de la Grande Jatte* (*page de droite, en bas*) fit l'effet d'une bombe lorsqu'il fut présenté à l'ultime exposition du groupe impressionniste en 1886. Pour la première fois, sur les franges d'un mouvement qui commençait à se fissurer et à douter de lui-même, une nouvelle école surgissait, fondée sur l'utilisation régulière du « petit point » et sur l'excitation méthodique de la rétine grâce à la séparation des teintes. Pour Seurat la couleur devait désormais se fondre dans l'œil (mélange optique) et non plus sur la palette (mélange chimique). « Monotone et patiente tavelure », selon le mot de Fénéon, cette vaste composition fut précédée de nombreuses études très fouillées sur de petits panneaux en bois, où Seurat utilise encore, pour sa brièveté, la facture des impressionnistes (*à droite, en haut et ci-dessous*). Dans ces « croquetons », l'artiste ne respecte pas la perspective classique. La ligne de fuite est écrasée, le sol quasi vertical. C'est seulement dans les dernières notations et dans le tableau final qu'il se pliera rigoureusement au schéma spatial hérité de la tradition.

Meyer Schapiro a observé que la plupart des personnages du premier plan sont présentés en strict profil, quelle que soit leur situation dans l'espace, comme s'ils étaient disposés en arc de cercle autour du peintre — lui-même placé à droite de la scène. Seurat poursuivit avec acharnement en 1884 et 1885 la préparation de son tableau. « Il était tellement absorbé par son œuvre, raconte John Rewald, que parfois il refusait même de déjeuner avec ses meilleurs amis, craignant de rompre sa concentration. Lorsqu'il voyait Angrand, qui peignait au même endroit, Seurat le saluait sans même déposer sa palette, ne détachant guère ses yeux mi-clos du motif. » Il travaille à l'île le matin, à l'atelier l'après-midi, quelquefois avec un modèle, se contentant de grignoter, pour tout repas, un croissant ou un bout de chocolat. Grimpé sur une échelle, sans jamais prendre de recul, il dispose patiemment sur l'immense surface — aussi grande que la *Baignade* (page 278) — des milliers de petites touches colorées. Il exécute ses groupes à tour de rôle, comme autant de tableaux séparés.

La Grande Jatte sera comme d'habitude mal accueillie par la critique — qui trouvera le tableau « inénarrable ». On dénonce « les bonshommes en bois » de cette « fantaisie égyptienne » (Mirbeau). « Bientôt, rapporte Fénéon, la colère de l'intrus, d'abord éparse sur les quarante personnages, se localisait, phénomène mal explicable, sur le singe tenu en laisse par la dame du premier plan et spécialement sur sa queue en spirale. Il semblait que cette nostalgique bestiole et cette queue fussent là pour insulter nommément toute personne qui franchissait le seuil. » Côté artistes, la toile fait sensation. « Les naturalistes, raconte Signac, y virent une ribouldingue dominicale de calicots, d'apprentis charcutiers, de femmes à la recherche d'aventures, tandis que Paul Adam admirait dans la raideur des personnages des cortèges pharaoniques, et que l'hellène Moréas y voyait des processions panathénaïques. » Or, pour Seurat, le sujet n'était qu'un prétexte : « J'aurais bien peint, dans une autre harmonie, le combat des Horaces et des Curiaces. »

Georges Seurat (1859-1891). *Un dimanche après-midi à l'île de la Grande Jatte* (esquisse). 1884-86. Huile sur bois. H. 0,16 m, L. 0,25 m.

Georges Seurat. *Étude pour la Grande Jatte.*1884-85. Huile sur bois. H. 0,16 m, L. 0,25 m.

Georges Seurat. *Un dimanche après-midi à l'île de la Grande Jatte.* 1884-86. Toile. H. 2,06 m, L. 3,06 m.

Dans l'immobilité solennelle de ces figures de frise, les débuts de la révolution pointilliste.

Seurat donne la même densité sculpturale à ses rochers et à ses femmes.

UNE EXCEPTIONNELLE DENSITÉ MOLÉCULAIRE semble, dans chacun de ces deux tableaux, souder le motif central. La figure humaine (*à droite*) n'est pas moins compacte et rigide que le roc trapu de Grandcamp ramassé comme une bête aux aguets, dont Fénéon disait qu'il « opprimait » la mer. On croirait qu'en renforçant la massiveté de ses formes, Seurat veut échapper aux dangers de l'éparpillement optique. Il n'utilise pas le « petit point » pour faire éclater les volumes, mais au contraire pour en accroître la

puissance, la luminosité et la vibration. Dans le portrait de sa compagne, Madeleine Knobloch, Seurat semble vouloir transfigurer toute la vulgarité de l'époque : bibelots de bambou, coiffure « sculpturale », dessin tarabiscoté des objets de toilette. En nous assénant « l'imposante présence d'une midinette épaisse transformée en icône » (Germain Viatte), il tente manifestement une gageure : donner une force marmoréenne, une sorte d'éternité à l'anecdote la plus futile, prouver que le thème importe beau-

coup moins que la manière dont il est construit plastiquement. Dans le cadre accroché en haut du tableau, l'artiste avait primitivement peint son propre visage. Il le remplaça, sur le conseil d'un ami, par cette curieuse nature morte brutalement décentrée.
C'est seulement à la mort de Seurat, emporté à trente et un ans par une diphtérie maligne, que ses plus proches amis découvrirent l'existence de Madeleine et de leur enfant, âgé de treize mois. Sévère, concentré, Seurat ne se livrait que par mono-

syllabes. Sa vie privée était impénétrable. Son modèle : Delacroix. Il avait lu l'essai de Charles Blanc sur le grand romantique français où celui-ci est décrit « retiré en lui-même, silencieux, solitaire, inventant, dessinant, peignant sans relâche, et tenant sa porte verrouillée pour avoir la fièvre à son aise ». L'abondance d'une production qui atteignit plus de deux cents tableaux malgré les lenteurs techniques du divisionnisme et une mort précoce témoigne de l'acharnement de Seurat au travail.

Georges Seurat (1859-1891). *Le Bec du Hoc, Grandcamp*. 1885. Toile. H. 0,64 m, L. 0,81 m.

Georges Seurat. *Jeune Femme se poudrant.* 1889-90. Toile. H. 0,95 m. L. 0,79 m.

D'un zigzag intrépide, Van de Velde dégage au cœur de la toile un désert de lumière.

CERNÉ PAR UNE LIGNE EN DENTS DE SCIE, un large espace vierge s'offre à la patience du peintre. On admire dans *Blankenbergue* l'ampleur d'un découpage qui emboîte comme dans un puzzle des surfaces anguleuses et qui puise une précaire stabilité dans l'unité de la texture. Piqueté méthodiquement par Van de Velde, le « petit point » donne à toute la toile le même frémissement lumineux. En dégageant le centre de sa composition l'artiste annonce, sur un mode beaucoup plus aérien, l'audacieux parti d'un Van Gogh dans *le Pré clôturé* (pages 248-249). Henry Van de Velde est la principale figure du divisionnisme belge. Il a vingt-quatre ans en 1887 quand il voit *la Grande Jatte* de Seurat à l'exposition bruxelloise du groupe des Vingt. Il abandonne sa manière rustique, inspirée de Millet, pour se lancer dans la peinture « scientifique » que Paris vient de découvrir. Il exécutera dans cette facture plusieurs œuvres très audacieuses. Installé dans la cabine de bain de son frère, à Blankenbergue, toute la plage étalée devant lui, il étudie et il dessine, se formant peu à peu aux idées nouvelles. Disciple de William Morris, ses préoccupations sociales vont bientôt

l'éloigner de la peinture. Dès 1893, Van de Velde devient l'un des principaux médiateurs entre l'« Art and Crafts » anglais et l'Europe continentale. Il compte parmi les fondateurs de l'Art nouveau. Partisan d'une esthétique collective et du machinisme, il observe avec de plus en plus de méfiance les objectifs des pointillistes, auxquels il reproche de rester enfermés dans une conception périmée de l'artiste et de s'appuyer sur des doctrines beaucoup moins scientifiques qu'elles n'en ont l'air. « Je croyais Seurat plus maître de la science des couleurs, écrira-t-il plus tard à John Rewald. Ses tâtonnements, ses démêlés avec celle-ci, la confusion de ses explications concernant sa "soi-disant" théorie me déroutent... Ceux qui reprochaient à *la Grande Jatte* de manquer de luminosité avaient raison autant que voyaient juste ceux qui constataient le pauvre jeu et apport des complémentaires. » Toutefois, Van de Velde devait reconnaître le rôle historique de Seurat : « Il a inauguré une ère nouvelle dans la peinture : celle du *retour au style*. Le destin en avait décidé ainsi. Il lui avait fait découvrir une technique, celle du pigment, qui devait fatalement aboutir à la stylisation. »

Henry Van de Velde (1863-1957). *Blankenbergue*. 1888. Toile. H. 0,71 m, L. 1 m.

Entre ses modèles et lui,
Seurat interpose une trame serrée
de menues tavelures.
Notre recul crée le modelé.

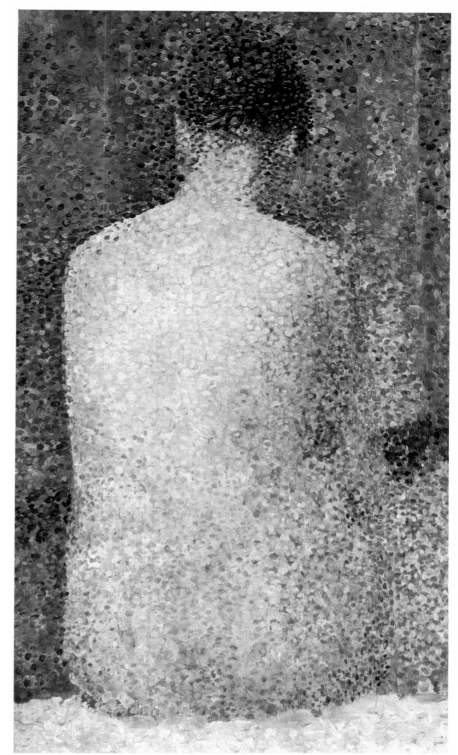

Georges Seurat. *Poseuse de dos.* 1887. Huile sur bois. H. 0,25 m, L. 0,16 m.

Georges Seurat (1859-1891). *Poseuse de profil.* 1887. Huile sur bois. H. 0,25 m, L. 0,16 m.
Détail à gauche.

C'EST UNE PATIENCE DE FOURMI que révèle le pointillé de Seurat observé en gros plan. Les petites études du Louvre comptent parmi les œuvres les plus exquises de l'artiste. On voit s'y déployer la prodigieuse exactitude des coups de pinceau qui construisent lentement, comme à tâtons, la délicatesse des contours féminins. « Le microscope, écrit le conservateur Germain Bazin, révèle que ces touches ne sont pas juxtaposées, mais disposées en plusieurs couches et liées entre elles comme les mailles d'un tissu. Il se dégage de ces œuvres une impression de pureté absolue, qui évoque Vermeer. » Petite, la touche « respire » davantage. Son élasticité permet d'éviter les craquelures, fréquentes dans les pâtes épaisses d'un contemporain comme Van Gogh. Seurat affirme, dans ces esquisses préparatoires pour les grandes *Poseuses* de la fondation Barnes, une sensibilité chromatique que l'œuvre finale, plus dessinée, n'atteint pas. Ce qu'il affronte ici, par-dessus l'héritage récent de l'impressionnisme, c'est la tradition du nu académique. Il nous livre une version puritaine et contenue de ces dos et de ces croupes dont Ingres, vingt ans plus tôt, a peuplé son voluptueux *Bain turc*. Chez Seurat comme chez l'auteur de *la Source*, le squelette, les tensions musculaires sont estompés. Le corps se réduit à un jeu de courbes tendres aux antipodes du naturalisme.

Pour habiller
la capiteuse féminité de leurs amies,
les peintres demandent à Utamaro
des recettes de simplicité.

Paul Signac (1863-1935). *Femme à la toilette, corset violet*. 1892. Encaustique sur toile marouflée. H. 0,59 m, L. 0,70 m.

C'EST UN HOMMAGE À LA MANIÈRE JAPONAISE que réalisent, la même année, Signac et Cross. Abonné au *Japon artistique,* Signac y puise les motifs décoratifs qui encadrent son jeune modèle. « Les bras pliés de la femme, écrit Françoise Cachin dans sa monographie sur le peintre, retrouvent les éventails japonais dans un ordonnancement de diagonales quadrillant la composition. » L'entrelacs des joncs sur les faïences découle de la même source. Mais l'œuvre évoque aussi un thème de Seurat, mort l'année précédente. Le traitement des bras nus rappelle la *Jeune Femme se poudrant* (page 283).

Signac était lié depuis 1884 à l'auteur de *la Grande Jatte,* son aîné de quatre ans. « Si l'on voulait faire de ce que l'on appelle encore le pointillisme une sorte de religion, écrit Thadée Natanson, elle se réclamerait de Delacroix et des impressionnistes comme prophètes, Seurat serait son Messie, mais Paul Signac en apparaîtrait le saint Paul. » Passionné dès l'adolescence par les nouvelles recherches, disciple de Monet dans ses premiers tableaux, aussi actif, bouillant et disert que Seurat était taciturne, Signac rassemble l'école divisionniste et fait de ce style confidentiel un mouvement d'ampleur internationale.

Voisin de Cross dans le Midi, il entretient des rapports réguliers avec le peintre modeste et probe de *la Chevelure* (à droite). Installé à Saint-Clair, sur les pentes des Maures, Cross, qui avait quitté Paris en 1891, inaugure loin de l'agitation de la capitale un pointillisme extrêmement radical où les objectifs synthétiques de Seurat sont peu à peu dépassés. Dans le tableau ci-contre, la simplification du contour s'accompagne d'une mise en valeur de la trame qui tire le tableau vers l'abstraction. Les plis réguliers de la chevelure annoncent — dans une facture beaucoup plus lisse — les femmes géométrisées de Léger.

Henri Edmond Cross (1856-1910). *La Chevelure.* 1892. Toile. H. 0,61 m, L. 0,46 m.

Il fallait le tempérament ardent de Signac pour se lancer dans une toile aussi éclatante et arbitrairement colorée que *la Rade de Portrieux* (*ci-dessous*). C'est l'année où Van Gogh cohabite avec Gauguin à Arles. Partout monte la même préoccupation d'une couleur indépendante, franchement dégagée de toute précision documentaire. Mais en même temps, Signac se sent tenu par la rude discipline à laquelle l'invite son ami Seurat. A propos de *Cassis, le cap Lombard* (*ci-contre*) que la critique trouve trop épuré, trop linéaire, il écrit dans son journal : « Je crois que je n'ai jamais fait de tableaux aussi "objectivement exacts" que ceux de Cassis. Il n'y a, dans ce pays, que du blanc ; la lumière reflétée partout mange des couleurs locales et grise les ombres. »

Paul Signac (1863-1935). *Cassis, le cap Lombard.* 1889. Toile. H. 0,66 m, L. 0,81 m.

Paul Signac. *La Rade de Portrieux.* 1888. Toile. H. 0,65 m, L. 0,81 m.

Dans ces marines désertées, anonymes, l'aridité des formes pures.

Georges Seurat (1859-1891). *La Grève du Bas-Butin, Honfleur.* 1886. H. 0,66 m, L. 0,82 m.

Georges Seurat. *Entrée de l'avant-port, Port-en-Bessin.* 1888. H. 0,54 m, L. 0,65 m.

GRÈVES DÉSERTES, PAYSAGES DE SILENCE : le pointillisme répugne aux thèmes pittoresques ou exotiques qui ont, à la même époque, les préférences de Gauguin. Seurat cherche le long de la Manche des sites inexpressifs et roides sur lesquels il projette un équilibre intemporel et une étrange lumière glauque.
Il n'est que de comparer avec les falaises lyriques de Monet, réalisées sur la même côte normande (pages 60-61), à quelques kilomètres de là, pour saisir combien Seurat exècre tout romantisme.
« Leur immensité angoisse », disait Félix Fénéon de ces « anti-paysages » qui semblent, dans leur sévère nudité, tourner le dos au spectateur. Ils révèlent pourtant, à l'examen, beaucoup de charme et de science. *Port-en-Bessin (en haut, à droite)* est fondé sur un jeu d'ovales en taches d'huile

qui figurent les ombres des nuages. Ils sont précédés, au premier plan, par une forme tronquée, de guingois, qui paraît flotter comme une soucoupe volante. La ponctuation blanche des voiles anime la surface translucide de l'eau. Même sobriété pour *la Grève du Bas-Butin (ci-dessus)*, qui rappelle certaine mise en page d'Hokusaï.
Seurat se préoccupait de contrôler la transition entre son tableau et le mur Beaucoup d'artistes reprendront le principe de ses bordures au « petit point », peintes sur la toile même, pour faire ressortir les teintes avoisinantes. Ainsi le Belge Van Rysselberghe dans une toile de 1892 *(ci-contre)*, qui est aussi sa meilleure œuvre. Les couleurs y sont beaucoup plus exaltées que chez Seurat et enveloppées dans une lumière dorée qui indique le motif nordique.

Théo Van Rysselberghe (1862-1926). *Gros Nuages, Christiana Fjord.* 1892. Toile. H. 0,51 m, L. 0,63 m.

Le « petit point »
échappe à l'esprit vétilleux de Seurat.
La touche explose en couleurs sauvages
et conquiert son autonomie.

Paul Signac (1863-1935). *Brise à Concarneau.* 1891. Toile. H. 0,66 m, L. 0,82 m.

EN RÉVOLTE OUVERTE contre le réalisme, Signac et Cross tendent vers une conception de la couleur libérée de toute fidélité à la nature. « Non, Monsieur Monet, écrit Signac dans son journal, en 1891, vous n'êtes pas naturaliste... Bastien-Lepage est beaucoup plus près de la nature que vous ! Les arbres dans la nature ne sont pas bleus, les gens ne sont pas violets... Et votre grand mérite est justement de les avoir peints ainsi, comme vous les sentez, et non tels qu'ils sont... » Un an plus tard : « L'horreur que j'ai de plus en plus du « petit point » est la haine de la sécheresse... » Encore trois ans et le voici qui note : « Le progrès à faire est de nous débarrasser de plus en plus de l'imitation impossible — et d'oser. » Dans *Brise à Concarneau* (ci-dessus) — qui rappelle une marine de Caspar David Friedrich sur le même thème — c'est le rythme penché des grandes voiles violettes qui retient son attention. Il souhaite, comme le notait

Fénéon à son propos, en 1890, « créer les exemplaires spécimens d'un art à grand développement décoratif qui sacrifie l'anecdote à l'arabesque, la nomenclature à la synthèse, le fugace au permanent ».
C'est Cross — le meilleur coloriste du groupe — qui s'aventurera le plus loin dans le dépassement du réalisme. Le bariolage de *la Vague* (*à droite*) eût paru incompréhensible à Seurat. Le pointillé s'y élargit aux proportions d'une hachure. Des petits espaces blancs séparent les touches pour les empêcher de se lier. Lyrisme et brutalité : nous sommes dans le fauvisme. Matisse vient en 1904 travailler dans le Midi, auprès de Cross et de Signac, pour se pénétrer de leur méthode (page 274).
Derain en 1905 à Collioure, Braque à l'Estaque et à La Ciotat, bientôt Delaunay (page 273) prolongeront à leur tour l'effort des divisionnistes pour accentuer l'autonomie de la couleur.

Henri Edmond Cross (1856-1910). *La Vague.* 1907. H. 0,46 m, L. 0,55 m.

Henri Edmond Cross (1856-1910). *Les Iles d'Or*. Vers 1892. Toile. H. 0,60 m, L. 0,75 m.

Le pointillé se change en alignement de signes. Le paysage devient surface et le tableau dallage abstrait.

L'ÉMANCIPATION DES DIVISIONNISTES commence dès la mort de Seurat. Ils se sentent plus proches de ses esquisses à grosse touche (en haut, à droite) que des tableaux définitifs où l'auteur du *Cirque* mène à terme la fusion des teintes dans l'œil du spectateur. La deuxième vague du néo-impressionnisme ne cherche nullement à estomper la facture. Au contraire : celle-ci devient le thème véritable du tableau. Cross, dans *les Iles d'Or*, dispose séparément chacun de ses coups de pinceau sur un fond uni. Il les aligne méticuleusement comme pour mieux en souligner le caractère arbitraire. Cette implantation d'une trame parallèle, où le point et la ligne deviennent peu à peu l'essentiel, anticipe sur les diverses formes d'art programmé et systématique qui verront le jour au XXᵉ siècle. « Que nous offre la nature ? demande Cross dans ses Carnets. Le désordre, le hasard, des trous. [Il faut] opposer à ce désordre, à ce hasard, à ces trous de l'ordre et de la plénitude. » Il ajoute, en 1902 : « Je reviens à l'idée d'harmonies chromatiques établies de toutes pièces (pour ainsi dire) et en dehors de la nature, comme point de départ. »
Ce qui émerge ici, à travers Cross et ses successeurs, c'est l'autonomie de la texture. Le paysage n'est plus l'essentiel — mais la surface. L'histoire de cette émancipation se lit dans la progression des trois œuvres ci-contre. Chez Kandinsky la touche, jetée sur la toile nue, a des luisances d'opale. Chez Mondrian la dune n'est plus qu'un dallage régulier et frontal aux limites de la non-figuration.

Georges Seurat (1859-1891). *Étude pour Fort Samson, Grandcamp*. 1885. Huile sur bois. H. 0,15 m, L. 0,25 m.

Wassili Kandinsky (1866-1944). *Cabines de plage en Hollande*. 1904. Huile sur carton. H. 0,24 m, L. 0,33 m.

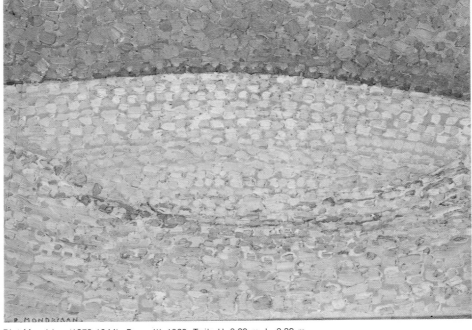

Piet Mondrian (1872-1944). *Dune III*. 1909. Toile. H. 0,29 m, L. 0,39 m.

L'artiste accueille avec enthousiasme les monuments les plus avancés de son époque. Il invente ses propres techniques de pointe.

Partisan de la tour Eiffel en un temps où son érection suscitait de violentes campagnes d'hostilité de la part de personnalités illustres — Meissonier, Huysmans, Gounod, etc. — Seurat dut reconnaître dans ce splendide exploit d'ingénieur quelque chose de sa propre méthode. Meyer Schapiro a établi un parallèle entre le pointillé de l'artiste et l'édification de la tour, fondée sur l'assemblage de petites poutrelles

Louis Hayet (1864-1940). *Construction de la tour Eiffel.* 1887. Aquarelle sur calicot préparé. H. 0,17 m, L. 0,23 m.

Georges Seurat (1859-1891). *La Tour Eiffel.* 1889. Huile sur bois. H. 0,24 m, L. 0,15 m.

d'acier identiques qui composent à la fin une seule image harmonieuse. Réalisée à une vitesse stupéfiante — en deux ans avec deux cents ouvriers —, la tour exprimait le triomphe du rationalisme constructif et du progrès technique — thèmes familiers aux divisionnistes.
A l'époque de l'esquisse présentée ici, exécutée par Seurat avant la fin des travaux, l'immense carcasse n'avait pas encore son aspect définitif.
Pour la préserver de la rouille, Eiffel était en train de la couvrir d'une encaustique de sa fabrication qui allait du rouge cuivre, pour le premier étage, au jaune vif, pour le sommet. On croit percevoir quelque chose de ce dégradé dans la pochade du peintre.

Louis Hayet. *Place de la Concorde.* 1888. Huile sur panneau.

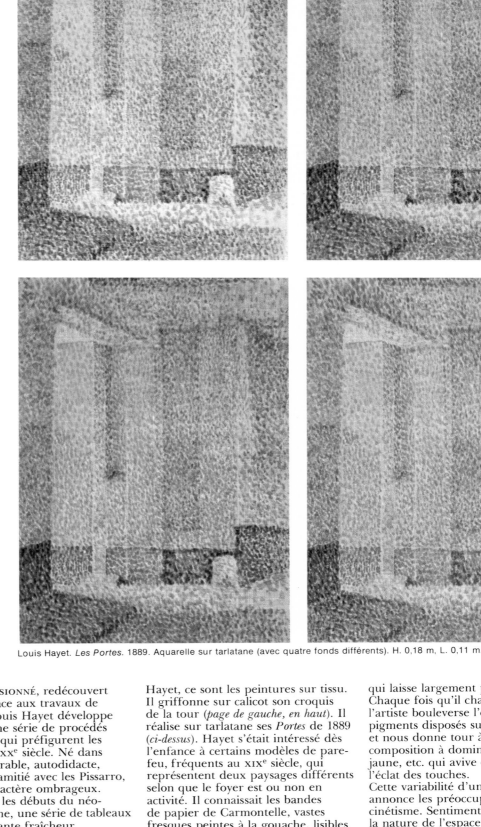

Louis Hayet. *Les Portes*. 1889. Aquarelle sur tarlatane (avec quatre fonds différents). H. 0,18 m, L. 0,11 m.

INVENTEUR PASSIONNÉ, redécouvert récemment grâce aux travaux de Jean Sutter, Louis Hayet développe en marginal une série de procédés très modernes qui préfigurent les recherches du XXᵉ siècle. Né dans un milieu misérable, autodidacte, Hayet se lie d'amitié avec les Pissarro, malgré son caractère ombrageux. Il produit, dès les débuts du néo-impressionnisme, une série de tableaux d'une surprenante fraîcheur.

Sa *Place de la Concorde* (*ci-contre*), faite de touches dansantes et légères, est construite sur cinq verticales à demi rongées par une lumière très fluide. Au fond : la tour Eiffel, alors en construction.

Mais ce qui étonne le plus chez Hayet, ce sont les peintures sur tissu. Il griffonne sur calicot son croquis de la tour (*page de gauche, en haut*). Il réalise sur tarlatane ses *Portes* de 1889 (*ci-dessus*). Hayet s'était intéressé dès l'enfance à certains modèles de pare-feu, fréquents au XIXᵉ siècle, qui représentent deux paysages différents selon que le foyer est ou non en activité. Il connaissait les bandes de papier de Carmontelle, vastes fresques peintes à la gouache, lisibles par transparence. Enfin, décorateur au théâtre de Lugné-Poe, il avait eu l'occasion d'expérimenter à la scène certains problèmes d'éclairage. L'œuvre de 1889, reproduite ici quatre fois avec quatre fonds différents, est peinte sur un tissu léger qui laisse largement passer la lumière. Chaque fois qu'il change de fond, l'artiste bouleverse l'équilibre des pigments disposés sur la tarlatane et nous donne tour à tour une composition à dominante rouge, bleue, jaune, etc. qui avive ou qui atténue l'éclat des touches.

Cette variabilité d'une même surface annonce les préoccupations du cinétisme. Sentiment renforcé par la nature de l'espace représenté sous le titre de *Portes* : plans flottants, interpénétration du dedans et du dehors, chevauchements des plages lumineuses. Toutes formules qui anticipent sur les *Fenêtres* de Delaunay en 1912 et sur les *Expansions sphériques* de Severini en 1914.

Georges Seurat (1859-1891). *Le Cirque*. 1890-91. Toile. H. 1,86 m, L. 1,51 m.

UNE GESTICULATION ENDIABLÉE envahit brusquement l'art de Seurat dans les deux dernières années de sa vie. Le peintre des fixités pensives et des paysages immuables révèle coup sur coup dans deux vastes toiles une vitalité explosive qui fait de lui un des pères du modern style. La leçon de Chéret, dont l'artiste — d'après Verhaeren — étudiait et collectionnait les affiches, est sensible dans *le Chahut* (*à droite*). Moustaches en accroche-cœur auxquelles répondent les lèvres retroussées de la danseuse et du noceur, perpendiculaires décoratives de la queue-de-pie et des rubans sur les épaules et les chaussons des ballerines, étrange similitude des jambes masculines et féminines : tout ici exprime le goût du détail bizarre, de la trouvaille *kitsch*.

Cette exubérance ne doit cependant pas masquer l'extrême rigueur de la construction. Dans *le Chahut* comme dans *le Cirque* (*ci-dessus*) Seurat inscrit son réseau de diagonales sur un fond géométrique régulier. Dans les deux cas, un personnage, au premier plan, stabilise la composition. Entre ce fond et ce premier plan, les ruptures s'organisent, l'auteur disposant dans l'espace intermédiaire des rythmes très concertés : courbes en forme d'arc dans *le Chahut* (les jambes des danseuses) ; carré sur la pointe dans le cas du *Cirque*, dont les angles sont à peu près le cou de l'écuyère, la patte antérieure gauche du cheval, l'avant-bras droit du clown et l'épaule gauche du dompteur. « M. Seurat sait bien qu'une ligne, indépendamment de son rôle topographique, possède une valeur abstraite évaluable », écrit Félix Fénéon en 1889, reprenant ici le point de vue de Charles Henry, théoricien et ami des divisionnistes, qui attribuait une fonction exaltante ou déprimante aux axes des tableaux selon leur direction.

Le Cirque est la dernière œuvre de Seurat. C'est en l'accrochant aux Indépendants qu'il attrapa le mal qui devait le tuer. Quelques jours avant sa fin brutale, il se tenait dans la salle d'exposition quand Puvis de Chavannes entra. « Puvis regarda, raconte Angrand, au voisinage de la porte d'entrée, les dessins de Denis, fit le tour lentement. "Il va s'apercevoir, me dit Seurat, de la faute que j'ai faite dans mon cheval." Mais Puvis passa sans s'arrêter. Et ce lui fut une déception cruelle. »

Le Chahut fut acheté quatre cents francs en 1897, *le Cirque* cinq cents en 1900. « La pauvre mère Seurat est bien inquiète de ce que deviendront les grandes toiles de son mari après sa mort, écrit Signac dans son journal, en 1898. Elle voudrait bien les léguer à un musée [...] Mais quel est le musée qui voudrait, aujourd'hui, les agréer ? »

Dans les arabesques chahutées du dernier Seurat, une géométrie en folie.

Georges Seurat. *Le Chahut*. 1889-90.
Toile. H. 1,69 m, L. 1,41 m.

Au seuil du XXᵉ siècle,
l'artiste rêve d'une science de l'art.
Le tourbillon des complémentaires
annonce le tohu-bohu
des temps nouveaux.

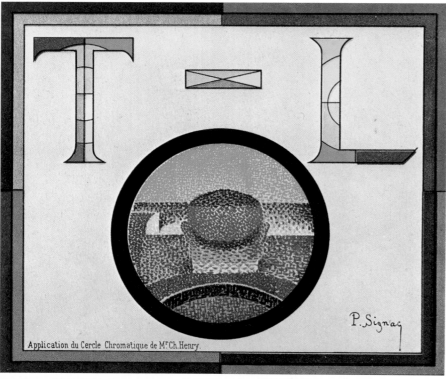

Paul Signac (1863-1935). *Programme pour le Théâtre-Libre*. 1888-89. Lithographie. H. 0,16 m, L. 0,18 m.

SYNTHÈSE D'UNE ÉPOQUE, le portrait du grand critique Félix Fénéon, décrypteur de Rimbaud, principal défenseur de Seurat, théoricien du divisionnisme, résume en quelques signes le climat du milieu artistique à la fin du XIXᵉ siècle. Le cyclamen géant des symbolistes, la silhouette américaine émergeant dans un mouvement d'étoiles, le dandysme de la barbiche, du chapeau et de la canne se détachent sur un étonnant graphisme tournoyant, décoratif et astrologique inspiré d'un modèle japonais. « Il s'agit ici, écrit Françoise Cachin, d'un motif de kimono extrait d'un recueil anonyme des années 1860-1880. Signac a supprimé les motifs traditionnels comme le Yin-Yang, qui signalaient trop littéralement leur origine, et leur a substitué, dans des tranches identiques dont le centre est légèrement décalé pour répondre aux besoins du nombre d'or, des motifs réguliers d'arabesques propres à servir son système du contraste des teintes. » Nom complet du tableau : *Sur l'émail d'un fond rythmique de mesures et d'angles, de tons et de teintes, portrait de M. Félix Fénéon en 1890.* Les objectifs rationa-

listes de Signac apparaissent dans ce titre, ainsi que l'influence du théoricien Charles Henry qui voulait quantifier les émotions et faire de l'art une science exacte. Robert Delaunay, ami d'Henry, et semble-t-il aussi de Fénéon, reprendra dans ses *Formes circulaires* et ses *Hélices* l'idée d'une dynamique pure de la couleur entraînant l'œil du spectateur dans une giration sans fin.

Dans la litho destinée au Théâtre-Libre, dont l'aspect aride et programmatique annonce les planches didactiques du Bauhaus et le charme de certaines étiquettes scolaires, Signac dispose deux cercles chromatiques dont il ne laisse subsister que les parties apparentes sur la surface des lettres T et L (ces deux cercles peuvent être reconstitués avec un compas). Les couleurs sont réparties selon un ordre prévu par Charles Henry, de bas en haut pour la lettre T et de haut en bas pour la lettre L. Dans le rond central — où figure la nuque d'un spectateur devant une scène de théâtre — Signac se livre à un brillant exercice de contraste simultané.

Paul Signac. *Portrait de Félix Fénéon*. 1890. Toile. H. 0,74 m, L. 0,95 m.

LEUR COTE

par François Duret-Robert

Nous indiquerons toujours entre parenthèses l'équivalent en francs 1971 des sommes mentionnées dans ce texte. Pour qu'aucune confusion ne soit possible, nous ferons suivre ces traductions en francs 1971 par l'abréviation F et les sommes en monnaie de l'époque par « francs » en toutes lettres.

Vers 1860, l'amateur de tableaux était un homme heureux. Rien ne lui était plus aisé que de déceler le talent chez un peintre. Il lui suffisait de constater que celui-ci savait correctement appliquer les recettes et les formules que l'on enseignait à l'École des beaux-arts.

L'amateur pouvait même se dispenser d'un tel effort. Des personnalités dont la compétence était unanimement reconnue — les membres du jury — se chargeaient de séparer le bon grain de l'ivraie, en expulsant du Temple de l'Art ou, si l'on préfère, du Salon, les brebis galeuses. Ces messieurs poussaient la conscience professionnelle jusqu'à établir une stricte hiérarchie entre ceux dont ils acceptaient les œuvres afin que le visiteur fût en mesure de doser à bon escient les témoignages de son admiration. Aussi pouvait-on, sans crainte de se tromper, regarder avec sympathie les toiles d'un peintre qui avait obtenu une mention honorable, contempler avec intérêt celles du bénéficiaire d'une médaille — avec les nuances qui s'imposaient selon qu'il s'agissait d'une médaille de deuxième classe ou d'une médaille d'honneur —, s'exclamer enfin d'enthousiasme devant les chefs-d'œuvre d'un maître, c'est-à-dire d'un membre de l'Institut.

Bien entendu, la cote des tableaux modernes s'établissait en fonction des mêmes critères. Aucun amateur sérieux n'eût songé à acquérir un tableau refusé au Salon — le dénommé Jongkind, qui avait vendu un paysage quelques jours avant l'ouverture dudit Salon, s'était vu contraint de rembourser l'acheteur, le tableau ayant été blackboulé par le jury — ni à payer aussi cher l'œuvre d'un médaillé de deuxième classe que celle d'un académicien.

Tout était donc pour le mieux dans le meilleur des mondes.

Hélas! Cet admirable système, qui épargnait le doute aux amateurs, devait être troublé par un certain Manet, bientôt secondé dans ses entreprises néfastes par une bande de perturbateurs qui avaient nom Monet, Renoir, Cézanne...

Ces messieurs — de véritables hors-la-loi — n'entendaient-ils pas montrer leurs barbouillages au public dans des expositions privées sans qu'un aréopage d'académiciens ait son mot à dire? Ils pratiquaient, en quelque sorte, l'exercice illégal de la peinture. Devant un tel scandale, les honnêtes gens prirent le seul parti qui convenait — celui de rire. On s'esclaffa devant l'*Olympia*. On s'esbaudit devant les Monet, les Renoir ou les Cézanne à l'occasion des expositions organisées à partir de 1874.

Le plus étrange, c'est que ces soi-disant artistes avaient trouvé, vers 1870, un marchand pour les soutenir. Il s'agissait, il est vrai, d'un homme qui avait déjà fait la preuve de ses goûts excentriques en défendant Corot et l'école de Barbizon : Paul Durand-Ruel. Le voilà maintenant qui s'était mis en tête d'imposer Manet, Monet, Renoir, etc. Et il leur achetait des tas de toiles. Les prix auxquels il les payait n'étaient évidemment pas exorbitants — de 400 à 3 000 francs (1 300 à 10 000 F) les Manet, 800 francs (2 700 F) les Degas, 300 francs (1 000 F) les Monet, 200 francs (680 F) les Pissarro, les Renoir et les Sisley — mais personne d'autre n'eût accepté de dilapider ainsi son argent. Car il va sans dire que ces croûtes étaient invendables. Les collectionneurs pouvaient presque se compter sur les doigts de la main, qui consentaient à accrocher chez eux de telles horreurs.

Parmi eux se trouvait le chanteur Faure qui n'hésitait devant aucun moyen pour se singulariser : n'avait-il pas poussé la folie jusqu'à payer 6 000 francs (20 300 F) *le Bon Bock* de Manet et

5 000 francs (17 000 F) *la Classe de danse* de Degas? Il est vrai que ce dernier peintre méritait quelque indulgence : il se réclamait d'Ingres. Et l'on pouvait espérer qu'il finirait, après ses erreurs de jeunesse, par rentrer dans le droit chemin — celui de l'académisme. Quant à ses amis, leur cas était désespéré. Tous les gens sérieux s'accordaient à dire que leurs œuvres étaient sans valeur. Il n'était d'ailleurs, pour s'en assurer, que de jeter un coup d'œil sur les comptes rendus des ventes publiques : à l'hôtel Drouot, la cote de Manet et des impressionnistes était, après quelques fluctuations, pratiquement tombée à zéro. Lors de la vente Hoschedé, en juin 1878, l'on pouvait devenir propriétaire d'une toile de Manet pour 315 francs (1 070 F), de Monet pour 60 francs (200 F), de Renoir pour 31 francs (110 F), de Sisley pour 21 francs (72 F), de Pissarro pour 7 francs (24 F).

La cause était entendue.

Et pourtant, dès les années 1880 les événements prirent un tour plus inquiétant. La vente de l'atelier Manet, en février 1884, ne fut pas « le four » qu'escomptaient les bien-pensants. Certes l'*Olympia* dut être retiré de la vente, faute d'enchères à 10 000 francs (36 200 F) mais *Chez le père Lathuile* atteignit 5 000 francs (18 100 F) et *le Bar aux Folies-Bergère* 5 850 francs (21 200 F). Les pessimistes croyaient même déceler quelques indices d'un retournement de l'opinion en faveur des impressionnistes : Renoir, depuis son succès au Salon de 1879, n'était-il pas reçu dans certains salons du Tout-Paris? Et ne s'était-il pas trouvé, en 1886, quelques collectionneurs pour payer des Monet jusqu'à 1 200 francs (4 300 F)? Il n'y avait pas lieu, à vrai dire, de s'inquiéter outre mesure. Certains événements démontraient, s'il en était besoin, que tous les amateurs d'art n'avaient pas perdu leur bon sens. C'était d'abord la quasi-déconfiture de Durand-Ruel. On l'avait pourtant bien prévenu. Mais ni les mises en garde des collectionneurs avisés, ni les conseils de ses amis n'avaient eu raison de son entêtement à soutenir les impressionnistes. Aussi avait-il perdu ses derniers clients sérieux. Au bord de la faillite, il n'avait rien trouvé de mieux que de s'embarquer pour l'Amérique — le pays de Buffalo Bill et des Peaux-Rouges! — avec son stock de laissés-pour-compte. C'était surtout le juste triomphe remporté dans les ventes publiques par les chefs-d'œuvre des grands maîtres. En 1886, *les Communiantes* de Jules Breton se vendaient 225 000 francs (815 000 F); en 1887, *le Marché aux chevaux* de Rosa Bonheur était adjugé 268 500 francs (973 000 F); la même année, *Friedland* de Meissonier atteignait 336 000 francs (1 216 000 F). Après de tels succès, les partisans de l'impressionnisme auraient eu mauvaise grâce à monter en épingle les quelques milliers de francs obtenus par certains Monet ou certains Renoir.

Les choses se gâtèrent vers 1890. Déjà, au cours des années précédentes, l'on avait eu à déplorer quelques trahisons. Les plus sûrs partisans du grand Art — l'art officiel s'entend — avaient commencé à pactiser avec l'ennemi. Ainsi Georges Petit, dont la somptueuse galerie avait été jusqu'alors l'un des sanctuaires de l'académisme, avait décidé d'accorder droit d'asile aux impressionnistes.

Les Pouvoirs publics, eux-mêmes, avaient perdu leur belle intransigeance d'antan. En mai 1892, le directeur des Beaux-Arts n'avait-il pas eu l'idée stupéfiante de commander un tableau à Renoir? Quelques mois plus tard, le Renoir était accroché au musée du Luxembourg.

Les honnêtes gens n'avaient eu que le temps de digérer cet affront qu'un autre danger les menaçait; et d'une tout autre ampleur, celui-là. En février 1894 était mort Caillebotte. Par testament il léguait à l'État sa collection — si l'on pouvait qualifier de collection un ensemble de soixante-sept tableaux impressionnistes. Un mois plus tard, le comité consultatif des musées recommandait l'acceptation du legs! Quelques fonctionnaires avaient beau faire de louables efforts pour conjurer la menace, le vénérable peintre Gérome avait beau lancer de solennels avertissements, les Pouvoirs publics avaient beau, dans un dernier sursaut de conscience, refuser onze Pissarro, huit Monet, trois Sisley, deux Renoir et deux Cézanne, la catastrophe ne pouvait être évitée : trente-huit tableaux impressionnistes faisaient leur entrée au musée du Luxembourg. Et Bouguereau de constater, sans chercher à dissimuler sa stupéfaction : « Il y a pourtant des gens qui aiment ça, puisque ça se vend. »

Bouguereau avait hélas! raison : les impressionnistes commençaient à bien se vendre. Dès 1892, les tenants de la nouvelle peinture avaient pu, sans faire éclater de rire leurs interlocuteurs, parler de « consécration » pour Monet, Renoir, Pissarro. Puis la mort de Sisley, en 1899, donnait le signal d'une vive hausse de l'impressionnisme.

Avec consternation, les partisans de l'Institut pouvaient constater, à l'orée du XXe siècle, que les Monet trouvaient facilement preneurs pour 20 000 francs (77 000 F) chez Durand-Ruel — celui-ci, au lieu de sombrer corps et biens dans la lointaine Amérique, y avait, contre toute attente, découvert la voie de la fortune — que des Renoir atteignaient couramment 10 000 ou 15 000 francs (38 000 ou 57 000 F) à l'hôtel Drouot, des Sisley 8 000 ou 10 000 francs (31 000 ou 38 000 F), des Pissarro 5 000 ou 7 000 francs (19 000 ou 31 000 F). Et lorsqu'il s'agissait d'un prétendu chef-d'œuvre, ces chiffres étaient pulvérisés : le comte de Camondo s'était fait adjuger, en mars 1900, l'*Inondation à Port-Marly* de Sisley pour 43 000 francs (161 000 F).

Il n'était jusqu'aux Cézanne qui ne se vendaient maintenant à des prix insensés : parfois jusqu'à 5 000 ou 7 000 francs (19 000 ou 27 000 F).

Ce n'était qu'un début.

Pendant une trentaine d'années, les fervents des grands maîtres — Meissonier, Bouguereau, Cabanel... — devraient assister à la lente déconfiture de leurs idoles tandis que l'adversaire ne cesserait de claironner ses bulletins de victoire. De ceux-ci, voici quelques échantillons : en 1907 un Renoir atteignait l'équivalent de 315 000 F, en 1912 un Degas l'équivalent de 1 425 000 F et un Gauguin l'équivalent de 103 000 F.

Pourtant, en cette même année 1912, il s'était produit un événement réconfortant : *Salomé*, l'œuvre d'un ancien grand prix de Rome, peintre académique s'il en fut, Henri Regnault, avait été adjugé 480 000 francs (1 570 000 F). Était-ce le signe d'un retour au bon sens, le commencement de la fin pour les peintres hérétiques ? Hélas non ! Dès 1918 la hausse des impressionnistes reprenait de plus belle. Qu'on en juge : en 1923, les Durand-Ruel parvenaient à vendre le *Déjeuner des canotiers* de Renoir pour 200 000 dollars (3 180 000 F).

Et l'on s'arrachait les œuvres des plus fous. En 1925, un Cézanne atteignait en vente publique l'équivalent de 417 000 F et, en 1926, le Dr Barnes achetait *les Poseuses* de Seurat pour 943 000 F.

Le dernier partisan de l'académisme — s'il en restait un — était forcé de se rendre à l'évidence : les impressionnistes et leurs successeurs immédiats avaient définitivement gagné la partie.

Cependant, l'on devait, dès 1929, assister à la chute de leur cote. Mais cette chute n'était point la conséquence d'une disgrâce de l'impressionnisme, le signe d'un revirement du goût. Seul responsable de la baisse : un cataclysme économique et financier. Un sombre jeudi du mois d'octobre 1929, la Bourse de New York s'était effondrée et la crise avait déferlé sur l'Europe. Rien ne valait plus rien. Encore était-ce les œuvres d'art qui semblaient avoir le mieux résisté à la tourmente. Lorsque, en décembre 1932, le banquier Blumenthal vendait sa collection, il perdait 30 % sur ses prix d'achat. A ses amis qui lui présentaient leurs condoléances, il rétorquait : « Je suis ravi. C'est un succès inespéré : sur mes valeurs, je perds 75 %. »

A dire vrai, certains tableaux impressionnistes ne se comportaient guère mieux que les valeurs du sieur Blumenthal. Sur quelques Renoir, l'on enregistrait, en 1936, des baisses de l'ordre de 80 % par rapport aux prix qu'ils avaient atteints en 1925. Il faut reconnaître que ces Renoir dataient de la dernière époque du maître, la plus discutée. Les chefs-d'œuvre se défendaient beaucoup mieux. D'autant que les Durand-Ruel avaient déclenché une contre-offensive, sur le marché américain, en acceptant de racheter les toiles vendues par eux lors des années précédentes aux prix où ils les avaient cédées. Cependant, à la veille de la Seconde Guerre mondiale, les tableaux impressionnistes ne s'étaient pas encore tout à fait remis du coup de massue que leur avait asséné la crise de 1929.

Lorsque, en mai 1952, Mme Walter se fit adjuger une nature morte de Cézanne pour trente-trois millions de francs (648 000 F), l'on cria presque au scandale. A ce geste qui paraissait insensé, l'on chercha mille explications. Une seule aurait pu suffire : le prix payé pour *Pommes et biscuits* n'avait rien d'excessif si l'on tenait compte de l'évolution récente de la cote de l'impressionnisme (au sens large du terme). Car, depuis quelques années, les conséquences de la crise de 1929 avaient été effacées et les tableaux impressionnistes avaient repris leur progression. L'effet de surprise tenait à ce que l'on avait oublié de traduire en monnaie du jour les prix d'avant 1929 et que l'on ignorait ceux auxquels s'étaient conclues, depuis la fin de la Seconde Guerre, quelques ventes à l'amiable. L'adjudication du Cézanne fit donc l'effet d'une bombe ; et l'on s'accorda pour dire que Mme Walter venait ainsi de donner le signal de la course aux prix que devaient, dès lors, disputer les impressionnistes, les post- et les néo-.

Périodiquement les journaux pourraient annoncer qu'un nouveau record venait d'être battu. Rappelons quelques péripéties de cette course. En 1964 Cézanne prenait la tête du peloton, ses *Grandes Baigneuses* ayant été vendues 500 000 livres (8 600 000 F). En 1967, Monet s'octroyait la deuxième place grâce aux 560 000 guinées (8 150 000 F) obtenues par la *Terrasse à Sainte-Adresse*. Mais dès 1968 il était coiffé par Renoir dont *le Pont des Arts* atteignait 1 550 000 dollars (8 600 000 F). En 1970, Seurat faisait une apparition inattendue dans le groupe de tête : la version réduite des *Poseuses* était adjugée 410 000 guinées (5 785 000 F). La même année, Van Gogh réalisait une performance digne d'éloge : *le Cyprès et l'arbre en fleur* se vendait 1 300 000 dollars (7 280 000 F). Récemment, Cézanne aurait-il laissé sur place tous ses concurrents ? L'on prétend, en effet, que le prix payé par le Metropolitan Museum pour le *Portrait de Louis-Auguste Cézanne* se situerait aux alentours de 10 000 000 F. Mais il ne s'agit là que d'un on-dit. Attendons donc une confirmation pour proclamer le classement officiel. Il est d'ailleurs inutile de souligner tout ce qu'a d'arbitraire un tel classement. Il suffit qu'un peintre ait eu la malchance d'être représenté, dans les ventes publiques des dix dernières années, par des œuvres mineures, pour qu'il donne l'impression de rester à la traîne.

Cela dit, reconnaissons que, s'il est aisé de suivre l'ascension des tableaux impressionnistes, il est plus difficile d'en donner une explication sérieuse. Les gens qui savent tout vous désigneront sans hésitation le responsable : le fisc américain. Aux États-Unis la législation fiscale autorise, en effet, les contribuables à déduire de leurs revenus imposables le prix payé pour les tableaux dont ils font cadeau à l'État. Les milliardaires, dont les revenus sont imposés à 90 %, auraient donc bien tort de lésiner : la toile qu'ils achètent pour 10 millions de francs ne leur coûte, grâce à la déduction, qu'un million. Une bagatelle !

Cette explication contient, certes, une part de vérité. Elle permet, en particulier, de comprendre pourquoi, parmi les tableaux impressionnistes, ceux qui sont dignes de figurer dans un musée ont progressé bien davantage que les œuvres de moindre importance. Elle laisse également entrevoir le danger : il suffirait que cette disposition fiscale soit abrogée pour que l'on assiste à une baisse sévère des impressionnistes. Car la demande se raréfierait pour les chefs-d'œuvre et l'ensemble de la cote impressionniste en serait affecté. Mais rien ne permet d'envisager sérieusement une telle éventualité. L'on voit mal la raison pour laquelle serait modifiée une législation qui donne aux musées américains la possibilité d'accumuler chefs-d'œuvre sur chefs-d'œuvre.

A vrai dire, le véritable problème a été éludé. Aucune considération d'ordre fiscal ne permet, en effet, d'expliquer l'engouement actuel pour l'impressionnisme, ni de dire pourquoi un médiocre Pissarro se vend souvent plus cher qu'un bon Courbet ou qu'un excellent Daubigny.

Pour tenter d'expliquer le triomphe de l'impressionnisme, force serait de sonder l'âme des collectionneurs actuels, de déceler les raisons de leur passion pour la peinture claire, de leur goût pour les vues de la campagne, de leur dédain pour les scènes de genre, les sujets historiques ou mythologiques, qui faisaient fureur au siècle dernier. Bref, il faudrait écrire tout un roman où l'imagination aurait, peut-être, la meilleure part. Aussi semble-t-il plus prudent de conserver l'attitude de l'observateur et de consacrer les pages suivantes à de brèves monographies qui retracent l'évolution particulière de la cote de quelques grands impressionnistes.

Manet

Un beau jour de 1872 Manet, pénétrant au café Guerbois, demanda à la cantonade : « Voudriez-vous me dire qui ne vend pas cinquante mille francs de tableaux par an ? » « C'est vous ! » répondirent, comme un seul homme, tous ses amis. Ils se trompaient : Paul Durand-Ruel venait de lui acheter pour cinquante et un mille francs (172 000 F) de tableaux. Lorsque la nouvelle se répandit dans Paris, on estima, non pas que Manet avait le vent en poupe, mais que le marchand avait perdu la raison.

Jusqu'alors, le peintre n'avait guère eu l'occasion de vendre ses œuvres. Par chance, il avait pu s'en passer. Sa famille appartenait à la bourgeoisie aisée. Manet avait vécu de la pension que lui accordait son père puis, après la mort de celui-ci, de la fortune qu'il lui avait laissée. Lorsqu'il se trouvait à court d'argent, il « empruntait » à sa mère.

Il est vrai que si Manet vendait peu, il vendait relativement cher. Après le scandale déclenché par l'exposition de l'*Olympia* au Salon de 1865, une admiratrice italienne du peintre lui demanda le prix du tableau : 10 000 francs (36 200 F), lui répondit Manet. La belle dame n'insista pas. Même lorsqu'il s'agissait de tableaux de moindre importance, ses prix étaient relativement élevés : en 1870, par exemple, Théodore Duret payait *le Torero saluant* 1 200 francs (4 300 F).

Mais les amateurs de Manet n'étaient guère nombreux. Enfin Durand-Ruel vint. Écoutons-le : « Je trouvai un jour [la scène se passe en janvier 1872] chez Alfred Stevens deux tableaux de Manet. Ce grand artiste ne recevant pas la moindre visite dans son atelier avait prié son ami de chercher à les vendre pour son compte en les exposant chez lui [...] Le prix demandé était de 800 francs [2 700 F] pour chacun d'eux. Je les pris aussitôt et, émerveillé de mon achat, car on n'apprécie bien une œuvre d'art que lorsqu'on la possède et qu'on vit avec elle, j'allai le lendemain même chez Manet. Je trouvai chez lui un ensemble de tableaux remarquables dont plusieurs avaient déjà attiré mon attention dans les différents Salons mais qui m'apparurent plus beaux maintenant que j'avais pu contempler à loisir mon achat de la veille. Je pris séance tenante à Manet tout ce qu'il avait chez lui, c'est-à-dire vingt-trois tableaux, pour 35 000 francs [118 000 F], acceptant les prix qu'il m'en demandait [...] Quelques jours après, je retournai chez Manet, qui avait fait rentrer chez lui un certain nombre de tableaux dispersés chez des amis, et je lui achetai un second lot [...] le tout pour 16 000 francs [54 000 F]. »

Les prix demandés par Manet au marchand pour ces tableaux, qui sont parmi les plus célèbres du peintre, variaient de 400 à 3 000 francs (1 300 à 10 100 F). L'exemple de Durand-Ruel ne fut guère contagieux. Un an et demi plus tard, le peintre écrivait à Théodore Duret : « Si vous avez dans vos connaissances quelque amateur à piloter, je serais très disposé à faire en ce moment de grandes concessions car j'ai besoin d'argent. » D'ailleurs, les achats massifs de Durand-Ruel ne semblent pas avoir donné de coup de fouet à la cote de Manet. Théodore Duret s'était entremis pour vendre *Sur la plage* à Henri Rouart ; « lorsqu'ils connurent le prix — 1 500 francs [5 000 F] — que j'avais obtenu pour ce tableau, écrivit plus tard Duret, les amis de Rouart dirent que j'avais abusé de sa bienveillance ».

Manet comptait cependant quelques amateurs : Emmanuel Chabrier, Portalis, Antonin Proust. Mais son plus important acheteur, Durand-Ruel mis à part, était le chanteur Faure. Celui-ci, qui, selon ses contemporains, aimait à se singulariser, avait commencé par acquérir des Delacroix, des Corot, des Millet, etc. En juin 1873, il vendit sa collection et décida de s'intéresser à des peintres plus discutés. En novembre, il se rendit à l'atelier de Manet et, sur-le-champ, lui acheta cinq œuvres maîtresses : *le Bon Bock* pour 6 000 francs (20 300 F), *le Bal masqué de l'Opéra*, également pour 6 000 francs, *le Déjeuner* pour 4 000 francs (13 500 F), *Lola de Valence* pour 2 500 francs (8 500 F), et *Pêcheurs en mer* pour 2 000 francs (6 800 F). Dès lors, Faure ne devait cesser d'acquérir des Manet, soit directement au peintre, soit par l'intermédiaire de Durand-Ruel, soit enfin dans les ventes publiques. Dans celles-ci les Manet faisaient souvent piètre figure. Lors de la vente Hoschedé en juin 1878, ses tableaux furent adjugés entre 315 francs (1 070 F) et 800 francs (2 700 F), ce dernier prix ayant été atteint par *le Mendiant*. En mai 1881, l'une de ses toiles, *le Suicidé*, n'obtenait que 65 francs (240 F).

Lorsque Manet disparut deux ans plus tard, il laissait des dettes. Craignant que la veuve du peintre ne fût à court d'argent, Mallarmé mit à sa disposition toutes ses économies. Né dans l'aisance, Manet

était mort presque pauvre. Le seul « capital » qu'il laissait : ses œuvres accumulées dans l'atelier. Il fallut procéder rapidement à leur dispersion. La vente publique fut fixée aux 4 et 5 février 1884. « Ce sera un four », prédisait Albert Wolff, l'éminent critique du *Figaro*.

Les résultats dépassèrent les espérances : 116 637 francs (422 200 F) pour 89 tableaux, 41 études, 40 pastels et nombre de dessins. Toutefois, comme le souligne Tabarant, « un seul petit Meissonier eût à lui seul dépassé de beaucoup ce chiffre ». Encore faut-il préciser que plusieurs tableaux avaient été rachetés par Mme Manet et que, faute d'enchères, l'*Olympia* avait dû être retirée de la vente pour 10 000 francs (36 200 F).

Était-ce réaliser une bonne affaire que d'acquérir un Manet lors de la vente de son atelier ? Il suffit, pour s'en assurer, de jeter un coup d'œil sur les prix atteints par deux toiles ayant figuré à cette vente.

La Promenade, 1879, 93 × 70
1884 : 1 500 francs (5 400 F)
1958 : £ 89 000 (1 582 000 F)
hausse : 29 196 %

La Jeune Femme voilée, 1872, 60 × 46
1884 : 240 francs (870 F)
1965 : £ 20 000 (340 000 F)
hausse : 38 980 %

Degas

Il faut se garder de prendre pour argent comptant tout ce que racontait Degas. Surtout lorsqu'il s'apitoyait sur son triste sort : « Je ne connaîtrai donc jamais la fortune... Je fais d'amères réflexions sur l'art que j'ai eu d'arriver à la vieillesse sans avoir jamais su gagner d'argent. » A peine consentait-il à admettre, dans les dernières années de sa vie, qu'il était devenu « un pauvre à l'aise ». A vrai dire, nombreux étaient les peintres de ses amis qui devaient envier sa pauvreté.

Lorsqu'il s'agit pour le jeune Edgar Degas de choisir une carrière, deux possibilités s'offraient à lui : entrer dans la banque familiale que dirigeait son père ou travailler dans le Comptoir Cotonnier que possédaient, à La Nouvelle-Orléans, ses oncles maternels. Il en choisit une troisième : la peinture. Le plus étrange, c'est qu'il n'eut pas à le regretter. Car Degas, qui vivait de ses rentes, aurait pu, assez tôt, vivre de son art. Il suffit, pour s'en convaincre, de lire les lignes suivantes, écrites par son frère Achille : « 16 février 1869. Edgar est venu avec moi à Bruxelles. Il a fait connaissance avec M. van Praet, ministre du roi, qui avait acheté un de ses tableaux, et il s'est vu dans la galerie, une des plus célèbres de l'Europe, cela lui a fait un certain plaisir, comme bien vous pensez, et lui a donné enfin quelque confiance en lui et son talent qui est réel. Il en a vendu deux autres pendant son séjour à Bruxelles et un marchand de tableaux très connu, Stevens, lui a proposé un contrat à raison de douze mille francs [43 300 F] par an. Décidément, le voilà lancé... » La somme proposée n'était pas négligeable. Et pourtant Degas refusa, semble-t-il, ce contrat.

A Paris, quelques marchands — le père Martin, Portier — s'intéressaient à ses œuvres et, dès 1872, Paul Durand-Ruel lui avait pris des tableaux. La cote de Degas était d'ailleurs très supérieure à celle des autres impressionnistes. Alors que Durand-Ruel achetait les toiles de Monet 300 francs (1 000 F) et celles de Renoir, de Pissarro, de Sisley, 200 francs (680 F), il payait 800 francs (2 700 F) les œuvres de Degas.

C'était une chance, pour le peintre, qui allait subir le contrecoup de la déconfiture familiale. La mort de son père, en 1874, révéla en effet la triste situation de la banque qu'il dirigeait. Pour tenter d'éviter la faillite de celle-ci, Degas se vit contraint de débourser de fortes sommes. Pour sauver l'honneur de la famille, il s'engagea, en 1877, à rembourser, par mensualités, une importante créance que possédait, sur la banque, un établissement de crédit. Dès lors, Degas dut, pour vivre, compter sur la vente de ses œuvres. Par bonheur, il avait quelques admirateurs convaincus — le chanteur Faure, en particulier. Celui-ci avait en 1872 commandé à Degas un tableau qui devait rappeler l'*Examen de danse*. Degas le lui livra en 1874 — il s'agissait de *Classe de danse* — pour le prix de 5 000 francs (17 000 F).

La même année, le peintre se plaignit, devant le chanteur, de n'être point satisfait de six de ses tableaux qui étaient en vente chez Durand-Ruel. Faure acheta les six toiles pour 8 000 francs (27 000 F) puis les remit à Degas ; il lui versa en outre 1 500 francs (5 000 F). Moyennant quoi Degas s'engagea à lui peindre quatre grandes toiles. Ainsi, en 1874, Faure, qui n'avait pas la réputation d'être particulièrement généreux, acceptait de payer les tableaux de Degas entre 1 300 et 5 000 francs (4 700 et 18 000 F). Autant dire que Degas était déjà un peintre relativement « cher ».

Pendant le reste de son existence il devait assister, avec une certaine indifférence d'ailleurs, à la hausse continue de ses œuvres.

De cette hausse, on peut se faire une idée en compulsant la comptabilité de la galerie Durand-Ruel ; on y voit les prix d'achat des Degas s'amplifier au fil des ans. Quelques exemples : en 1881, le marchand achetait *le Foyer de la danse* pour 5 000 francs (18 000 F) et deux autres tableaux pour 3 500 francs (12 700 F) pièce. En 1893, il payait 10 000 francs (37 500 F) *Voitures aux courses*. En 1911, il devenait propriétaire de *Avant la course*, pour 25 000 francs (81 000 F).

L'ascension des Degas apparaît plus clairement encore si l'on jette un coup d'œil sur quelques prix records atteints en vente publique :
1874   *La Tribune des courses à Longchamp* est adjugé 1 100 francs
                                                                    (3 700 F)
1890   *La Leçon au foyer*, 8 000 francs (29 000 F)
1895   *Les Blanchisseuses*, 11 000 francs (41 300 F)
1899   *Le Photographe*, 22 760 francs (85 700 F)
1902   *Les Coulisses*, $ 6 100 (121 000 F)
1912   *Les Danseuses à la barre*, 435 000 francs (1 425 000 F).

Degas, lorsqu'il eut connaissance de ce dernier résultat, déclara : « Je ne crois pas que celui qui l'a fait [le tableau] soit un sot, mais celui qui l'a acheté est un c... » Ce qui laisse penser que le peintre n'était pas doué du sens divinatoire. Car s'il avait pu prévoir les prix qu'atteindraient ses œuvres une cinquantaine d'années après sa mort, force lui aurait été d'admettre que l'acheteur d'un excellent Degas ne méritait nullement ce qualificatif.

Pour étudier les fluctuations de la cote Degas à partir de la mort du peintre, nous possédons de précieuses références : les prix obtenus lors de la dispersion de son atelier en 1918 et 1919. D'une façon générale, après une période de déclin dans les années qui suivirent les ventes de l'atelier, les Degas ont enregistré de nouveaux succès à partir de 1927 ; quant à leurs prix actuels, ils représentent en gros de 30 à 125 fois ceux de 1918-19. Deux exemples :

Repasseuse à contre-jour, vers 1883,
81 × 65
1918 : 21 000 francs (32 100 F)
1968 : £ 145 000 (1 916 000 F)
          hausse : 5 869 %

Danseuses, jupes saumon, 90 × 65
1918 : 17 600 francs (26 900 F)
1969 : 68 000 guinées (894 000 F)
          hausse : 3 223 %

Monet

A quinze ans, Claude Monet est célèbre. Et les prix qu'il exige pour ses œuvres scandalisent ses parents, honnêtes épiciers habitués à de modestes gains. Il est vrai que sa gloire ne dépasse guère les limites du Havre, où il vit avec sa famille, et que les œuvres dont on fait si grand cas sont des charges des notables de la ville. Monet les vend 10 ou 20 francs (40 ou 80 F).

En 1859, il est à Paris. Il vit avec les économies accumulées grâce à la vente de ses caricatures. Après avoir, pendant deux ans, goûté aux joies du service militaire dans un régiment de chasseurs d'Afrique, Monet reprend ses pinceaux. Son père s'avère plus compréhensif et accepte de lui verser une mensualité. Mais il le prévient : « Je veux te voir dans un atelier, sous la discipline d'un maître connu. Si tu reprends ton indépendance, je te coupe sans barguigner ta pension. » Monet s'astreint donc à fréquenter régulièrement l'atelier de Gleyre. Il expose au Salon en 1865 où il remporte un certain succès. Ses œuvres, influencées par le réalisme mis à la mode par Courbet, ne déplaisent pas et il parvient à en vendre quelques-unes. Hélas ! La fortune, qui ne lui a accordé qu'un très léger sourire, se détourne de lui. Dès 1866, il détruit un bon nombre de tableaux, craignant que ses créanciers ne les fassent saisir puis vendre à l'encan. Par bonheur, Bazille lui achète *Femmes au jardin* pour 2 500 francs (9 000 F). Mais il ne peut lui régler cette somme qu'en lui versant 50 francs (180 F) chaque mois.

En 1867, le jury du Salon n'accepte qu'un seul de ses envois. Les conditions d'existence du peintre, qui a désormais charge d'âmes — sa maîtresse Camille Doncieux lui a donné un fils —, ne cessent de se détériorer. Il a cependant quelques amateurs : Arsène Houssaye, en 1868, lui achète pour 800 francs (2 900 F) *Femme à la robe verte* ; M. Gaudibert, du Havre, lui commande le portrait de sa femme.

En 1869, c'est la misère noire. Son échec au Salon, cette année-là, n'est pas pour encourager ses rares amateurs. Renoir lui apporte du pain. En septembre, Monet écrit : « État désespérant. J'ai vendu une nature morte et j'ai pu travailler un peu. Mais comme toujours me voilà arrêté faute de couleurs... » Après la défaite de Sedan, l'artiste se réfugie à Londres. Il y fait, grâce à Daubigny, la connaissance de Paul Durand-Ruel qui lui achète quelques toiles au prix de 300 francs (1 100 F) pièce. Le marchand continue de le soutenir au cours des années suivantes mais, en 1874, accablé par les difficultés financières, il se voit contraint de l'abandonner à son triste sort. La période 1874-1880 sera catastrophique. Les résultats enregistrés à l'hôtel Drouot montrent que les amateurs ne s'intéressent guère à ses œuvres. Lors de la vente du 24 mars 1875, les prix d'adjudication des Monet oscillent entre 180 francs (610 F) et 325 francs (1 100 F).

A la vente Hoschedé, le 5 juin 1878, on peut acquérir *le Village*, 55 × 65, pour 60 francs (200 F), ou *Jeunes Filles dans un massif de fleurs*, 55 × 65, pour 62 francs (210 F). Le prix record — 505 francs (1 700 F) — est atteint par *Saint-Germain-l'Auxerrois*, 80 × 100. Le peintre multiplie ses appels désespérés. Monet a-t-il davantage de chance dans les expositions auxquelles il participe ? En 1876, lors de la deuxième exposition des impressionnistes, chez Durand-Ruel, il réussit à vendre *Camille en robe japonaise* pour 2 000 francs (6 800 F). Succès sans lendemain. Évoquant ces temps pénibles, Paul Durand-Ruel racontera plus tard : « J'achetai un jour cinq tableaux de Monet qu'un courtier vint m'offrir pour 100 francs [340 F]. »

En 1881, le marchand peut heureusement reprendre ses achats. En mai et en juin, Monet lui vend vingt-deux toiles. Le prix unitaire est toujours de 300 francs (1 100 F). Il s'élève sensiblement au cours des années suivantes. En 1883, Durand-Ruel donne à l'artiste 500 francs (1 800 F) et même 600 francs (2 200 F) pour certaines de ses toiles. Les temps difficiles ne sont pas cependant terminés. L'exposition de Monet organisée en 1883 par Durand-Ruel est « un four », selon l'expression du peintre, et en 1884, par suite de la crise qui s'abat sur le marché de l'art, les Monet se vendent à bas prix.

Mais en 1885 l'artiste obtient un franc succès à la quatrième exposition internationale, galerie Georges Petit, et l'année suivante, par l'intermédiaire de celui-ci, il parvient à vendre plusieurs toiles, dont certaines pour 1 200 francs (4 300 F). Outre Georges Petit, les marchands Knoedler, Boussod et Valadon commencent à s'intéresser à lui. Ses conditions matérielles de vie deviennent très satisfaisantes. Un fait le démontre : en décembre 1886, Monet se permet de retourner à Durand-Ruel, avec qui il a eu quelques mots, les 1 000 francs (3 600 F) que celui-ci lui a envoyés !

La période 1886-1890 marque le succès définitif du peintre. En 1889,

Théo Van Gogh, directeur d'une succursale de la galerie Boussod et Valadon, réussit à vendre l'une de ses toiles pour 9 000 francs (32 600 F). En 1890, Monet peut acheter sa maison de Giverny. Dès lors, la hausse de ses œuvres se poursuit régulièrement. En 1891, le peintre expose chez Durand-Ruel sa série des *Meules*. Trois jours après le vernissage, tous les tableaux sont vendus. Les prix : de 3 000 francs (11 300 F) à 4 000 francs (15 000 F). En 1904 a lieu l'exposition des *Vues de Londres*. La nouvelle se répand que le comte Isaac de Camondo les a toutes achetées. En réalité, il n'a acquis qu'un seul tableau ; mais le dixième jour de l'exposition, Durand-Ruel a vendu dix toiles à raison de 20 000 francs (77 000 F) pièce. On peut d'ailleurs constater la hausse de la cote de Monet en relevant, dans ses lettres à Durand-Ruel, les prix auxquels il vend ses toiles au marchand :

1881   300 francs, soit 1 100 F
1883   500/600 francs, soit 1 800/2 200 F
1886   800/1 000 francs, soit 2 900/3 600 F
1889 (série des *Tamise*)   6 000 francs, soit 22 500 F
1909-1910 (*Nymphéas*)   15 000 francs, soit 53 600 F.

Lorsqu'il meurt, en 1926, Claude Monet est devenu riche. Pour se faire une idée de la hausse intervenue entre les années 1880 — époque à laquelle Monet connaissait la misère — et les temps actuels, il suffit de jeter un coup d'œil sur l'évolution du prix en vente publique de l'une de ses toiles, *le Port de Honfleur*.

Le Port de Honfleur, vers 1866-67, 45 × 55
1881 : 72 francs (260 F)
1899 : 2 550 francs (9 600 F)
1924 : 15 200 francs (12 800 F)
1966 : £ 13 000 (217 000 F)
hausse : 83 361 %

Suivons maintenant l'ascension de deux tableaux, depuis les années qui précédèrent la Première Guerre mondiale jusqu'à nos jours.

Les Bords de la Seine, Argenteuil, 54 × 74
1912 : 27 000 francs (88 000 F)
1970 : 240 000 guinées (3 390 000 F)
hausse : 3 752 %

Terrasse à Sainte-Adresse, 1866-67, 98 × 130
1913 : 27 000 francs (86 000 F)
1926 : $ 11 500 (217 000 F)
1967 : 560 000 guinées (8 150 000 F)
hausse : 9 378 %

Renoir

Le 18 mars 1872, Paul Durand-Ruel achète son premier Renoir, *le Pont des Arts*, pour 200 francs (680 F). Le 9 juin 1932, le tableau affronte le feu des enchères : il est adjugé 133 000 francs (82 500 F). Le 9 octobre 1968, il fait une nouvelle apparition en vente publique et atteint $ 1 550 000 (8 600 000 F). Ces trois prix donnent un aperçu de la hausse dont ont bénéficié, en moins d'un siècle, les œuvres de Renoir. La dernière performance réalisée par *le Pont des Arts* possède un autre mérite : grâce à elle, Renoir a pris la première place, ex-aequo

avec Cézanne[1], dans la course aux prix records que se livrent, depuis quelques années, les impressionnistes. D'une courte tête, il coiffe Monet — dont la *Terrasse à Sainte-Adresse* n'a atteint, en 1967, que l'équivalent de 8 150 700 F — et distance largement les autres concurrents : Pissarro, Sisley...

De son vivant, Renoir faisait déjà, vis-à-vis de ses amis impressionnistes, figure de privilégié. Privilège très relatif d'ailleurs, qui se bornait à ceci : Renoir n'avait pas comme Monet, Pissarro ou Sisley, connu la misère. Non pas qu'il eût des rentes, mais il était toujours parvenu, même dans les années les plus sombres, à vendre quelques tableaux. Renoir s'était spécialisé dans la figure. Or, à un inconnu, on commande plus aisément son portrait qu'on ne lui achète un paysage. Et dans la joie de contempler leur effigie, les amateurs se montrent parfois relativement larges. Il ne faudrait pas en conclure que Renoir roulait sur l'or. En 1870, il avouait à Théodore Duret s'être trouvé dans l'obligation de laisser dans un atelier quelques toiles en gage, faute d'avoir pu régler complètement le loyer. Duret se rendit à cet atelier et tomba en arrêt devant *la Grande Lise* qu'il acheta pour 1 200 francs (4 000 F).

Il s'agissait évidemment d'un prix d'ami — c'est-à-dire très supérieur à celui qu'acceptaient de payer les autres collectionneurs. Le peintre devait s'en convaincre deux ans plus tard lorsqu'il décida, avec Monet, Sisley et Berthe Morisot, de tenter sa chance à l'hôtel Drouot. La vente, qui eut lieu le 24 mars 1875, fut un désastre. Prix d'adjudication des Renoir : de 50 à 300 francs (de 170 à 1 000 F). Une seconde expérience, en mai 1877, n'eut pas plus de succès. Les Renoir se vendirent entre 47 et 285 francs (160 et 960 F). Et la dispersion, sur ordonnance judiciaire, de la collection Hoschedé, en juin 1878, donna aux amateurs l'occasion d'acquérir des Renoir à des prix encore inférieurs : la *Jeune Fille dans un jardin* pour 31 francs (110 F), le *Pont de Chatou* pour 42 francs (140 F).

L'avenir de Renoir paraissait sombre. Et pourtant, un an plus tard, il était presque devenu un peintre en vue. Sa célébrité naissante, Renoir la devait à un portrait — ou plutôt à son modèle : Mme Charpentier. Celle-ci, qui était l'épouse d'un éditeur « dans le vent », avait accepté de poser pour le peintre et Renoir avait envoyé le tableau au Salon de 1879. Mme Charpentier n'était pas femme à souffrir qu'on lui assignât une place indigne d'elle. Aussi avait-elle pris la précaution de « secouer vigoureusement » quelques membres du jury. Résultat : le tableau, accroché bien en vue, remporta un grand succès. Et certains notables de la société parisienne, forts de l'exemple de Mme Charpentier, ne crurent pas déchoir en commandant leur portrait à Renoir. Durand-Ruel, qui avait été obligé depuis 1874 de cesser pratiquement ses achats, recommençait à aider ses peintres. En janvier 1881, il acheta à Renoir la *Femme au chat* pour 2 500 francs (9 000 F) et *le Déjeuner des canotiers* pour 6 000 francs (21 700 F). Prix inhabituels pour des Renoir. Il s'agissait, il est vrai, d'œuvres capitales.

Mais le peintre n'était pas définitivement tiré d'affaire. Les années suivantes lui réservèrent quelques désillusions. Le médiocre succès de son exposition de 1883 chez Durand-Ruel, les nouvelles difficultés financières de celui-ci, la grave crise qui, en 1884, s'abattit sur le marché de l'art devaient lui faire connaître des heures difficiles. Sa notoriété s'étendait cependant. Et lorsqu'en 1892 s'ouvrit chez Durand-Ruel une nouvelle exposition Renoir, la manifestation, selon Franz Jourdain, tourna à l'apothéose. Incroyable : l'État lui commanda une toile.

Le verdict de l'hôtel Drouot était tout aussi encourageant. Quelques prix enregistrés en vente publique de 1894 à 1900 permettent de se faire une idée du chemin parcouru par Renoir dans l'estime des amateurs. *La Toilette*, vendu 140 francs (470 F) en 1875, atteignit 4 900 francs (18 400 F) en 1894 ; *Anna*, que Chabrier avait acheté à Renoir 300 francs (1 100 F) en 1883, fut adjugé 8 000 francs (30 000 F) en 1896 ; et en 1899, lors de la dispersion de la collection du comte Armand Doria, *la Pensée* trouva preneur à 22 000 francs (82 500 F) ; Renoir l'avait, dit-on, vendu au collectionneur moins de vingt ans auparavant pour 150 F (510 F).

En 1900, Renoir pouvait être considéré comme un peintre arrivé.

Au cours des vingt années suivantes, les bulletins de victoire allaient se multiplier. En voici deux, parmi les plus éloquents. *Madame Charpentier et ses enfants*, le portrait qui avait « lancé » Renoir, fut adjugé 84 000 francs (315 000 F) en avril 1907. Ce tableau avait été payé au peintre 1 500 francs (5 100 F) en 1879 ; sa valeur avait donc été multipliée par plus de soixante en moins de trente ans. *Le Pont-Neuf*, qui s'était vendu 300 francs (1 000 F) en 1875, atteignit, le 14 décembre

1. Nous ne retenons que le prix — l'équivalent de 8 600 000 F — auquel la National Gallery de Londres a, en 1964, acheté les *Grandes Baigneuses* et nous faisons abstraction de celui payé, en 1971, par le Metropolitan Museum de New York pour acquérir le *Portrait de Louis-Auguste Cézanne*. De ce dernier prix, on ignore en effet le montant exact.

1919, 93 000 francs (114 400 F) — plus de cent fois son prix de 1875. La veille de cette vente, Renoir était mort.

La disparition du peintre ne fit qu'accélérer la hausse de ses œuvres. En 1923, les Durand-Ruel parvenaient à vendre à Duncan Phillips *le Déjeuner des canotiers* pour $ 200 000 (3 183 000 F). Puis, en 1925, l'hôtel Drouot fut le théâtre d'un événement mémorable : la dispersion de la collection de Maurice Gangnat qui avait accumulé cent soixante Renoir de la période de Cagnes. Total des enchères : plus de 10 millions de francs (7 860 000 F).

La crise mondiale en 1929 interrompit cette ascension triomphale. Les résultats de la vente Gangnat constituent de précieuses références pour se faire une idée de la répercussion qu'eut cette crise sur la cote de Renoir. En effet, quelques-unes des toiles qui y avaient brillé réapparurent par la suite en vente publique. On peut constater qu'elles perdirent alors beaucoup de leur superbe.

Année au cours de laquelle la toile repasse en vente publique	Titre de la toile	Variation de valeur par rapport au prix atteint lors de la vente Gangnat
1933	*Tête de fillette*, 1913	— 69 %
1936	*Amour en bronze*, 1913	— 78 %
	La Route à Cagnes, 1907	— 77 %
1939	*Nu s'essuyant*, 1912	— 45 %
	Jeune fille accoudée, 1911	— 31 %
	Roses et petit paysage, 1911	— 61 %
	Femme au chapeau rouge, 1908	— 7 %
	La Liseuse, 1909	+ 2,5 %

Autant dire qu'à la veille de la Seconde Guerre mondiale, les Renoir ne s'étaient pas encore remis du coup de massue que leur avait infligé la crise de 1929. Il est vrai que les tableaux de la collection Gangnat appartenaient à la période de Cagnes, la plus discutée, et qu'ils étaient, de ce fait, très vulnérables. Les œuvres antérieures du maître avaient, semble-t-il, mieux résisté à la tourmente. Quoi qu'il en soit, la hausse devait reprendre dès la fin de la guerre et aboutir aux enchères spectaculaires que l'on sait. Pour apprécier, à la lumière de ces enchères, l'ascension des Renoir, le mieux est encore de se fixer une date de référence — 1892, par exemple, qui marque le début de la consécration du peintre — puis de choisir parmi les tableaux passés en vente publique au cours des quinze dernières années, ceux dont on connaît le prix d'adjudication (ou le prix d'achat par Durand-Ruel) aux alentours de cette année-référence.

Voici les résultats que l'on obtient en confrontant les prix respectifs obtenus par ces tableaux, à moins de quatre-vingts ans d'intervalle :

Le prix atteint par	en	représente	celui de
La Mosquée d'Alger	1957	56 fois	1892
La Serre	1957	117 fois	1894
Jeune Femme au chapeau blanc	1959	89 fois	1896
Le Jeune Militaire	1964	444 fois	1894
Jeune Fille de profil	1968	2 181 fois	1890
Le Poirier	1969	472 fois	1892

Les Renoir ont donc atteint dans les quinze dernières années des prix qui représentent, en gros, de 50 à 2 000 fois ceux qu'ils obtenaient vers 1892. Ces performances paraissent déjà fort honorables. Mais si, au lieu de prendre pour référence la période située aux alentours de 1892, on choisit l'année 1872, durant laquelle Durand-Ruel acheta ses premiers Renoir, l'on aboutit à des résultats beaucoup plus spectaculaires. Un exemple semble concluant : le prix atteint, en 1968, par *le Pont des Arts* est égal à 12 647 fois celui payé par le marchand au peintre en 1872. Mais il est vrai que ce tableau possède la « qualité musée » et qu'il a été, de ce fait, particulièrement favorisé.

Le Pont des Arts,
vers 1868, 61 × 100
1872 : 200 francs (680 F)
1932 : 133 000 francs (82 500 F)
1968 : $ 1 550 000 (8 600 000 F)
Hausse : 1 264 700 %

Jeune Fille de profil, 1888, 32 × 24
1890 : 150 francs (540 F)
1968 : 1 070 000 francs
(1 198 000 F)
Hausse : 221 700 %

Sisley et Pissarro

Pour qui se préoccupe exclusivement de l'évolution de la cote, un seul événement de la vie de Sisley présente quelque intérêt : sa mort. La disparition du peintre provoqua, en effet, une vive hausse des œuvres impressionnistes. Quant à l'existence de Sisley, elle peut se résumer en une ligne : il fut le plus pauvre et le plus méconnu des impressionnistes. Il n'eut pas la chance d'être associé, de son vivant, à la consécration de ses amis. Alors que, dès 1892, Monet, Renoir et Pissarro étaient célèbres et vivaient dans l'aisance, Sisley continuait de tirer le diable par la queue. Certes, son exposition de 1897, à la galerie Georges Petit, remporta un réel succès et, la même année, certaines de ses toiles atteignirent de bons prix à l'hôtel Drouot. Mais c'était, hélas! ses œuvres anciennes qui recueillaient les suffrages. Et ses conditions de vie restèrent précaires. Quelques mois avant sa mort, Sisley, atteint d'un cancer, s'inquiétait à l'idée que les honoraires du médecin pussent dépasser 200 francs (750 F) !

Pissarro fut un peu plus favorisé — dans les quinze dernières années de sa vie, du moins, car son sort avant 1890 n'était guère plus enviable que celui de Sisley. En 1884, il résumait ainsi ses expériences dans une lettre à son ami Murer : « Dites à Gauguin qu'après trente ans de peinture, quelques chevrons à la clef, je bats la dèche. » Il dut attendre les années 1888-1889 pour voir ses tableaux atteindre une cote décente. Puis l'exposition organisée en 1892 à la galerie Durand-Ruel marqua sa consécration. Au cours de cette exposition, plusieurs de ses toiles furent vendues à des prix qui variaient de 1 500 à 6 000 francs (de 5 600 à 22 500 F). Dès lors, Pissarro put assister jusqu'à sa mort à la hausse régulière de ses œuvres.

A partir des années 1900, la cote des Sisley et des Pissarro suivit, avec quelque retard il est vrai, une courbe parallèle à celle qui reflétait le triomphe de Monet et de Renoir. Elle connut la même période d'euphorie jusqu'en 1929, les mêmes vicissitudes provoquées par la crise mondiale, les mêmes heures de gloire à partir de 1950.

Mais ces fluctuations identiques ne doivent pas masquer la différence essentielle : les Sisley et les Pissarro se vendaient — et se vendent toujours — sensiblement moins cher que les Monet et les Renoir.

Sisley : l'Inondation, route de Saint-Germain, 1876, 44 × 60
1880 : 300 francs (1 000 F)
1936 : $ 2 000 (22 700 F)
1969 : £ 60 000 (751 000 F)
Hausse : 75 000 %

Pissarro : Jardin des Tuileries, matinée de printemps, 1899, 73 × 93
1899 : 3 000 francs (11 300 F)
1968 : $ 260 000 (1 441 000 F)
Hausse : 12 656 %

Cézanne

En mars 1918, René Gimpel notait dans son journal : « L'origine de la fortune de Vollard date du jour où, dans l'atelier de Cézanne, il trouva l'artiste déprimé et lui acheta environ deux cent cinquante toiles à une moyenne de cinquante francs pièce. Il en céda quelques-unes mais garda le plus grand nombre jusqu'au moment où il put les vendre entre dix et quinze mille francs pièce. » Les propos de Gimpel — qui laissent prévoir la hausse dont bénéficièrent les Cézanne en quelques années — semblent assez proches de la vérité. Lorsque Vollard décida, vers 1894, de s'intéresser au peintre, celui-ci n'avait guère d'amateurs. Par bonheur, il avait pu se consacrer à la peinture sans trop se préoccuper des questions d'argent. Jusqu'à l'âge de quarante-sept ans, il avait vécu de la maigre pension que lui versait son père.

Louis-Auguste mourait en 1886. Paul Cézanne était riche : sa part d'héritage s'élevait à quatre cent mille francs (1 450 000 F). « Mon père était un homme de génie, constatait le peintre ; il m'a laissé vingt-cinq mille francs [90 000 F] de rente. » Si Paul Cézanne mesurait le génie à l'étendue de la réussite financière, force lui était de se considérer comme un raté. Avec sa peinture, il n'était guère parvenu jusqu'alors à gagner beaucoup d'argent. Les amateurs pouvaient presque se compter sur les doigts d'une main, qui s'étaient hasardés à lui acheter des tableaux. Parmi ces oiseaux rares figuraient le comte Armand Doria, le Dr Gachet, Paul Gauguin et Théodore Duret. Mais l'amateur le plus convaincu de la grandeur de Cézanne était Victor Chocquet qui, à sa mort, devait posséder trente-deux œuvres de son peintre favori.

Cézanne avait même un marchand. Il est vrai qu'il s'agissait d'un marchand de couleurs : le père Tanguy. Mais celui-ci acceptait les œuvres de ses clients peintres en paiement des fournitures qu'ils lui prenaient et avait, de ce fait, réussi à se constituer une étonnante collection où les Cézanne côtoyaient les Renoir, où les Pissarro voisinaient avec les Van Gogh. Pour rendre service à ses amis peintres, Tanguy s'efforçait de vendre quelques-unes de leurs toiles. Quand un quidam se disait intéressé par Cézanne, il le conduisait à l'atelier du peintre dont il avait la clef. Dans les premiers temps, Tanguy avait adopté, pour fixer les prix, une méthode qui avait le mérite de la simplicité : il avait séparé les Cézanne en « grands » et « petits ». Des premiers, il demandait 100 francs (340 F) ; des seconds, 40 francs (140 F). Par la suite, Tanguy s'était montré plus exigeant ; il avait même fini par refuser les quelques Cézanne qui lui restaient, persuadé qu'ils représentaient « un trésor sans prix ». Hélas ! Le prix que la veuve Tanguy obtiendra de ce trésor devait être bien modeste. Pourtant lorsque Tanguy disparut, en février 1894, la cote de Cézanne semblait en hausse. Lors de la dispersion de la collection Duret, le 19 mars 1894, les trois toiles du peintre firent bonne contenance : les prix d'adjudication se situèrent entre 650 et 800 francs (2 440 et 3 000 F). Mais les résultats de la vente Tanguy en juin de la même année furent beaucoup moins brillants : les six Cézanne se vendirent entre 95 et 215 francs (360 et 810 F). Un jeune marchand s'en était fait adjuger cinq : Ambroise Vollard entrait en scène.

Vollard avait décidé d'organiser la première exposition Cézanne. Il obtint sans difficulté le consentement du peintre. L'exposition ouvrit ses portes en décembre 1895 et obtint tout de suite un grand succès... de scandale. Toutefois quelques collectionneurs — et non des moindres puisque parmi eux figuraient Auguste Pellerin, le roi du sucre, et Milan IV, l'ex-roi de Serbie — achetèrent des Cézanne. Les prix que demandait Vollard n'étaient pas excessifs : pour 10 francs (40 F) l'on pouvait devenir propriétaire « d'une petite étude qui représentait un pot de confiture » et, pour 400 francs (1 600 F), de « l'une des plus belles toiles de l'exposition ».

Enhardi par ce relatif succès, Vollard se mit en chasse. Il entendait bien râfler toutes les toiles dont le peintre avait fait cadeau à ses compatriotes d'Aix. Auprès de ceux-ci, il rencontra moins de succès qu'il ne l'avait escompté. Cependant, le marchand ne perdit pas tout à fait son temps. Il réussit à acheter un Cézanne dont le possesseur, désireux de « faire un coup », n'exigea « pas moins de 150 francs » (560 F).

Les temps étaient proches où Vollard devrait débourser des sommes beaucoup plus sérieuses pour devenir propriétaire d'un Cézanne. Car la cote du peintre s'élevait rapidement.

En mai 1899, lors de la vente Doria, Monet acheta *Neige fondante ; forêt de Fontainebleau* pour 6 750 francs (25 300 F). Deux mois plus tard, le comte de Camondo se fit adjuger, à la vente Chocquet, *la Maison du pendu* pour 6 200 francs (23 300 F). En mars 1900, à la vente Stchoukine, une *Nature morte* atteignit 7 000 francs (26 300 F).

Cézanne, avant de mourir, avait pu constater que ses œuvres n'étaient pas sans valeur. Et si les dieux lui avaient accordé trente années de plus, il aurait eu tout loisir de constater que cette valeur ne cessait d'augmenter. Entre 1900 et 1930, sa cote fit un bond prodigieux. Les trois exemples suivants ne peuvent guère laisser de doutes à cet égard. En 1900, Eugène Blot, un collectionneur qui s'était intéressé très tôt à l'impressionnisme, décida de se séparer de ses tableaux. Parmi ceux-ci figurait *la Rivière, bords de l'Oise*, qui n'atteignit que 1 800 francs (6 800 F). Blot racheta la toile et la remit dans la seconde vente qu'il fit en 1906 ; adjugée 2 050 francs (7 800 F) à Maurice Gangnat, elle devait se vendre 131 000 francs (103 000 F) lorsque fut dispersée, en 1925, la collection de ce dernier. Dans la seconde vente d'Eugène Blot se trouvait un autre Cézanne, *Chemin de village à Auvers* ; acheté 160 francs (580 F) chez Portier une vingtaine d'années auparavant, il fut adjugé 3 500 francs (13 400 F). « J'ai revu ce tableau en 1930, raconte Blot dans ses Mémoires, et on m'en demanda 340 000 francs [183 000 F]. » Dernier exemple : Auguste Pellerin avait, quelque temps après l'exposition de 1895, acheté à Vollard un Cézanne pour 700 francs (2 700 F). Vingt-cinq ans plus tard, il confiait son indignation au marchand : « Un de vos confrères a cherché à me refaire. Croyez-vous qu'il a eu le toupet de m'offrir froidement 300 000 francs [267 000 F] pour ce Cézanne-là. » Les héritiers de Pellerin doivent lui savoir gré d'avoir refusé des offres bien plus alléchantes et surtout de ne s'être point séparé d'un autre Cézanne, *les Grandes Baigneuses*. Ils purent ainsi, en 1964, obtenir de ce tableau £ 500 000 (8 600 000 F). Ces chiffres donnent un aperçu de ce que fut la hausse des Cézanne, depuis les dernières années de l'existence du peintre jusqu'à nos jours. Pour s'en faire une idée plus précise, on peut aligner quelques-uns des prix records qui jalonnent cette ascension triomphale.

1907	*Compotier, verre et pommes* est adjugé 19 000 francs (71 300 F)
1913	*Le Garçon au gilet rouge*, 56 000 francs (178 000 F)
1919	*Au fond du ravin*, 41 000 francs (50 400 F)
1925	*Le Grand Pin et les terres rouges*, 528 000 francs (417 000 F)
1936	*Les Joueurs de cartes* est acquis par un collectionneur américain $ 240 000 (2 730 000 F)
1952	*Pommes et biscuits* est adjugé 33 000 000 de francs (648 000 F)
1958	*Le Garçon au gilet rouge*[1] adjugé £ 220 000 (3 910 000 F)
1964	*Les Grandes Baigneuses* est vendu à la National Gallery de Londres pour £ 500 000 (8 600 000 F)
1971	*Le Portrait de Louis-Auguste Cézanne* est acquis par le Metropolitan Museum de New York ; le prix d'achat se situe, dit-on, autour de 10 000 000 de F.

1. Il ne s'agit pas du même tableau que celui adjugé en 1913.

On pourrait imaginer, en parcourant cette liste, que la cote de Cézanne bénéficia d'une hausse continue et régulière. Il n'en est rien. L'évolution se fit en trois temps : une vive hausse de 1900 à la crise de 1929, une lente remontée — après la baisse provoquée par cette crise — de 1933 à la Seconde Guerre mondiale, une spectaculaire envolée à partir de 1952. L'idéal serait évidemment d'être en mesure de suivre le comportement de plusieurs tableaux entre les années qui constituent les dates-frontières de ces trois périodes. Faute de pouvoir le faire, nous sommes obligés de nous pencher sur le cas de quelques Cézanne dont les apparitions en vente publique eurent lieu à des dates moins significatives.

C'est en 1899, nous l'avons vu, que pour la première fois des Cézanne atteignirent des prix relativement élevés en vente publique. L'importance de leur progression, au cours des vingt années suivantes, peut être évaluée à partir d'un exemple précis : *Au fond du ravin*, adjugé 1 500 francs (5 600 F) le 1er juillet 1899, atteignit 41 000 francs (50 400 F) le 24 février 1919 ; il a donc bénéficié d'une hausse de 800 %.

Examinons maintenant le cas d'un tableau qui a fait sa première apparition en vente publique l'année qui suivit la mort du peintre, *Compotier, verre et pommes* :
4 mars 1907 : 19 000 francs (71 300 F)
18 juin 1913 : 48 000 francs (153 000 F).   Hausse : 115 %
On ne saurait enfin passer sous silence le chemin parcouru par *le Grand Pin et les terres rouges* ; vendu par le Bernheim 5 000 francs (19 200 F) en 1906, il était adjugé 528 000 francs (417 000 F) le 24 juin 1925, bénéficiant ainsi d'une hausse de 2 072 %.

Pour mesurer la hausse des Cézanne jusqu'à l'époque actuelle, nous disposons de fort peu d'éléments. Cependant le destin des trois tableaux suivants paraît assez significatif.

Pommes et biscuits
1913 : 40 000 francs (127 000 F)
1952 : 33 000 000 de francs (648 000 F)
Hausse : 410 %

Chaumière dans les arbres, 60 × 49
1923 : $ 1 600 (25 500 F)
1969 : $ 220 000 (1 150 000 F)
Hausse : 4 410 %

La Maison et l'arbre, vers 1873-74,
60 × 56
1900 : 5 500 francs (20 600 F)
1970 : £ 180 000 (2 430 000 F)
Hausse : 11 696 %

Van Gogh

On prétend d'ordinaire que, de son vivant, Van Gogh ne vendit qu'une seule toile. C'est vrai et c'est faux. C'est vrai dans la mesure où l'on fait sienne la formule des tribunaux français selon laquelle « il n'y a pas vente sans un prix sérieux ». Il faut alors reconnaître que Vincent ne vendit, durant son existence, qu'un seul tableau, *les Vignes rouges d'Arles*, qui fut acheté 400 francs (1 450 F) par Anna Boch lors d'une exposition organisée à Bruxelles en 1890 par le groupe belge des Vingt.

Mais si l'on estime qu'il peut y avoir vente sans un prix sérieux, force est d'admettre que Van Gogh vendit plusieurs de ses œuvres. Les témoignages des contemporains sont formels sur ce point. Celui de Vincent lui-même, en premier lieu. En juillet 1888, il rappelait à son frère Théo : « J'ai fait le portrait du père Tanguy qu'il a encore, celui de la mère Tanguy (qu'*ils ont vendu*), de leur ami (il est vrai que ce dernier portrait m'a été payé vingt francs par lui)... » On a ainsi la preuve que deux Van Gogh avaient trouvé preneurs. Et ce n'est pas tout. Eugène Blot raconte dans ses souvenirs qu'en 1886 il « acheta chez Tanguy pour trente francs [Van Gogh lui devait vingt-huit francs de couleurs et il voulait rentrer dans son argent] un merveilleux bouquet de géraniums ». Bref : 20 francs pour l'effigie de l'ami des Tanguy, 30 francs pour les géraniums ; quant au prix du portrait de Mme Tanguy, on peut penser qu'il ne dépassa guère 50 francs (180 F). Quelques mois après son arrivée à Paris Vincent avait indiqué ce prix au peintre Levens : « J'ai trouvé quatre marchands qui ont exposé des études de moi [...] Les prix actuellement sont de cinquante francs. Ce n'est certes pas beaucoup mais pour autant que je puisse me rendre compte, il faut vendre bon marché au début, même vendre au prix coûtant [...] Si je demandais davantage je crois que je ne vendrais rien. » On voit que les prétentions de Vincent n'étaient pas exagérées. Il dut même les rabattre lorsque, par la suite, il proposa ses œuvres aux « amateurs » de Saint-Rémy : « Ses tableaux, rapporte M. Poulet, qui fut le gardien de Vincent à l'asile de cette ville, il les vendait quinze francs, dix francs et même cent sous... On n'en voulait pas. »

On peut donc admettre que le prix ordinaire des toiles de Van Gogh se situait entre 5 et 50 francs (18 et 180 F). Il faudrait même abaisser de beaucoup la limite inférieure de cette « fourchette », comme disent les statisticiens, si l'on entendait tenir compte des résultats de la seule

vente publique où, du vivant du peintre, figurèrent des Van Gogh. Il faut avouer que les conditions dans lesquelles se déroula cette vente n'étaient guère propices aux enchères spectaculaires. L'idée fixe de Vincent avait toujours été d' « avoir une salle d'exposition à lui dans un café ». Il était persuadé que les gens du peuple sauraient mieux apprécier ses œuvres que les collectionneurs avertis. Étant devenu des plus intimes, lors de son séjour à Paris, avec une plantureuse italienne, la Segatori, qui tenait un cabaret-restaurant à l'enseigne du « Tambourin », il n'eut de cesse que les murs fussent couverts de ses toiles et de celles de ses amis, Anquetin, Bernard, Toulouse-Lautrec. L'aventure se termina mal. Le Tambourin fit faillite. Ficelées dix par dix, les œuvres de Vincent furent, au dire d'Émile Bernard, adjugées « de cinquante centimes à un franc le paquet » (de 1,80 F à 3,60 F).

La mort de Vincent ne fut pas l'un des événements marquants de l'année 1890. Dans les années qui suivirent, les amateurs ne se précipitèrent point pour acquérir ses œuvres. Lors de la vente après décès du père Tanguy, en juin 1894, les toiles de Vincent furent quelque peu dédaignées : *les Usines à Clichy* fut adjugée 100 francs (380 F) et les *Brodequins (sic)*, 30 francs (110 F). Un marchand doué de perspicacité — Ambroise Vollard — n'allait cependant pas tarder à s'intéresser aux œuvres de Vincent. En 1897, il organisait une exposition Van Gogh. « Le public ne montra guère d'empressement », constatait Vollard. Les exigences du marchand n'étaient pourtant pas excessives : « le prix des tableaux les plus importants, comme le célèbre *Champ de coquelicots*, n'atteignait pas cinq cents francs » (1 880 F).

L'exemple de Vollard fut suivi par les Bernheim chez qui s'ouvrit, en 1901, une rétrospective Van Gogh. La défense — financièrement parlant — de l'œuvre de Van Gogh était en de bonnes mains.

Dès 1900 on avait d'ailleurs pu noter, à l'hôtel Drouot, des prix honorables pour les Van Gogh ; *Roses trémières*, en particulier, avait été adjugé 1 100 francs (4 130 F). La hausse allait s'accélérer au cours des années suivantes. *Roses trémières* faisait, en 1906, une nouvelle apparition en vente publique ; son prix d'adjudication — 2 500 francs (9 600 F) — était de 132 % supérieur à celui de 1900. Le mouvement s'amplifiait jusqu'à la crise mondiale, jalonné de records : 35 200 francs (112 000 F) pour une *Nature morte* en 1913 ; 361 000 francs (224 000 F) pour le *Pont de fer de Trinquetaille* en 1932. *Les Usines à Clichy*, adjugé 100 francs (380 F) en 1894, atteignit 180 000 francs (104 000 F) en 1928. Il avait ainsi, entre les années qui suivirent la mort de Vincent et celles qui précédèrent la crise, bénéficié d'une plus-value de 27 270 %. On peut citer un autre exemple, beaucoup moins significatif il est vrai : *Nature morte : maquereaux*, vendu 910 francs (3 400 F) en 1900, était adjugé 15 000 francs (18 500 F) en 1919. Hausse : 444 %.

Une période de déclin suivit la crise. Entre 1927 et 1931, *Moulin à Montmartre* perdit 11,5 % de sa valeur et, entre 1933 et 1937, *Devant l'âtre*, datant de l'époque de Nuenen, baissa de 35 %. Puis la cote de Van Gogh recommença à grimper. Dès la fin de la Seconde Guerre mondiale les prix de certains Van Gogh faisaient sensation. En 1948, par exemple, un collectionneur acheta à l'amiable l'*Étude à la bougie* pour $ 50 000 (463 000 F). Enfin ce fut l'envolée spectaculaire, à partir des années 1950, avec son cortège de prix records : £ 132 000 (2 555 000 F) pour *Jardin public à Arles* en 1958 ; 150 000 guinées (2 610 000 F) pour le *Portrait de Mlle Ravoux* en 1966 ; $ 310 000 (1 826 000 F) pour *Zinnias dans un vase* en 1969 ; $ 1 300 000 (7 280 000 F) pour *le Cyprès et l'arbre en fleur* en 1970.

Moulin à Montmartre, 47 × 38
1927 : 77 000 francs (44 700 F)
1931 : 69 500 francs (38 900 F)
1963 : £ 15 500 (280 000 F)
Hausse : 620 %

Les Usines à Clichy, 1887, 54 × 72
1894 : 100 francs (380 F)
1928 : 180 000 francs (104 000 F)
1957 : £ 31 000 (567 000 F)
Hausse : 149 100 %

Gauguin

« Ah ! si j'étais sûr de vendre toutes mes toiles deux cents francs [750 F] ! » Lorsque, en 1898, Gauguin confie cet espoir à son ami Daniel de Monfreid, il a cinquante ans. Il s'est acquis une notoriété certaine parmi les artistes et les écrivains. Les uns le citent comme l'un des peintres les plus importants de sa génération, les autres le traitent d'infâme barbouilleur ; mais personne — ou presque — ne songe à acheter ses œuvres. Et pourtant, lorsque quinze ans plus tôt il a abandonné, pour se consacrer entièrement à la peinture, ses fonctions de remisier chez un agent de change où il gagnait des fortunes, Gauguin ne mettait guère en doute la possibilité de vivre décemment grâce à son nouveau métier. La ferme intention qu'il affichait de bien vendre ses toiles scandalisait quelque peu ses amis peintres — Pissarro en particulier, résigné depuis longtemps à vivre « dans la dèche ». Celui-ci ne voyait-il pas en Gauguin « un terrible marchand » ? Gauguin allait bientôt déchanter.

Quelques marchands essayèrent de vendre ses œuvres : Bertaux, Portier, le père Tanguy... Le plus opiniâtre était Théo Van Gogh, le frère de Vincent, qui dirigeait une succursale de la puissante galerie Boussod et Valadon ; mais rares étaient les amateurs qu'il parvenait à convaincre du talent de Gauguin, malgré le bulletin de victoire qu'il expédiait au peintre, en novembre 1888 : « Il vous fera probablement plaisir de savoir que vos tableaux ont beaucoup de succès. Degas est si enthousiaste de vos œuvres qu'il en parle à beaucoup de monde et qu'il va acheter la toile qui représente un paysage de printemps [...] Maintenant il y a deux toiles définitivement vendues. L'une est le paysage en hauteur avec deux chiens dans une prairie, l'autre une mare au bord d'une route. Comme il y a une combinaison de change, je cote le premier net pour vous 375 francs [1 360 F], l'autre 225 francs [810 F]. Je pourrais encore vendre la Ronde des petites Bretonnes, mais il y aura une petite retouche à faire. [L'amateur] donnera 500 francs [1 800 F] du tableau tout encadré avec un cadre qui revient à près de 100 francs [360 F]. »

Des amis, des relations achetaient parfois quelques tableaux au peintre. En 1888 il réussit à vendre Misère humaine pour 1 500 francs (5 400 F). Mais, en général, ses prix de vente étaient beaucoup moins élevés. En 1890, par exemple, le peintre Boch lui acheta cinq toiles 100 francs (360 F) pièce. Cependant, l'année suivante, un heureux événement rendit à Gauguin tout son optimisme : une vente de trente toiles, organisée à l'hôtel Drouot, remporta un succès inespéré ; les prix d'adjudication oscillèrent entre 240 et 900 francs (900 et 3 400 F) ; ce dernier prix fut atteint par la Vision après le sermon. Les frais réglés, il restait plus de 9 000 francs (34 000 F) à Gauguin, ce qui lui permit de partir pour Tahiti.

Ce succès ne devait pas se renouveler. Si la femme du peintre, qui était retournée au Danemark, réussit à y vendre quelques toiles à des prix très honorables — une étude de nu, la Suzanne, pour 900 francs (3 400 F), un paysage de Bretagne pour 850 francs (3 200 F) — Gauguin accumulait, à Paris, échec sur échec.

Échec de l'exposition tenue en novembre 1893 chez Durand-Ruel : le produit des ventes ne permit pas de couvrir les frais, bien que Manzi, un collaborateur de la maison Boussod et Valadon, ait fait l'acquisition de Ia Orana Maria pour 2 000 francs (7 500 F). Avec sérénité Gauguin expliqua à sa femme, en décembre 1893, les raisons de cet insuccès : « Mon exposition n'a pas donné en réalité le résultat qu'on en pouvait attendre, mais il faut voir les choses en face. J'avais fixé les prix très élevés : 2 000 à 3 000 francs [7 500 à 11 300 F] en moyenne. Chez Durand-Ruel, je ne pouvais faire guère autrement, eu égard à Pissarro, Manet, etc., mais beaucoup ont offert jusqu'à 1 500 francs [5 600 F]. Que peut-on dire, il faut attendre, et en somme j'ai eu raison, car maintenant sur le marché un prix de 1 000 francs [3 750 F] ne paraît pas énorme. »

Échec de la vente après décès du père Tanguy, le 2 juin 1894 : des six toiles de Gauguin que possédait le marchand aucune ne dépassa 110 francs (410 F).

Échec de la vente organisée à l'hôtel Drouot le 18 février 1895 : faute d'amateurs, Gauguin se vit contraint de racheter la plupart des toiles ; le prix record — pour les tableaux réellement vendus — était de 500 francs (1 880 F). C'est à ce prix que fut adjugé Quand te maries-tu ?

Gauguin avait perdu ses illusions. Lorsqu'en 1896 il pensa, de Tahiti où il était retourné, faire appel à un groupe d'amateurs chargés de lui

verser une mensualité en contrepartie de ses toiles, il fixa le prix de celles-ci à 160 francs (600 F). « Si à ce prix je ne peux pas vendre, je ne sais plus... » Le projet n'eut aucune suite. Et le peintre, réduit à la misère, tenta de se suicider en janvier 1898.

« Ah ! si j'étais sûr de vendre toutes mes toiles deux cents francs ! » Le souhait de Gauguin devait se réaliser deux années plus tard, grâce à Ambroise Vollard. Le marchand qui, dès 1894, avait acquis quelques œuvres de Gauguin, conclut en mai 1900 un accord verbal aux termes duquel il verserait au peintre une mensualité de 300 francs (1 100 F). De son côté, le peintre devait lui expédier un certain nombre de toiles dont le prix était fixé à 200 francs (750 F). Quelques mois plus tard Vollard acceptait même d'augmenter ce prix qui passait de 200 à 250 francs (750 à 940 F)... En 1902, il achetait l'œuvre maîtresse de Gauguin D'où venons-nous ? pour 1 500 ou 2 000 francs (5 600 ou 7 500 F).

Les « amateurs » de Tahiti n'étaient évidemment pas disposés à payer de tels prix. Lorsque après la mort de Gauguin, en 1903, les quelques tableaux trouvés dans sa case furent dispersés aux enchères à Papeete, Trois vahinés atteignit le meilleur prix : 150 francs (580 F), tandis que la dernière toile exécutée par le peintre, Village breton sous la neige, était adjugée 7 francs (27 F). Cette toile est aujourd'hui au musée du Jeu de paume.

Au cours des années qui suivirent la mort du peintre, la cote de Gauguin s'éleva très régulièrement pour atteindre un premier sommet vers 1930. Après une chute sévère provoquée par la crise, la hausse reprit pendant la Seconde Guerre mondiale puis s'emballa à partir des années 1950. Voici quelques étapes mémorables de cette vertigineuse ascension.

1906	*Fleurs de Tahiti* est adjugé 2 900 francs (11 100 F)	
1912	*Papeete*, 31 500 francs (103 000 F)	
1927	*Le Cheval blanc* est acheté par le Louvre 180 000 francs (104 000 F). [Un amateur allemand en avait offert 350 000 francs (210 000 F) l'année précédente.]	
1927	*Le Violoncelliste* est adjugé 60 200 francs (34 900 F)	
1942	*Deux figures sur la falaise*, 1 100 000 francs (286 000 F)	
1957	*Nature morte aux pommes*, 104 000 000 de francs (1 966 000 F)	
1959	*J'attends ta réponse*, $ 130 000 (2 760 000 F)	
1971	*Portrait de l'artiste avec sa palette*, $ 420 000 (2 310 000 F).	

Plus explicite encore est l'évolution des prix d'une peinture qui a figuré à la malheureuse vente Gauguin de 1895.

Mau Taporo, 1892, 89 × 66
1895 : 300 francs (1 130 F)
1908 : 2 005 francs (7 300 F)
1957 : $ 180 000 (1 191 000 F)
Hausse : 105 298 %

Citons encore deux tableaux de Gauguin qui ont atteint des prix importants :

Bonjour Monsieur Gauguin,
1889, 75 × 55
1923 : $ 1 500 (23 900 F)
1969 : 1 350 000 francs suisses (1 846 000 F)

Hausse : 7 623 %

J'attends ta réponse, 74 × 95
1959 : £ 130 000 (2 760 000)

Seurat

Acquérir en 1970 un Seurat pour 5 785 000 F, voilà qui constitue une excellente affaire. C'est du moins l'opinion des dirigeants de la Société Artemis qui, pour ce prix, se sont fait adjuger, le 30 juin 1970 à Londres, la version réduite des *Poseuses*. Cette société, spécialisée dans les investissements en objets d'art, a promis à ses adhérents de faire fructifier leurs économies. L'avenir dira si elle tient ses engagements et si le tableau peut être revendu à un prix sensiblement supérieur. Mais dès maintenant on peut tirer une conclusion certaine : le collectionneur qui, du vivant de Seurat, aurait acheté l'une des œuvres maîtresses du peintre aurait laissé à ses descendants un héritage dont la valeur actuelle correspondrait à plusieurs centaines de fois les sommes déboursées. Peu de gens, hélas ! eurent cette heureuse idée. Par chance la famille de Seurat possédait quelques biens, ce qui permit au peintre de vivre sans se préoccuper outre mesure des acheteurs. On est d'ailleurs assez mal renseigné sur les prix que demandait Seurat pour ses toiles — lorsque, par hasard, se présentait un client sérieux. On sait cependant qu'il vendit, lors d'une exposition organisée à Bruxelles en 1887 par le groupe des Vingt, *la Grève du Bas-Butin* pour 300 francs (1 100 F) et que, en 1891, la belle-mère du peintre Van Rysselberghe lui acheta une des *Marines des Gravelines* pour 400 francs (1 500 F). Mais il ne s'agissait pas là d'œuvres majeures. Pour celles-ci on peut, à défaut de prix de vente, indiquer des estimations. Celle de Vincent Van Gogh, par exemple, qui en octobre 1888 incitait son frère à acquérir des œuvres de Seurat : « A mon avis, il faut au bas mot lui compter ses grands tableaux des *Poseuses* et de *la Grande Jatte*, mais — voyons — à cinq mille [18 000 F] chaque, mettons. » Il est vrai qu'en matière de négoce, Vincent n'est jamais passé pour un très bon conseiller. Seurat était d'ailleurs beaucoup moins exigeant. Un amateur ayant montré en février 1889 quelques velléités de lui acheter les *Poseuses*, le peintre indiquait à Octave Maus le « prix de revient » du tableau : « Quant à mes *Poseuses*, je suis très embarrassé pour en fixer le prix. Je compte, comme frais, une année à sept francs par jour : ainsi voyez où cela me mène. » En admettant qu'il ne se soit accordé aucun jour de congé cela le « menait » à 2 500 francs (9 000 F). L'amateur ne donna pas suite. Il eut raison. S'il avait persévéré dans son intention d'acquérir le tableau, il aurait pu l'avoir huit ans plus tard, pour un prix plus raisonnable. En décembre 1897, Vollard le proposait, en effet, au peintre Signac pour 800 francs (3 000 F). Celui-ci ayant décliné l'offre, le marchand le vendit peu de temps après 1 200 francs (4 500 F) à un collectionneur allemand. Autant dire que la mort de Seurat, survenue en 1891, n'avait pas entraîné la hausse de ses œuvres. En 1894, lors de la vente Tanguy, une *Étude*, 32 × 40, était adjugée pour 50 francs (190 F). La même année, le critique Meïer-Graefe pouvait acheter *le Chahut* pour 400 francs (1 500 F) et en 1899 — lors d'une exposition, organisée par Félix Fénéon, qui comportait trois cents Seurat — Signac pouvait devenir propriétaire du *Cirque* pour 500 francs (1 880 F), tandis que *la Grande Jatte* était vendue 800 francs (3 000 F).

Il fallut attendre la fin de la Première Guerre mondiale pour assister à une hausse importante des œuvres du peintre. Voici quelques étapes de cette ascension.

1922. *Le Chahut* est adjugé à Mme Kröller-Müller, le 23 février à l'hôtel Drouot, pour 32 000 francs (33 900 F), soit 23 fois le prix payé par Meïer-Graefe en 1894.

1924. Un collectionneur américain, F. Clay Bartlett, achète *la Grande Jatte* pour $ 24 000 (389 000 F), soit 130 fois le prix de vente de 1899.

1926. Le Dr Barnes acquiert *les Poseuses* pour $ 50 000 (943 000 F), soit 210 fois le prix de vente de 1898.

Ce dernier prix aurait été, sans doute aucun, largement dépassé dans les vingt années qui suivirent la seconde guerre si l'un des chefs-d'œuvre de Seurat était apparu en vente publique. Ce ne fut pas le cas. Aussi nous bornerons-nous à enregistrer les performances réalisées par un tableau de moindre envergure : le Louvre acheta, en 1951, pour 16 000 000 de francs (355 000 F) *Port-en-Bessin, avant-port, marée haute*, qui s'était vendu 1 500 francs (1 430 F) en 1923 ; ce tableau a donc, en moins de trente ans, bénéficié d'une hausse de 24 725 %.

Actuellement, il n'existe plus guère de toiles importantes de Seurat susceptibles de venir sur le marché. Lors des dix dernières années, quelques petites études sont passées en vente publique. Celles qui étaient de qualité honorable ont été adjugées autour de 600 000 F.

Champs en été,
1883, 16 × 25
1941 : 170 000 francs
(53 000 F)
1965 : 36 000 guinées
(643 000 F)

Hausse : 1 113 %

Paysannes à Montfermeil,
vers 1882, 15 × 25
1966 : £ 36 000 (597 000 F)

Les Poseuses (petite version)
1970 : 410 000 guinées
(5 785 000 F)

Personnages dans un pré,
vers 1883, 15,2 × 24,8
Prix en juin 1963 : £ 34 000
(615 000 F)

Index des peintres

ANGRAND Charles (1854-1926). Page 273.

BALLA Giacomo (1871-1958). Pages 87, 275.

BERNARD Émile (1868-1941).
Ancien élève de l'atelier Cormon. D'une intelligence remarquablement précoce, il se lie d'amitié, dès l'âge de dix-huit ans, avec Anquetin, Lautrec, le critique symboliste Aurier et Van Gogh dont il organisera la première exposition posthume. Ses théories brillantes impressionnent Gauguin en 1888 à Pont-Aven et font d'Émile Bernard, en réaction devant les recherches complexes du néo-impressionnisme, l'un des initiateurs de l'art symboliste-synthétique et l'un des inspirateurs du mouvement nabi. Après une crise mystique signalée par un retour au médiévalisme, Bernard rompt avec Gauguin en 1891. La deuxième partie de sa vie est surtout marquée par la rencontre de Cézanne avec qui il échange une correspondance importante, ainsi que par des travaux critiques sur Van Gogh et le maître d'Aix. (Pages 159, 160, 162.)

BONNARD Pierre (1867-1947). Pages 84, 182, 183, 184, 216, 217, 219, 247, 256.

BOUDIN Eugène (1824-1898). Page 46.

CAILLEBOTTE Gustave (1848-1894). Pages 77, 244.

CARPEAUX Jean-Baptiste (1827-1875). Pages 49, 93.

CÉZANNE Paul (1839-1906).
Fils d'un chapelier devenu banquier, Cézanne fait ses humanités à Aix, au collège Bourbon, où il devient l'ami d'Émile Zola. D'abord contrarié dans sa vocation, Cézanne commence à peindre tout en entreprenant des études de droit. Enfin, en 1861, il s'installe à Paris, fréquente l'Académie Suisse et rencontre Pissarro, Monet, Renoir. Marqué par Courbet et Delacroix, il s'initie, sous l'influence de Pissarro, à la peinture en plein air (1872). Cézanne s'installe alors à Auvers-sur-Oise et prend part aux expositions du groupe. Mal accueilli par le public, il s'écarte des impressionnistes en 1878, se retire à Aix et s'efforce de concilier un besoin de construction monumentale d'inspiration classique avec les impératifs du plein air. En 1887, devenu riche à la mort de son père, il montre ses œuvres à Bruxelles, dans le groupe des Vingt. Mais c'est l'exposition Vollard, en 1895, qui marque sa consécration auprès des artistes. Pourtant le public le boude encore. En pleine possession de ses moyens, Cézanne peint à cette époque les Joueurs de cartes, les Baigneuses, et de nombreuses versions de la Montagne Sainte-Victoire. En 1904, c'est la consécration au Salon d'automne. En 1905, il achève les Grandes Baigneuses et meurt l'année suivante, frappé de congestion, alors qu'il travaillait « sur le motif ». (Pages 92, 112, 113, 114, 115, 224, 230, 234, 235, 236, 237, 240, 241, 251, 258, 259, 261, 266, 267, 268, 269, 309.)

CHINTREUIL Antoine (1814-1873). Page 45.

CONSTABLE John (1776-1837). Pages 41, 211.

CORMON, Fernand Piestre, dit (1845-1924). Page 16.

COROT Jean-Baptiste Camille (1796-1875). Pages 43, 48.

CORRÈGE, Antonio Allegri, dit le (1494-1534). Page 55.

COTMAN John Sell (1782-1842). Page 40.

COURBET Gustave (1819-1877). Pages 47, 146.

COX David (1783-1859). Page 40.

CROSS Henri-Edmond (1856-1910). Pages 289, 293, 294.

DAUBIGNY Charles-François (1817-1878). Page 42.

DAUMIER Honoré (1808-1879). Page 54.

DEGAS Edgar (1834-1917).
Né à Paris, fils d'un banquier amateur de peinture, il abandonne très vite ses études de droit et entre en 1855 à l'École des beaux-arts. Il voyage en France et en Italie. Influencé par Ingres, il peint des scènes mythologiques. A partir de 1861, Degas change d'inspiration, peint des courses de chevaux, se lie avec Manet et exécute ses premiers pastels. Vers 1865, on trouve dans son œuvre son fameux principe de décentrement de la composition, en partie inspiré de l'art japonais. Après 1868, c'est dans le monde des spectacles qu'il puisera la plupart de ses sujets. Degas participe aux premières manifestations impressionnistes mais, défendant les droits de l'imagination et de la mémoire, il critique chez ses amis la trop grande fidélité à la nature. Après 1880, atteint de troubles visuels, il se tourne vers le pastel et la sculpture où il cherche à « piéger le mouvement ». Ses œuvres s'épurent, l'anecdote est sacrifiée à la recherche du rythme et à l'exploration de nouvelles techniques. Il consacre d'importantes séries aux danseuses et aux nus féminins, qu'il cherche à surprendre dans des poses naturelles, comme par effraction. Presque aveugle, brouillé avec la plupart des impressionnistes, Degas passe ses dernières années dans la solitude et l'effacement. (Pages 55, 62, 63, 64, 65, 66, 67, 68, 70, 72, 75, 80, 81, 174, 175, 189, 204, 205, 206, 207, 214, 215, 305.)

DELACROIX Eugène (1798-1863). Page 34.

DELAUNAY Robert (1885-1941). Pages 149, 222, 273.

DELVILLE Jean (1867-1953). Page 147.

DENIS Maurice (1870-1943). Pages 25, 148.

DERAIN André (1880-1954). Page 274.

DETAILLE Édouard (1848-1912). Page 17.

DUFY Raoul (1877-1953). Page 190.

ENSOR James (1860-1949). Page 223.

FANTIN-LATOUR Henri (1836-1904). Page 20.

FILIGER Charles (1863-1928). Page 223.

FOUQUET Jean (1420-1480). Page 55.

FRIEDRICH Caspar David (1774-1840). Page 36.

GARNIER Jules (1847-1889). Page 16.

GAUGUIN Paul (1848-1903).
Né à Paris, fils d'un journaliste, Paul Gauguin s'engage dans la marine avant d'entrer au service d'un agent de change. En 1873, il commence à peindre et s'intéresse aux impressionnistes dont il collectionne les œuvres. Grâce à Pissarro qui encourage ses débuts, il participe aux expositions du groupe. A partir de 1883, Gauguin se consacre tout entier à la peinture. En 1886, il s'installe à Pont-Aven. Après un voyage à la Martinique, il y retourne en 1888. Épurant sa technique et simplifiant sa palette il donne naissance, avec Émile Bernard, au synthétisme et au cloisonnisme qui marqueront fortement les nabis. Après un séjour à Arles, aux côtés de Van Gogh, qui s'achève avec l'épisode dramatique de l'oreille coupée, Gauguin revient à Pont-Aven (1889), puis se fixe à Paris où il fréquente les écrivains symbolistes. Ensuite, c'est la misère, le départ pour Tahiti (1891), la maladie et le retour en 1893. Ses toiles polynésiennes illustrent ses théories sur le caractère « musical » et abstrait de la couleur pure et de la composition. Pour Gauguin l'expression des « états d'âme » par la ligne et le jeu des teintes doit l'emporter sur la fidélité à la réalité immédiate. Il repart pour la Polynésie et peint quelques œuvres capitales au milieu des pires difficultés. Il meurt en 1903, aux îles Marquises. (Pages 79, 147, 159, 161, 164, 165, 166, 167, 168, 170, 171, 173, 176, 177, 178, 179, 212, 213, 238, 245, 247, 252, 310, 311.)

GÉROME Léon (1824-1904). Page 17.

GIRODET de ROUCY-TRIOSON Anne-Louis (1767-1824). Page 35.

GOYA Francisco (1746-1828). Page 191.

GRECO, Domenikos Theotokopulos, dit le (1541-1614). Page 92.

HACKAERT Johannès (vers 1629-après 1685). Page 222.

HALS Franz (1580-1666). Page 92.

HAYET Louis (1864-1940). Pages 296, 297.

HOKUSAÏ (1760-1849). Pages 56, 225.

HOMER Winslow. Page 16.

HSIEN Kung (1617-1689). Page 224.

HUET Paul (1803-1869). Page 44.

JONGKIND Johan Barthold (1819-1891). Page 46.

KANDINSKY Wassili (1866-1944). Page 295.

KHNOPFF Fernand (1858-1921). Page 17.

KLIMT Gustav (1862-1918). Pages 223, 264.

LÉGER Fernand (1881-1955). Page 149.

MAILLOL Aristide (1861-1944). Page 253.

MANET Édouard (1832-1883).
Né à Paris, Édouard Manet reçoit une éducation bourgeoise. Malgré les réticences de son père, il peut se consacrer à la peinture à partir de 1850. Pendant ses années de formation il subit l'influence de Goya et de Vélasquez. Il participe au Salon de 1861 et commence à s'intéresser aux scènes de plein air — Musique aux Tuileries —, aux champs de courses, aux danseurs — Lola de Valence. Puis ce sont les « scandales » : celui du Déjeuner sur l'herbe, un des jalons de l'impressionnisme naissant, refusé au Salon de 1863 ; celui de l'Olympia, au Salon de 1865. Manet est violemment attaqué, mais tout un groupe de jeunes peintres : Monet, Cézanne, Renoir, etc., suit ses efforts avec passion et s'inspire de sa manière. Zola prend fougueusement sa défense dans plusieurs articles retentissants. Exclu de l'Exposition universelle de 1867, il décide de présenter ses œuvres au pont de l'Alma dans une manifestation personnelle qui lui attire une fois encore les quolibets de la foule. Le Salon de 1873 marque un certain revirement de l'opinion à son égard, et Manet refusera l'année suivante de participer à la première exposition impressionniste chez Nadar. C'est pourtant en cette même année 1874 qu'il peint en plein air, aux côtés de Monet à Argenteuil, avant de se consacrer aux scènes de brasseries qui vont devenir, pour un temps, ses thèmes favoris. Le Bar des Folies-Bergère, exposé au Salon de 1882, voit le triomphe d'un Manet déjà ruiné par la maladie. Il meurt en 1883 des suites d'une intervention chirurgicale. (Pages 13, 98, 99, 108, 109, 150, 151, 173, 189, 192, 193, 198, 199, 201, 216, 226, 227, 228, 229, 304.)

MATISSE Henri (1869-1954). Pages 57, 149, 225, 274.

MEISSONIER Ernest (1815-1891). Pages 16, 91.

MICHALLON Achille-Etna (1796-1822). Page 32.

MILLET Jean-François (1814-1875). Page 43.

MONDRIAN Piet (1872-1944). Pages 225, 273, 295.

MONET Claude (1840-1926).

Né à Paris, Monet passe son enfance au Havre. C'est en Normandie que, très tôt, Boudin l'initie à la peinture de plein air. Installé à Paris en 1859, Monet fréquente l'Académie Suisse et devient l'ami de Pissarro. Après son service militaire (1860-1861), il peint en plein air aux côtés de Boudin et de Jongkind (à Honfleur), de Renoir et de Sisley (à Fontainebleau où il exécute son monumental *Déjeuner sur l'herbe*). En 1866, il rencontre Manet et subit son influence, en même temps que celle de Courbet. Après une mystérieuse tentative de suicide (1868), réduit à la misère, il se voue à l'impressionnisme, voyage en Angleterre et aux Pays-Bas, avant de s'établir à Argenteuil (1871-1878). Installé sur un bateau-atelier, il exécute de nombreuses scènes de canotage. L'exposition chez Nadar en 1874 le place d'emblée à la tête du mouvement. Pendant les années suivantes, il arpente la France en tous sens, consacrant de longs mois à l'analyse de tel paysage de rivière ou de bord de mer. A la recherche de l'instantanéité, il abandonne progressivement le sujet et la forme pour ne plus traiter que la lumière. Ce seront les séries des *Meules*, des *Cathédrales*, les vues de Venise et de Londres sous la brume ; enfin les *Nymphéas*, chefs-d'œuvre de la dernière période dont l'ensemble constitue, à l'Orangerie, la « chapelle sixtine » de Monet. (Pages 54, 60, 61, 78, 82, 83, 93, 94, 95, 96, 97, 104, 105, 106, 107, 116, 117, 118, 119, 121, 134, 135, 136, 137, 138, 139, 140, 141, 142, 146, 152, 153, 155, 190, 191, 194, 195, 196, 197, 200, 232, 254, 255, 306.)

MONTICELLI Adolphe (1824-1886). Page 44.

MOREAU Gustave (1826-1898). Page 51.

PALMER Samuel (1805-1881). Page 36.

PICASSO Pablo (né en 1881). Page 212.

PISSARRO Camille (1830-1903).

Né dans les Antilles danoises, Pissarro étudie à Paris avant de retourner s'occuper du commerce de son père. En 1855, il revient dans la capitale et rencontre Corot. Deux ans plus tard c'est la révélation du plein air, la rencontre avec Monet en 1861, avec Cézanne. Installé en Angleterre durant la guerre, il y admire les paysages de Turner et de Constable. Pissarro sera l'un des premiers à déceler la force créatrice de Cézanne, comme celle de Gauguin et de Van Gogh. C'est lui qui, à Pontoise, initie Cézanne à la peinture de plein air. Dès 1874, il participe aux manifestations du mouvement impressionniste, présentant des paysages rigoureux et paisibles, traversés par le frissonnement de la lumière. En 1885, il rejette l'impressionnisme « romantique » pour suivre le chemin du divisionnisme et l'enseignement rigoureux de Seurat. Cette période pointilliste durera cinq ans. Après quoi, non sans déchirement, pour retrouver « le mouvement, la vie », Pissarro reviendra à sa première manière. (Pages 22, 120, 224, 233, 307.)

POLLOCK Jackson (1912-1956). Page 93.

PUVIS DE CHAVANNES Pierre (1824-1898). Page 50.

RAVIER François-Auguste (1814-1895). Page 45.

REDON Odilon (1840-1916). Pages 51, 146.

RENOIR Auguste (1841-1919).

Né à Limoges, élevé à Paris, Renoir peint des porcelaines et des éventails avant de s'inscrire à l'École des beaux-arts (1862). Il rencontre Sisley, Monet, Diaz et peint sur le motif. Aux côtés de Monet, il exécute des vues de Paris (1867), des scènes de bateau (1869) et présente un tableau impressionniste au Salon de 1870. En 1874 Renoir participe à l'exposition chez Nadar avant de réaliser ses grandes œuvres de la période impressionniste dont le plus célèbre est *le Moulin de la Galette*. En 1881-82, après des voyages en Italie et en Afrique du Nord, il s'éloigne du groupe pour aboutir, sous l'influence de Raphaël, d'Ingres et des fresques de Pompéi, au style linéaire des grands *Nus* de 1882-84. Après 1890, il adopte une nouvelle manière fluide, fondue, « nacrée ». Atteint d'arthritisme, il s'installe près de Cagnes où il passera les vingt dernières années de sa vie. A peu près paralysé, il s'obstine à peindre jusqu'à sa mort, les pinceaux fixés dans ses mains déformées par les rhumatismes. (Pages 74, 96, 100, 101, 102, 103, 110, 111, 121, 122, 123, 124, 125, 173, 307.)

ROUSSEAU Théodore (1812-1867). Page 42.

RUNGE Philipp Otto (1777-1810). Page 37.

RYSSELBERGHE Théo Van (1862-1926). Page 291.

SÉRUSIER Paul (1864-1927). Page 246.

SEURAT Georges (1859-1891).

Fils d'un huissier, étudiant à l'École des beaux-arts, Seurat s'intéresse très tôt à la théorie scientifique de la couleur telle que Chevreul l'a formulée et que Delacroix l'a occasionnellement appliquée. A partir de 1882 il met peu à peu au point sa technique de la touche divisée — le « petit point » — et du mélange optique des couleurs. En 1885, il convertit Pissarro au pointillisme, ce qui lui vaut d'exposer aux côtés des impressionnistes lors de leur dernière manifestation de 1886. Le célèbre *Dimanche après-midi à l'île de la Grande Jatte* rencontre une hostilité quasi unanime et fait de Seurat le chef de file du néo-impressionnisme. En rejetant le sensualisme et l'instantanéisme de Monet et de ses amis, en achevant ses œuvres à l'atelier selon des méthodes rigoureuses, Seurat, bientôt suivi par de nombreux disciples, ouvre de nouvelles voies à la recherche qui déboucheront sur Delaunay et l'*op art*. (Pages 276, 277, 278, 279, 280, 282, 283, 286, 287, 291, 295, 296, 298, 299, 311.)

SIGNAC Paul (1863-1935).

Fils unique d'un sellier-harnacheur, commerçant aisé. Études secondaires au lycée Rollin. En 1880, l'exposition Monet organisée par *la Vie moderne* décide de sa carrière. Il refuse l'enseignement académique et se forme en autodidacte. Période impressionniste — en même temps que l'artiste s'initie, en compagnie de Caillebotte, aux choses de la mer. Navigateur émérite, gagnant d'innombrables régates, il aura, sa vie durant, trente-deux bateaux. En 1884, aux Indépendants, Signac fait une rencontre décisive. Seurat expose *Une baignade* et les deux jeunes gens sympathisent. Seurat explique ses conceptions divisionnistes, tandis que son cadet attire son attention sur les mérites de la palette claire des impressionnistes. Signac devient petit à petit le porte-parole du mouvement inspiré par Seurat. Il se lie d'amitié avec Van Gogh qui subira son influence et travaille aux côtés du savant Charles Henry qui tente de mettre sur pied « une esthétique scientifique ». En 1892, il découvre Saint-Tropez, petit port encore inconnu, surtout accessible par la mer. Il y fait construire une grande villa : « la Hune », où il passera une bonne partie de sa vie, coupant ses séjours de longues croisières tout au long du bassin méditerranéen. Généreux, emporté, auteur d'un livre sur Stendhal, sympathisant de l'anarchie et du communisme, Signac se libère peu à peu de la rigueur imposée par Seurat et développe un style à grosse touche, décoratif et coloré, qui préfigure le fauvisme. Président des Indépendants jusqu'en 1934, il est l'auteur d'un livre, *D'Eugène Delacroix au néo-impressionnisme*, qui jouera un rôle fondamental dans le développement de l'abstraction au XXe siècle. (Pages 58, 59, 172.)

SISLEY Alfred (1839-1899).

Né à Paris, Anglais d'origine, Sisley s'inscrit en 1862 à l'École des beaux-arts. Il y rencontre Monet et Renoir auprès de qui il peint des paysages délicats, marqués par l'influence de Corot et de Daubigny. Après la guerre, il décide de se consacrer totalement à la peinture, fréquente Monet et participe aux trois premières expositions impressionnistes. Retiré à la campagne, modeste, un peu oublié, il ne connaîtra pas, comme Monet, le vrai succès de son vivant et mourra dans la misère, atteint d'un cancer à la gorge. (Pages 90, 91, 233, 307.)

SOTO Jésus Rafaël (né en 1923). Page 93.

STIFTER Adalbert (1806-1868). Pages 37.

TOOROP Jan (1858-1928). Page 223.

TOULOUSE-LAUTREC Henri de (1864-1901). Pages 28, 64, 75, 180, 181.

TURNER Joseph William (1775-1851). Pages 38, 39.

UTAMARO (1754-1806). Page 56.

VALENCIENNES Pierre-Henri de (1750-1819). Pages 32, 33.

VALLOTTON Félix (1865-1925). Page 86.

VAN DONGEN Kees (1877-1968). Page 148.

VAN GOGH Vincent (1853-1890).

Né en Brabant, fils d'un pasteur calviniste, Van Gogh exerce divers métiers avant de tenter, sans succès, d'entrer en 1877 au séminaire d'Amsterdam. Il se met ensuite à peindre, imitant Millet, dessinant des mineurs et des paysans. En 1886, déjà malade, il s'installe à Paris chez son frère Théo et s'inscrit à l'atelier Cormon. Il rencontre Toulouse-Lautrec, Signac, Pissarro, Gauguin. Sous l'influence des impressionnistes, en particulier de Pissarro, il abandonne les couleurs sombres et neutres de ses débuts. En 1888, il part pour Arles où le rejoint Gauguin. Van Gogh utilise la couleur d'une façon de plus en plus arbitraire, simplifiée et violente. Après la crise de folie où il se mutile l'oreille, le peintre se fait interner volontairement à l'asile de Saint-Rémy et réalise là, dans ses périodes de lucidité, des toiles lyriques et violentes où puisera tout l'expressionnisme contemporain. En 1890, il va s'installer à Auvers. Sous la surveillance amicale du docteur Gachet, il y travaille jusqu'à son suicide. (Pages 54, 69, 73, 85, 126, 127, 128, 129, 131, 132, 133, 148, 154, 156, 157, 158, 191, 202, 209, 210, 239, 242, 243, 249, 250, 251, 309.)

VAN GOYEN Jan (1596-1656). Page 190.

VAN DE VELDE Henry (1863-1957). Page 285.

VANTONGERLOO Georges (né en 1886). Page 146.

VASARELY Victor (né en 1908). Page 272.

VÉLASQUEZ Diego Rodriguez de Silva y (1599-1660). Page 90.

VERMEER Jan (1632-1675). Pages 91, 191.

VINCI Léonard de (1452-1519). Page 57.

VLAMINCK Maurice de (1876-1958). Page 149.

VUILLARD Édouard (1868-1940). Pages 76, 199, 218, 257, 262, 263, 265.

WATTEAU Antoine (1684-1721). Page 90.

WHISTLER James McNeill (1834-1903). Pages 58, 59, 172.

Table des illustrations

Couverture

Recto : Le Déjeuner des canotiers (détail). Washington, Phillips Memorial Gallery.

Verso : Le Jardin de Monet à Giverny (détail). Paris, collection privée.

Les événements, les hommes

Champ de bataille de Sedan, septembre 1870. Paris, Bibliothèque nationale 12
Attaque de Bourget par les marins fin décembre 1870 12
Napoléon III. Photo *le Point* 12
Abattage d'un éléphant pendant le siège. Bibliothèque de l'Arsenal 12
Assiette de propagande anticommunarde : la chute de la colonne Vendôme. Musée de Saint-Denis 12
Affiche de la Commune de Paris. Paris, Bibliothèque nationale 13
Paris, rue de Rivoli, mai 1871. Éditions Robert Laffont 13
La Barricade. Lithographie de Manet. Musée de Saint-Denis 13
Exécution de Rossel, Ferré et Bourgeois à Satory. Bibliothèque de l'Arsenal 13
Le général Boulanger 14
Creusement du canal de Panama. 1881 (travaux pour établir une écluse) 14
Jules Grévy, président de la République. 30 juillet 1879 14
Assaut de la citadelle de Saïgon par le corps expéditionnaire franco-espagnol. 1851 14
Assassinat de Sadi Carnot, le 24 juin 1894. Imagerie Pellegrin 14
Auguste Vaillant jetant sa bombe à la Chambre des députés (décembre 1893) 15
Arrestation de Ravachol 15
Karl Marx 15
Pierre-Joseph Proudhon 15
Cormon (Fernand Piestre, dit). La Fuite de Caïn. Paris, musée du Luxembourg. © SPADEM. 16
Jules Garnier. Le Constat d'adultère 16
Winslow Homer. Copistes dans la Grande Galerie du Louvre en 1867. Bois gravé 16
Ernest Meissonier. Les Amateurs de peinture 16
Fernand Khnopff. L'Art, la caresse, la sphinge. Bruxelles, musées royaux des Beaux-Arts 17
Le Charivari (le peintre impressionniste). Paris, Bibliothèque nationale 17
Le Charivari. Paris, Bibliothèque nationale 17
Léon Gérome. Jeunes Grecs faisant battre des coqs. © SPADEM 17
Édouard Detaille. Reddition de la garnison d'Huningue. 1892. Paris, palais du Luxembourg. © SPADEM 17
L'Exposition universelle de 1889. Montage de la galerie des Machines. Paris, collection Sirot 18
L'Exposition universelle de 1889. Paris, Bibliothèque nationale 18
L'Exposition universelle de 1889. La galerie des Machines 18
Locomotive Johnson (1889). Angleterre. Paris, Bibliothèque des Arts décoratifs 18
Construction du viaduc de Garabit (photo prise en avril 1884). Paris, collection Sirot 18
Construction de la tour Eiffel. Paris, collection Sirot 19
Construction de la tour Eiffel. Paris, collection Sirot 19
Construction de la tour Eiffel. Paris, collection Sirot 19
Dog-car à vapeur de Dion-Bouton (1885). Paris, Bibliothèque des Arts décoratifs 19
L'Exposition universelle de 1889. L'inauguration du Palais des Industries diverses. Paris, Bibliothèque nationale 19
Édouard Manet photographié par Nadar, Paris, collection Sirot 20
Berthe Morisot en 1875. Paris, collection particulière 20
Edgar Degas dans une rue à Paris. Paris, Bibliothèque nationale, collection Sirot 20
Henri Fantin-Latour. L'Atelier des Batignolles. Paris, musée du Jeu de Paume 20
L'atelier Nadar, 35, boulevard des Capucines. 20
Edgar Degas 20
Degas et les Fourchy devant leur maison de campagne. Paris, Bibliothèque nationale, collection Sirot 21
Auguste Renoir 21
Renoir à Fontainebleau (septembre 1901). Paris, collection Sirot 21
Renoir et Mallarmé photographiés par Degas vers 1890. Paris, collection particulière 21
Renoir et son modèle Gabrielle 21
Camille Pissarro. Autoportrait. Paris, musée du Louvre 22
Camille Pissarro dans son atelier d'Éragny vers 1897 22
Alfred Sisley 22
Le bassin des Nymphéas à Giverny 22
Claude Monet et Clemenceau 23
Claude Monet 23
Claude Monet 23
Claude Monet dans son atelier à Giverny (1922) 23
Lettre de Cézanne à Zola (20 juin 1859). Paris, collection particulière 24
Paul Cézanne en 1861. Photo communiquée par J.-P. Cézanne 24
Paul Cézanne en route vers Auvers, son chevalet sur le dos (photographié en 1873) 24
Paul Cézanne sur le motif (1904, Aix-en-Provence). Paris, galerie Bernheim-Jeune 24
Photographie de Cézanne, en 1877, assis dans le jardin de Camille Pissarro, à Pontoise 25
Paul Cézanne à la fin de sa vie. Photographié par Émile Bernard en 1904 25
La montagne Sainte-Victoire, Aix-en-Provence. 25
Maurice Denis. Hommage à Cézanne. Paris, Musée national d'Art moderne 25
Cézanne et Gaston Bernheim de Villers. Aix-en-Provence, 1902 25
Van Gogh assis de dos à Asnières, en conversation avec Émile Bernard 26
Le jardin de l'hôpital d'Arles 26
La chambre mortuaire de Van Gogh à Auvers. 26
La « maison jaune », place Lamartine, à Arles. 26
Les tombes des frères Van Gogh à Auvers 26
Pont-Aven. La maison où a séjourné Gauguin. 27
Paul Gauguin 27
Paul Gauguin 27
Une plage à Tahiti 27
La clownesse Cha-U-Kao. Paris, Bibliothèque nationale (cabinet des Estampes) 28
Yvette Guilbert. Paris, collection Sirot 28
Toulouse-Lautrec au Moulin de la Galette avec la Goulue 28
La baraque de la Goulue à la foire du Trône, décorée par Toulouse-Lautrec 28
Henri de Toulouse-Lautrec déguisé. Paris, Bibliothèque nationale (cabinet des Estampes) 28
Henri de Toulouse-Lautrec. Autoportrait-charge. Dessin au crayon sur papier. Inédit 28
La fête foraine à Chatou. Paris, collection Sirot. 29
Toulouse-Lautrec et un modèle dans son atelier. Paris, Bibliothèque nationale 29
Georges Seurat. Photo anonyme. Paris, collection Mme Signac 29
Paul Signac vers 1885-1886. Paris, collection Mme Signac 29
Paul Signac devant sa toile le Port de La Rochelle 29

Les précurseurs

Achille-Etna Michallon. Vue d'un port sicilien. Paris, musée du Louvre 32
Pierre-Henri de Valenciennes. A la villa Farnèse, les ruines. Paris, musée du Louvre 32
Pierre-Henri de Valenciennes. Entrée d'une grotte dans la verdure. Paris, musée du Louvre. 33
Eugène Delacroix. Saint Georges combattant le Dragon, dit aussi Persée délivrant Andromède. Paris, musée du Louvre 34
Eugène Delacroix. La Mort de Sardanapale (détails). Paris, musée du Louvre 34
Anne-Louis Girodet de Roucy, dit Girodet-Trioson. Les Ombres des héros français reçues par Ossian dans le paradis d'Odin. Paris, musée du Louvre 35
Caspar David Friedrich. Paysage rocheux dans l'Elbsandsteingebirge. Vienne, Kunsthistorisches Museum 36
Samuel Palmer. Le Pommier magique. Cambridge, Fitzwilliam Museum 36
Philipp Otto Runge. Naissance de l'âme de l'homme. Bühl, Baden-Baden 37
Adalbert Stifter. Paysage de la Teufelsmauer. Vienne. Österreichische Galerie 37
Joseph William Turner. L'Incendie des maisons du Parlement. Cleveland, Museum of Art. 38
Joseph William Turner. Funérailles marines. Londres, Tate Gallery 39
Joseph William Turner. Tempête de neige, avalanche et inondation au val d'Aoste. Chicago, Art Institute 39
David Cox. Le Train de nuit. Birmingham, Museum and Art Gallery 40
David Cox. Soleil, vent et pluie. Birmingham, Museum and Art Gallery 40
John Sell Cotman. Ganton Park, Norfolk. Birmingham, Museum and Art Gallery 40
John Constable. The Grove in Hampstead. Londres, Victoria and Albert Museum 41
Théodore Rousseau. Les Chênes. Bloomington, Indiana (Indiana University Art Museum). 42
Charles-François Daubigny. Soleil couchant sur l'Oise. Paris, musée du Louvre 42
Charles-François Daubigny. Soleil couchant sur l'Oise (détail) 42
Jean-Baptiste-Camille Corot. Moulins à vent sur la côte picarde. Paris, musée du Louvre 43
Jean-François Millet. Le Printemps. Paris, musée du Louvre 43
Jean-François Millet. L'Hiver. Portugal, Fondation Calouste Gulbenkian 43
Paul Huet. Paysage : les Ormes de Saint-Cloud. Paris, musée du Petit Palais 44
Adolphe Monticelli. Négresse porteuse d'oiseaux ou Au palais de Schéhérazade. Paris, collection particulière 44
François-Auguste Ravier. Jardin d'une villa romaine. Paris, musée du Louvre 45
Antoine Chintreuil. La Côte. Paris, musée du Louvre 45
Johan Barthold Jongkind. Bateau-lavoir sur la Seine. Rotterdam, musée Boymans van Beuningen 46
Johan Barthold Jongkind. Au Roi du désert. La Haye, Musée municipal 46
Eugène Boudin. Régates à Anvers. Honfleur, musée Eugène-Boudin 46
Johan Barthold Jongkind. Vue de Grenoble. Otterlo, musée Kröller-Müller 46
Gustave Courbet. Paysage marin. U.S.A., collection particulière 47
Jean-Baptiste-Camille Corot. Jeune Femme à l'écharpe rose. Boston, Museum of Fine Arts. 48
Jean-Baptiste Carpeaux. Étude de nu. Paris, musée du Petit Palais 49
Jean-Baptiste Carpeaux. Portrait de Charles Carpeaux. Paris, musée du Petit Palais 49
Pierre Puvis de Chavannes. Le Rêve. Paris, musée du Louvre 50
Odilon Redon. La Naissance de Vénus. Paris, musée du Petit Palais. © SPADEM 51
Gustave Moreau. Salomé ou l'Apparition. Paris, musée Gustave-Moreau 51
Odilon Redon. L'Apparition. Otterlo, musée Kröller-Müller. © SPADEM 51

Chapitre I
Le point de vue de l'artiste se déplace

Claude Monet. Nature morte aux œufs. New York, collection particulière. © SPADEM 54
Honoré Daumier. Crispin et Scapin. Paris, musée du Louvre 54
Vincent Van Gogh. Les Souliers. New York, Siegfried Kramarsky Trust Fund 54
Nadar. Vues de l'Étoile 54
Robert Demachy. Le Cheval blanc dans la prairie. Paris, Société Française de Photographie. 55
Edgar Degas. Photographie d'une fillette. © SPADEM 55
Jean Fouquet. Livre d'heures d'Étienne Chevalier (détail). Saint-Martin. Paris, musée du Louvre (cabinet des Dessins) 55
Antonio Allegri, dit le Corrège. L'Ascension de la Vierge. Cathédrale de Parme, détail du centre de la coupole 55
Anonyme. Estampe japonaise : scène avec deux acteurs (fin XVIIᵉ). Paris, collection particulière 56
Hokusaï. Deux Petites Barques de pêcheurs sur la mer houleuse en face de la côte de Choshi, dans la province de Shimosa. Paris, collection Huguette Berès 56
Utamaro. La Fête des fleurs au Yoshiwara (détail). Ancienne collection Atheneum Hartford Connecticut 56

Léonard de Vinci. L'Homme selon les proportions de Vitruve. Venise, Académie, studio L. de Vinci 57
Henri Matisse. Les Capucines. Moscou, Musée d'art moderne occidental. © SPADEM 57
James McNeill Whistler. Caprice en pourpre et or n° 2 : le paravent doré. Washington Freer Gallery of Art 58
James McNeill Whistler. Old Battersea Bridge. Nocturne, bleu et or. Londres, Tate Gallery 59
Claude Monet. La Cabane du douanier à Varengeville. Rotterdam, musée Boymans van Beuningen. © SPADEM 60
Claude Monet. La Cabane du douanier. Zurich, collection particulière. © SPADEM 61
Claude Monet. Falaise près de Dieppe. Zurich, Kunsthaus. © SPADEM 61
Edgar Degas. Au théâtre. Paris, collection Durand-Ruel. © SPADEM 62
Edgar Degas. Miss Lola au cirque Fernando. Londres, National Gallery (collection Courtauld). © SPADEM 63
Edgar Degas. Au café des Ambassadeurs. Lyon, musée des Beaux-Arts. © SPADEM 64
Henri de Toulouse-Lautrec. En cabinet particulier. Londres, Institut Courtauld 64
Edgar Degas. Chanteuse au gant. Cambridge (Mass.), Fogg Art Museum, Harvard University (collection Maurice Wertheim). © SPADEM 65
Edgar Degas. Chez la modiste. Washington, National Gallery. © SPADEM 66
Edgar Degas. Portrait de Mme Jeantaud. Paris, musée du Jeu de Paume. © SPADEM 67
Edgar Degas. Danseuses à l'Opéra. Washington, National Gallery of Art. © SPADEM 68
Vincent Van Gogh. Montmartre. Chicago, Art Institute 69
Edgar Degas. Femme nue couchée. Bâle, galerie Beyeler. © SPADEM 70
Edgar Degas. Le Bain du matin. Chicago, Art Institute. © SPADEM 72
Vincent Van Gogh. Nature morte avec statuette en plâtre. Otterlo, musée Kröller-Müller 73
Pierre-Auguste Renoir. Mme Monet et son fils dans leur jardin d'Argenteuil. Washington, National Gallery of Art. © SPADEM 74
Henri de Toulouse-Lautrec. La Toilette. Paris, musée du Jeu de Paume 75
Edgar Degas. Deux Baigneuses sur l'herbe. Paris, musée du Jeu de Paume. © SPADEM 75
Édouard Vuillard. La Partie de dames à Amfreville. Berne, collection Hahnloser. © SPADEM 76
Gustave Caillebotte. Rue Halévy. Paris, collection particulière 77
Claude Monet. Les Galettes. Paris, collection Durand-Ruel. © SPADEM 78
Paul Gauguin. Fleurs et bol de fruits. Boston, Museum of Fine Arts 79
Paul Gauguin. Fête Gloanec. Orléans, musée des Beaux-Arts, collection Maurice Denis 79
Edgar Degas. Le Tub. Paris, musée du Jeu de Paume. © SPADEM 80
Edgar Degas. Danseuses montant un escalier. Paris, musée du Jeu de Paume. © SPADEM 81
Claude Monet. En canot sur l'Epte. Sao Paulo, musée d'Art. © SPADEM 82
Claude Monet. La Barque bleue. Lugano, collection Thyssen-Bornemisza. © SPADEM 83
Pierre Bonnard. Le Café. Londres, Tate Gallery. © SPADEM et © ADAGP 84
Vincent Van Gogh. Nature morte. Planche à dessiner avec des oignons. Otterlo, musée Kröller-Müller 85
Félix Vallotton. Troisième Galerie au théâtre du Châtelet. Paris, Musée national d'Art moderne. © SPADEM 86
Giacomo Balla. L'Escalier des au-revoir. Birmingham (Michigan) [Lydia and Harry Winston, collection Mrs Barnett Malbin] 87

Chapitre II
Objets et paysages s'interpénètrent

Diego Rodriguez de Silva y Vélasquez. L'Infante Marguerite. Paris, musée du Louvre 90
Antoine Watteau. Pèlerinage à l'île de Cythère (détail). Paris, musée du Louvre 90
Alfred Sisley. Promenade. Nice, musée Masséna 90
Jan Vermeer. Vue de Delft. La Haye, Mauritshuis 91
Alfred Sisley. La Route de Louveciennes (détail). Paris, musée du Jeu de Paume 91
Ernest Meissonier. Bords de Seine à Poissy. Paris, musée du Louvre 91
Franz Hals. Portrait du pasteur Langelius. Amiens, musée des Beaux-Arts 92
Paul Cézanne. Portrait de Vallier. Chicago, collection Mr and Mrs Leigh B. Block 92
Domenikos Theotokopulos, dit le Greco. La Vision de saint Jean. New York, Metropolitan Museum of Art 92
Claude Monet. Vue de Londres, la nuit. Bâle, galerie Beyeler. © SPADEM 93
Jésus Rafaël Soto. Pénétrable. Musée de la Ville de Paris 93
Jackson Pollock. Convergence, d'après la « Nouvelle Poésie » d'Alvarez. Buffalo, Albright-Knox Art Gallery 93
Jean-Baptiste Carpeaux. Descente de croix. Paris, musée du Louvre 93
Claude Monet. Régates à Argenteuil. Paris, musée du Jeu de Paume. © SPADEM 94
Claude Monet. Régates à Argenteuil (détail). © SPADEM 94
Claude Monet. Impression, soleil levant. Paris, musée Marmottan. © SPADEM 95
Claude Monet. La Grenouillère. New York, Metropolitan Museum of Art. © SPADEM 95
Claude Monet. Les Coquelicots. Paris, musée du Jeu de Paume. © SPADEM 96
Pierre-Auguste Renoir. Chemin montant dans les herbes. Paris, musée du Jeu de Paume. © SPADEM 96
Claude Monet. Les Coquelicots (détail). © SPADEM 97
Édouard Manet. Claude Monet dans son atelier. Munich, Neue Pinakothek 98
Édouard Manet. Claude Monet dans son atelier. Stuttgart, Staatsgalerie 99
Pierre-Auguste Renoir. La Promenade. New York, Frick Collection. © SPADEM 100
Pierre-Auguste Renoir. La Petite Fille à l'arrosoir. Washington, National Gallery of Art. © SPADEM 100
Pierre-Auguste Renoir. La Première Sortie. Londres, Tate Gallery. © SPADEM 101
Pierre-Auguste Renoir. La Tonnelle. Moscou, musée Pouchkine. © SPADEM 102
Pierre-Auguste Renoir. Le Moulin de la Galette. Paris, musée du Jeu de Paume. © SPADEM . 103
Pierre-Auguste Renoir. La Balançoire. Paris, musée du Jeu de Paume. © SPADEM 103
Claude Monet. Les Dindons. Paris, musée du Jeu de Paume. © SPADEM 104
Claude Monet. Les Dindons (détail). © SPADEM 104
Claude Monet. Les Dindons (détail). © SPADEM 105
Claude Monet. La Gare Saint-Lazare. Cambridge (Mass.), Fogg Art Museum, Harvard University. © SPADEM 106
Claude Monet. La Gare Saint-Lazare. New York, collection Mr and Mrs Peralta-Ramos. © SPADEM 106
Claude Monet. Le Pont de l'Europe. Gare Saint-Lazare. Paris, musée Marmottan. © SPADEM ... 106
Claude Monet. La Gare Saint-Lazare. New York, collection Mr and Mrs Peralta-Ramos. © SPADEM 107
Claude Monet. La Gare Saint-Lazare. Paris, musée du Jeu de Paume. © SPADEM 107
Édouard Manet. L'Amazone. Berne, collection J. Koerfer 108
Édouard Manet. L'Amazone (détail) 108
Édouard Manet. Autoportrait (Manet à la palette). New York, collection particulière 109
Pierre-Auguste Renoir. Le Déjeuner des canotiers (détail). Washington, Phillips Collection. © SPADEM 110
Pierre-Auguste Renoir. Le Bal à Bougival. Boston, Museum of Fine Arts. © SPADEM 110
Pierre-Auguste Renoir. Le Déjeuner des canotiers. Washington, Phillips Collection. © SPADEM 111
Paul Cézanne. Nu debout. Paris, collection particulière 112
Paul Cézanne. Le Déjeuner sur l'herbe. Paris, collection Walter-Guillaume 112
Paul Cézanne. Le Déjeuner sur l'herbe (détail). 113
Paul Cézanne. Les Trois Baigneuses. Paris, musée du Petit Palais 114
Paul Cézanne. Cinq Baigneuses. Bâle, musée des Beaux-Arts 115
Claude Monet. Camille Monet sur son lit de mort. Paris, musée du Jeu de Paume. © SPADEM 116
Claude Monet. Femme à l'ombrelle tournée vers la droite. Paris, musée du Jeu de Paume. © SPADEM 117
Claude Monet. Le Jardin de Monet à Giverny. Paris, collection Durand-Ruel. © SPADEM 118
Claude Monet. Alice Hoschedé au jardin. New York, collection particulière. © SPADEM 119
Camille Pissarro. Boulevard Montmartre, effet de nuit. Londres, National Gallery 120
Pierre-Auguste Renoir. Les Grands Boulevards. Philadelphie, collection particulière. © SPADEM 121
Claude Monet. Boulevard des Capucines. Moscou, musée Pouchkine. © SPADEM 121
Pierre-Auguste Renoir. Baigneuse. Williamstown (Mass.), Sterling and Francine Clark Institute. © SPADEM 122
Pierre-Auguste Renoir. Jeune fille se peignant. Williamstown (Mass.), Sterling and Francine Clark Institute. © SPADEM 122
Pierre-Auguste Renoir. Baigneuse aux cheveux blonds. Vienne, Kunsthistorisches Museum. © SPADEM 123
Pierre-Auguste Renoir. Nu au chapeau. Bâle, galerie Beyeler. © SPADEM 124
Pierre-Auguste Renoir. Ode aux fleurs. Paris, musée du Jeu de Paume. © SPADEM 124
Pierre-Auguste Renoir. Baigneuse endormie. Winterthur, collection Oskar Reinhart am Römerholz. © SPADEM 124
Pierre-Auguste Renoir. Baigneuse assise au rocher. Paris, collection Durand-Ruel. © SPADEM 124
Pierre-Auguste Renoir. Baigneuse assise au rocher (détail). © SPADEM 125
Vincent Van Gogh. Autoportrait. Vienne, Kunsthistorisches Museum 126
Vincent Van Gogh. Autoportrait, Saint-Rémy. Oslo, Galerie nationale 127
Vincent Van Gogh. Le Parc de l'asile des aliénés, Saint-Rémy. Essen, musée Folkwang 128
Vincent Van Gogh. Champ d'oliviers à Saint-Rémy. Otterlo, musée Kröller-Müller 129
Vincent Van Gogh. Le Jardin du Dr Gachet. Paris, musée du Jeu de Paume 129
Vincent Van Gogh. La Nuit étoilée. New York, Museum of Modern Art, Lillie Bliss Collection. 131
Vincent Van Gogh. Chemin à Auvers. Saint-Louis (Missouri), City Art Museum 132
Vincent Van Gogh. Le Ravin. Boston, Museum of Fine Arts 132
Vincent Van Gogh. Deux Enfants. Paris, collection particulière 133
Claude Monet. Meules en hiver. Boston, Museum of Fine Arts. © SPADEM 134
Claude Monet. Meule. Zurich, Kunsthaus. © SPADEM 134
Claude Monet. Meules, soleil couchant. Chicago, Art Institute. © SPADEM 135
Claude Monet. Meules au coucher du soleil près de Giverny. Boston, Museum of Fine Arts. © SPADEM 135
Claude Monet. La Cathédrale de Rouen. Le Portail : soleil matinal. Harmonie bleue. Paris, musée du Jeu de Paume. © SPADEM 136
Claude Monet. La Cathédrale de Rouen. Le Portail et la tour d'Albane, plein soleil. Harmonie bleu et or. Paris, musée du Jeu de Paume. © SPADEM 136
Claude Monet. La Cathédrale de Rouen au coucher du soleil. Boston, Museum of Fine Arts. © SPADEM 137
Claude Monet. La Cathédrale de Rouen. Le Portail, temps gris. Paris, musée du Jeu de Paume. © SPADEM 137
Claude Monet. La Cathédrale de Rouen. Le Portail et la tour d'Albane, effet du matin. Harmonie blanche. Paris, musée du Jeu de Paume. © SPADEM 137
Claude Monet. Le Parlement, effet de soleil dans le brouillard. Paris, collection Durand-Ruel. © SPADEM 138
Claude Monet. Le Palais ducal vu de San Giorgio. Paris, collection Durand-Ruel. © SPADEM .. 139
Claude Monet. Nirvâna jaune. Essen, musée Folkwang. © SPADEM 140
Claude Monet. Le Pont japonais. Munich, collection Walter Bareiss. © SPADEM 140
Claude Monet. Les Nymphéas. Les Deux Saules, le matin, partie gauche (détail). Paris, musée du Jeu de Paume. © SPADEM 141
Claude Monet. Les Nymphéas, soleil couchant (détail). Paris, musée du Jeu de Paume. © SPADEM 141
Claude Monet. Les Nymphéas, soleil couchant (détail). Paris, musée du Jeu de Paume. © SPADEM 142

Chapitre III
La couleur conquiert son autonomie

Gustave Courbet. Nature morte. Paris, collection Emery Reves . . . 146
Georges Vantongerloo. Composition avec réfraction de la lumière. Zurich, collection particulière . . . 146
Claude Monet. Terrasse à Sainte-Adresse (détail). New York, Metropolitan Museum of Art. 146
Paul Gauguin. Cavaliers sur la plage. Essen, musée Folkwang . . . 147
Odilon Redon. Vase de fleurs. Paris, musée du Jeu de Paume. © SPADEM . . . 147
Maurice Denis. Taches de soleil sur la terrasse. Saint-Germain-en-Laye, collection particulière. © SPADEM . . . 148
Jean Delville. Orphée. Bruxelles, collection Mme Anne-Marie Gillion-Crowet . . . 148
Kees Van Dongen. Liverpool night-club. Genève, collection particulière. © SPADEM . . . 148
Henri Matisse. La Porte noire. Zurich, Contemporary Art Establishment. © SPADEM . . . 148
Vincent Van Gogh. Autoportrait. Paris, musée du Jeu de Paume . . . 149
Fernand Léger. Le Pont du remorqueur. Paris, Musée d'art moderne. © SPADEM . . . 149
Maurice de Vlaminck. Portrait de Derain. Paris, collection particulière. © SPADEM . . . 149
Robert Delaunay. Formes circulaires; soleil nº 2. Paris, Musée national d'Art moderne . . . 149
Édouard Manet. Lola de Valence (détail) . . . 150
Édouard Manet. Lola de Valence. Paris, musée du Jeu de Paume . . . 150
Édouard Manet. Lola de Valence (détail) . . . 151
Claude Monet. Jean Monet sur son cheval de bois. New York, collection Mr Nathan Cummings. © SPADEM . . . 152
Claude Monet. Le Déjeuner sur l'herbe. Paris, musée du Jeu de Paume. © SPADEM . . . 153
Vincent Van Gogh. 14 Juillet à Paris. Winterthur, collection Jaggli Hahnloser . . . 154
Claude Monet. La Rue Montorgueil. Rouen, musée des Beaux-Arts. © SPADEM . . . 155
Vincent Van Gogh. Une Italienne. Paris, musée du Jeu de Paume . . . 156
Vincent Van Gogh. Une Italienne (détail) . . . 157
Vincent Van Gogh. Autoportrait au crâne rasé. Cambridge (Mass.), Fogg Art Museum, Harvard University, collection Maurice Wertheim . . . 159
Émile Bernard. Autoportrait dédicacé à Van Gogh. Amsterdam, Stedelijk Museum. © SPADEM 159
Paul Gauguin. Autoportrait. Les Misérables. Amsterdam, Stedelijk Museum . . . 159
Émile Bernard. Bretonnes dans la prairie. Paris, ancienne collection Maurice Denis. © SPADEM . . . 160
Paul Gauguin. La Vision après le sermon. Edimbourg, National Gallery of Scotland . . . 161
Émile Bernard. Le Blé noir. Paris, collection Ambroise Vollard. © SPADEM . . . 162
Paul Gauguin. Bonjour, monsieur Gauguin. Prague, Galerie nationale . . . 164
Paul Gauguin. Bonjour, monsieur Gauguin (détail) . . . 165
Paul Gauguin. Le Christ jaune. Buffalo, Albright Art Gallery . . . 166
Paul Gauguin. Le Christ vert. Bruxelles, musée des Beaux-Arts . . . 167
Paul Gauguin. Le Christ au jardin des oliviers. West Palm Beach, Florida, Norton Gallery and School of Art . . . 168
Paul Gauguin. Portrait-charge de Gauguin. Washington, National Gallery of Art (collection Chester Dale) . . . 170
Paul Gauguin. L'Homme à la hache. New York, collection Mr and Mrs Alexander Lewyt. 170
Paul Gauguin. Fatata te miti. Washington, National Gallery of Art (collection Chester Dale) . . 171
James McNeill Whistler. La Petite Jeune Fille en blanc. Londres, Tate Gallery . . . 172
Paul Gauguin. Jeune Fille à l'éventail. Essen, musée Folkwang . . . 173
Pierre-Auguste Renoir. Lise à l'ombrelle. Essen, musée Folkwang. © SPADEM . . . 173
Édouard Manet. Nana. Hambourg, Kunsthalle. 173
Edgar Degas. La Toilette. Oslo, Galerie nationale. © SPADEM . . . 174
Edgar Degas. Après le bain, femme s'essuyant. Zurich, collection particulière. © SPADEM . . . 175
Paul Gauguin. Les Amants. Prague, Galerie nationale . . . 176
Paul Gauguin. Nature morte avec jambon. Washington, Phillips Collection . . . 177
Paul Gauguin. Eh quoi! tu es jalouse? Moscou, musée Pouchkine . . . 178
Paul Gauguin. Annah la Javanaise. Berne, collection Hahnloser . . . 179
Henri de Toulouse-Lautrec. L'Amiral Viaud. Sao Paulo, musée des Beaux-Arts . . . 180
Henri de Toulouse-Lautrec. Messaline. Los Angeles, County Museum of Art . . . 181
Pierre Bonnard. L'Atelier aux mimosas. Paris, collection particulière. © SPADEM et © ADAGP . . 182
Pierre Bonnard. Nu dans la baignoire. Pittsburgh (Pennsylvanie), Museum of Art, Carnegie Institute. © SPADEM et © ADAGP . . . 183
Pierre Bonnard. Jeune Femme à la nappe rayée. Paris, collection particulière. © SPADEM et © ADAGP . . . 183
Pierre Bonnard. Le Golfe de Saint-Tropez. Albi, musée Toulouse-Lautrec. © SPADEM et © ADAGP . . . 184

Chapitre IV
L'œuvre est un morceau de nature qui se prolonge au-delà du cadre

La Perspective pratique (deux aspects). Extraits du *Traité de perspective pratique* de Jean Dubreuil. 1642 . . . 188
Edgar Degas. Graf Lepic et ses filles. Zurich, collection Bührle. © SPADEM . . . 189
Édouard Manet. Une allée du jardin à Rueil. Berne, Kunsthaus . . . 189
Claude Monet, Torrent de la Petite Creuse à Fresselines. New York, collection particulière. © SPADEM . . . 190
Jan Van Goyen. Le Chêne foudroyé. Bordeaux, musée des Beaux-Arts . . . 190
Claude Monet. Le Rocher. Londres, collection reine mère Elizabeth. © SPADEM . . . 190
Raoul Dufy. Acrobates sur un cheval de cirque. Paris, Musée national d'Art moderne. © SPADEM. 190
Claude Monet. Le Jardin des iris à Giverny. New York, collection particulière. © SPADEM . . 191
Jan Vermeer. La Leçon de musique. Londres, Royal Art Collection, Windsor Castle . . . 191
Francisco Goya y Lucientes. Una Manola (Doña Leocadia Zorilla de Weiss). Madrid, musée du Prado . . . 191
Vincent Van Gogh. Arbre en fleurs. Amsterdam, Stedelijk Museum . . . 191
Édouard Manet. Le Départ du vapeur de Folkestone. Philadelphie, Museum of Art (Mr and Mrs Carroll S. Tyson Collection) . . . 192
Édouard Manet. Le Grand Canal à Venise. U.S.A., collection privée . . . 192
Claude Monet. Le Jardin de l'artiste à Vétheuil. Washington, National Gallery. © SPADEM . . . 194
Claude Monet. Un coin d'appartement. Paris, musée du Jeu de Paume. © SPADEM . . . 195
Claude Monet. Étretat. New York, Metropolitan Museum of Art. © SPADEM . . . 196
Claude Monet. L'Aiguille creuse à Étretat. Paris, collection particulière. © SPADEM . . . 197
Claude Monet. Grosse Mer à Étretat. Paris, musée du Jeu de Paume. © SPADEM . . . 197
Claude Monet. Falaise à Étretat. Lyon, musée des Beaux-Arts. © SPADEM . . . 197
Édouard Manet. La Serveuse de bocks. Paris, musée du Jeu de Paume . . . 198
Édouard Vuillard. Le Café au bois de Boulogne. Paris, ancienne collection Maurice Denis. © SPADEM . . . 199
Édouard Manet. Au café. Winterthur, collection Oskar Reinhart am Römerholz . . . 199
Claude Monet. Roches de Belle-Ile. Moscou, musée Pouchkine. © SPADEM . . . 200
Édouard Manet. L'Évasion de Rochefort. Zurich, Kunsthaus . . . 201
Vincent Van Gogh. Les Tournesols. Otterlo, musée Kröller-Müller . . . 202
Edgar Degas. Après le bain. Washington, Phillips Collection. © SPADEM . . . 204
Edgar Degas. La Lettre. Bâle, galerie Beyeler. © SPADEM . . . 204
Edgar Degas. Femme s'essuyant. Birmingham, collection James Archdale. © SPADEM . . . 205
Edgar Degas. Devant le miroir. Hambourg, Kunsthalle. © SPADEM . . . 206
Edgar Degas. Femme se coiffant. Paris, musée du Jeu de Paume. © SPADEM . . . 207
Vincent Van Gogh. Sous-bois. Cincinnati, Art Museum (Mary E. Johnston Collection) . . . 209
Vincent Van Gogh. Herbe fraîche dans un parc. Otterlo, musée Kröller-Müller . . . 210
John Constable. Étude d'arbre et de tronc. Londres, Victoria and Albert Museum . . . 211
Pablo Picasso. L'Enterrement de Casagemas. Paris, Musée d'art moderne de la Ville de Paris. © SPADEM . . . 212
Paul Gauguin. D'où venons-nous? Que sommes-nous? Où allons-nous? Boston, Museum of Fine Arts . . . 212
Paul Gauguin. La Belle Angèle. Paris, musée du Jeu de Paume . . . 213
Edgar Degas. Deux Ballerines. Dresde, Gemäldegalerie. © SPADEM . . . 214
Edgar Degas. Danseuses. Paris, collection Durand-Ruel. © SPADEM . . . 214
Edgar Degas. Danseuses en bleu. Moscou, musée Pouchkine. © SPADEM . . . 215
Édouard Manet. Le Bar aux Folies-Bergère. Londres, Institut Courtauld . . . 216
Pierre Bonnard. Torse de femme vu dans un miroir. Paris, collection Bernheim-Jeune. © SPADEM et © ADAGP . . . 216
Pierre Bonnard. La Glace du cabinet de toilette. Moscou, musée Pouchkine. © SPADEM et © ADAGP . . . 217
Édouard Vuillard. Le Petit Livreur en blouse noire. Genève, collection particulière. © SPADEM 218
Édouard Vuillard. Vase de fleurs sur une cheminée. Washington, National Gallery. © SPADEM 218
Pierre Bonnard. Intérieur. Suisse, collection particulière. © SPADEM et © ADAGP . . . 219

Chapitre V
Le peintre écrase la perspective

Johannès Hackaert. L'Allée de frênes. Paris, musée du Petit Palais . . . 222
Robert Delaunay. La Ville de Paris. Paris, Musée national d'Art moderne. © ADAGP . . . 222
James Ensor. Nature morte dans l'atelier. Munich, Neue Pinakothek . . . 223
Jan Toorop. Le Retour sur soi-même. Otterlo, musée Kröller-Müller . . . 223
Charles Filiger. Notation chromatique. Paris, collection le Bateau-lavoir . . . 223
Gustav Klimt. Mort et vie. Vienne, collection Mme Preleuthner . . . 223
Paul Cézanne. L'Orgie. Paris, collection particulière . . . 224
Kung Hsien. Marécage. Cleveland, Museum of Art, Andrew and Martha Holden Jennings Fund . . . 224
Camille Pissarro. Paysage. © ADAGP . . . 224
Piet Mondrian. Dune IV. La Haye, Gemeentemuseum . . . 225
Henri Matisse. Intérieur rouge. France, collection particulière. © SPADEM . . . 225
Piet Mondrian. Composition en bleu. Otterlo, musée Kröller-Müller . . . 225
Hokusaï. Le Mont Fuji par beau temps. Paris, collection Huguette Berès . . . 225
Édouard Manet. L'Exécution de l'empereur Maximilien. Boston, Museum of Fine Arts . . . 226
Édouard Manet. L'Exécution de l'empereur Maximilien. Mannheim, Kunsthalle . . . 226
Édouard Manet. L'Explosion. Essen . . . 227
Édouard Manet. Courses à Longchamp (étude). Washington, National Gallery (coll. Widener). 228
Édouard Manet. Courses à Longchamp. Chicago, Art Institute . . . 229
Paul Cézanne. L'Éternel féminin. New York, collection particulière . . . 230
Claude Monet. Les Bords de la Seine (le printemps à travers les branches). Paris, musée Marmottan. © SPADEM . . . 232
Alfred Sisley. Sentier sur les roches. Paris, collection Durand-Ruel . . . 233
Camille Pissarro. La Côte des Bœufs à Pontoise. Londres, National Gallery . . . 233
Camille Pissarro. Bords de l'Oise près de Pontoise, temps gris. Paris, musée du Jeu de Paume . . . 233
Paul Cézanne. Autoportrait. Paris, musée du Jeu de Paume . . . 234
Paul Cézanne. Autoportrait. Londres, Tate Gallery . . . 234
Paul Cézanne. Autoportrait au chapeau. Berne, musée des Beaux-Arts . . . 235
Paul Cézanne. Le Vieux Jardinier. Zurich, fondation Emil Georg Bührle . . . 236
Paul Cézanne. Portrait de Victor Chocquet. Columbus, Gallery of Fine Arts . . . 237

Paul Gauguin. Femmes dans un jardin. Chicago, Art Institute 238
Vincent Van Gogh. Les Alyscamps. Otterlo, musée Kröller-Müller 239
Vincent Van Gogh. Promenade à Arles. Leningrad, musée de l'Ermitage 239
Paul Cézanne. Portrait de Paul Cézanne, fils de l'artiste. Washington, collection Chester Dale 240
Paul Cézanne. Mme Cézanne dans un fauteuil rouge. Boston, Museum of Fine Arts 241
Vincent Van Gogh. Un zouave. Laren, collection Van Gogh 242
Vincent Van Gogh. Le Zouave (Arles). New York, collection Albert Lasker 243
Vincent Van Gogh. La Chaise et la pipe. Londres, Tate Gallery 243
Gustave Caillebotte. Le Balcon. Paris, collection particulière 244
Paul Gauguin. Nature morte aux trois chiots. New York, Museum of Modern Art 245
Paul Sérusier. Paysage du bois d'Amour. Paris, collection Maurice Denis 246
Paul Gauguin. Au-dessus du gouffre. Paris, musée des Arts décoratifs 247
Pierre Bonnard. Le Jardin. Paris, musée du Petit Palais. © SPADEM et © ADAGP 247
Vincent Van Gogh. Le Pré clôturé. Otterlo, musée Kröller-Müller 249
Vincent Van Gogh. L'Hôpital Saint-Paul. Los Angeles, collection particulière 250
Paul Cézanne. L'Arbre tordu. Suisse, collection Stoll 251
Vincent Van Gogh. Le Parc de l'hôpital Saint-Paul. Lausanne, collection particulière 251
Paul Gauguin. Ondine. Gates Mills (Ohio), collection Mr and Mrs W. Powell Jones 252
Aristide Maillol. La Vague. Paris, musée du Petit Palais. © SPADEM 253
Claude Monet. Peupliers au bord de l'Epte. New York, collection particulière 254
Claude Monet. Peupliers sur l'Epte. Londres, Tate Gallery. © SPADEM 254
Claude Monet. Les Peupliers. New York, Metropolitan Museum of Art. © SPADEM 255
Pierre Bonnard. Les Trois Ages. Paris, collection particulière. © SPADEM et © ADAGP 256
Édouard Vuillard. Le Corsage rayé. New York, collection particulière. © SPADEM 257
Paul Cézanne. Pommes et biscuits. Paris, collection Walter 258
Paul Cézanne. Compotier, verre et pommes. Paris, collection particulière 259
Paul Cézanne. Pommes et oranges. Paris, musée du Jeu de Paume 259
Paul Cézanne. Compotier et pommes. Winterthur, collection Oskar Reinhart am Römerholz. 259
Paul Cézanne. Nature morte au rideau à fleurs et aux fruits. Paris, galerie Bernheim 261
Édouard Vuillard. Aux Champs-Élysées. Paris, collection particulière. © SPADEM 262
Édouard Vuillard. Enfant portant une écharpe rouge. Washington, National Gallery of Art. © SPADEM 263
Gustav Klimt. Le Parc. New York, Museum of Modern Art 264
Édouard Vuillard. Décoration Vaquez (panneau de gauche : la Liseuse). Paris, musée du Petit Palais. © SPADEM 265
Paul Cézanne. Le Château noir. New York, Museum of Modern Art 266
Paul Cézanne. Lac d'Annecy. Londres, Institut Courtauld 267
Paul Cézanne. La Montagne Sainte-Victoire. Bâle, musée des Beaux-Arts 268
Paul Cézanne. La Montagne Sainte-Victoire. Zurich, Kunsthaus 268
Paul Cézanne. La Montagne Sainte-Victoire (détail). Zurich, Kunsthaus 269

Chapitre VI
L'artiste sollicite le nerf optique du spectateur

Victor Vasarely. Majus M.C. Paris, galerie Denise-René 272
Charles Angrand. Cour normande. Paris, collection Pierre Angrand. © ADAGP 273
Robert Delaunay. Paysage au disque. Paris, Musée national d'Art moderne. © ADAGP 273
Piet Mondrian. Moulin au soleil. La Haye, Gemeentemuseum 273
Henri Matisse. Luxe, calme et volupté. Paris, collection Ginette Signac. © SPADEM 274

André Derain. Big Ben. France, collection Pierre Lévy. © ADAGP 274
Kees Van Dongen. Le Moulin de la Galette. Paris, collection G. Fodor 274
Paul Signac. La Salle à manger (esquisse, détail). Paris, collection particulière. © SPADEM . 275
Giacomo Balla. Jeune Fille courant sur un balcon. Milan, Galleria d'Arte Moderna 275
Giacomo Balla. Compénétration iridescente. Birmingham (Michigan), collection Lydia and Harry L. Winston 275
Georges Seurat. Garçons se baignant (étude pour Une baignade). Paris, coll. particulière. 276
Georges Seurat. Cheval et bateaux (étude pour Une baignade). Paris, collection particulière. 276
Georges Seurat. Cinq Personnages mâles (étude pour Une baignade). Paris, collection Pierre Berès 277
Georges Seurat. Une baignade, Asnières. Londres, National Gallery 278
Georges Seurat. Une baignade, Asnières (détail). 279
Georges Seurat. Un dimanche après-midi à l'île de la Grande Jatte (esquisse). Paris, musée du Jeu de Paume 280
Georges Seurat. Etude pour la Grande Jatte. Washington, National Gallery 281
Georges Seurat. Un dimanche après-midi à l'île de la Grande Jatte. Chicago, Art Institute . 281
Georges Seurat. Le Bec du Hoc, Grandcamp. Londres, Tate Gallery 282
Georges Seurat. Jeune Femme se poudrant. Londres, Institut Courtauld 283
Henry Van de Velde. Blankenbergue. Zurich, Kunsthaus 285
Georges Seurat. Poseuse de profil (détail) 286
Georges Seurat. Poseuse de profil. Paris, musée du Jeu de Paume 287
Georges Seurat. Poseuse de dos. Paris, musée du Jeu de Paume 287
Paul Signac. Femme à la toilette, corset violet. Paris, collection Ginette Signac. © SPADEM 288
Henri-Edmond Cross. La Chevelure. Paris, Musée national d'Art moderne. © SPADEM 289
Paul Signac. Cassis, le cap Lombard. La Haye, Gemeentemuseum. © SPADEM 290
Paul Signac. La Rade de Portrieux. U.S.A., collection privée. © SPADEM 290
Georges Seurat. La Grève du Bas-Butin, Honfleur. Tournai, musée des Beaux-Arts 291
Georges Seurat. Port-en-Bessin, entrée de l'avant-port. New York, Museum of Modern Art 291
Théo Van Rysselberghe. Gros Nuages, Christiana Fjord. Indianapolis, collection Mr and Mrs Holliday 291
Paul Signac. Brise à Concarneau. Londres, collection particulière. © SPADEM 292
Henri Edmond Cross. La Vague. Paris, collection Ginette Signac. © SPADEM 293
Henri Edmond Cross. Les Iles d'Or. Paris, Musée national d'art moderne. © SPADEM 294
Georges Seurat. Étude pour Fort-Samson, Grandcamp. Paris, collection Mme Nora 295
Wassili Kandinsky. Cabines de plage en Hollande. Munich, Stadtische Galerie 295
Piet Mondrian. Dune III. La Haye, Gemeentemuseum 295
Georges Seurat. La Tour Eiffel. New York, collection Mr and Mrs Germain Seligman 296
Louis Hayet. Construction de la tour Eiffel. Paris, collection particulière 296
Louis Hayet. Place de la Concorde. New York, collection particulière 296
Louis Hayet. Les Portes. Paris, collection particulière 297
Georges Seurat. Le Cirque. Paris, musée du Jeu de Paume 298
Georges Seurat. Le Chahut. Otterlo, musée Kröller-Müller......................... 299
Paul Signac. Application du cercle chromatique de Mr Ch. J. Henry. Boston, Museum of Fine Arts. © SPADEM 300
Paul Signac. Portrait de Félix Fénéon. Lausanne, collection Samuel Josefowitz. © SPADEM. 301

Leur cote

Édouard Manet. La Promenade. Sotheby 304
Édouard Manet. La Jeune Femme voilée, Berthe Morisot. Sotheby. 304
Edgar Degas. Repasseuse à contre-jour. Sotheby. 305
Edgar Degas. Danseuses, jupes saumon. Christie's 305

Claude Monet. Le Port de Honfleur. Sotheby.. 306
Claude Monet. Les Bords de la Seine à Argenteuil. Christie's 306
Claude Monet. Terrasse à Sainte-Adresse. Christie's. 306
Pierre-Auguste Renoir. Le Pont des Arts. New York, Parke-Bernet Galleries 307
Pierre-Auguste Renoir. Jeune Fille de profil. Vente Galliera 307
Alfred Sisley. L'Inondation, route de Saint-Germain. Sotheby....................... 307
Camille Pissarro. Jardin des Tuileries, matinée de printemps. New York, Parke-Bernet Galleries 307
Paul Cézanne. Pommes et biscuits. Vente galerie Charpentier 309
Paul Cézanne. La maison et l'arbre. Sotheby. .. 309
Paul Cézanne. Chaumière dans les arbres. Parke-Bernet Galleries 309
Vincent Van Gogh. Usines à Clichy. Sotheby. 309
Vincent Van Gogh. Moulin à Montmartre. Sotheby. 309
Paul Gauguin. Mau Taporo (la cueillette des citrons). Parke-Bernet Galleries 310
Paul Gauguin. Bonjour, Monsieur Gauguin. Christie's. 310
Paul Gauguin. J'attends ta réponse. Sotheby... 311
Georges Seurat. Champs en été. Christie's 311
Georges Seurat. Paysannes à Montfermeil. Sotheby. 311
Georges Seurat. Les Poseuses (petite version). Christie's. 311
Georges Seurat. Personnages dans un pré. Sotheby................................. 311

Table des photographes

ANDERSON-GIRAUDON : 57
ARCHIVES PHOTOGRAPHIQUES : 54
BASNIER : 295
BÉRENGER : 90
BERNHEIM : 24 [4, 5], 25 [4]
BEVILLE : 177, 204
BIBLIOTHÈQUE DES ARTS : 61, 77, 181, 205, 218, 219, 230, 235, 242, 244, 254, 256, 257, 262
BIBLIOTHÈQUE NATIONALE : 14 [5], 20 [5]
BLAUEL : 98, 140, 214, 223, 226, 295
BONNEFOY : 75, 222
BOUDOT-LAMOTTE : 25 [3]
BULLOZ : 34, 222
CAILLER : 46
CHADEFAUX : 12 [3], 36, 42, 95, 273 [1]
CHEVOJON : 18 [3]
COLOTHÈQUE : 291
CONNAISSANCE DES ARTS : 56, 209
COOPER : 190
DANVERS : 190
DAZY RENÉ : 15 [1]
DEGAS EDGAR : 55 [2]
DEMACHY ROBERT : 55 [1]
DESJARDINS : 40, 93, 94
DRAYER : 189
DURAND-RUEL : 22 [3], 23 [1, 2, 3]
ÉDITIONS CERCLE D'ART : 217, 239
FREEMAN : 37
GIRAUDON : 22 [1], 25 [4], 55 [4], 64, 78, 90, 91, 117, 148, 160, 175, 176, 197, 292
GRALL : 63
GUILLEMOT : 51
GUILLOT : 44, 56, 225
HACHETTE : 16 [1, 2, 4], 17 [4, 5], 20 [2], 21 [4], 22 [2], 24 [2, 3], 25 [1, 2, 5], 29 [3, 4]
HINOUS : 149, 272
HINZ : 115
HOWALD : 76
JACKSON-LEGROS : 106, 107, 109, 158, 243
JOSSE : 191
KLEINHEMPEL : 173
KLIMA : 275
LAFFONT (ARCHIVES ÉDITIONS ROBERT) : 12 [2,4, 5], 13 [2, 3, 4]
LECOUVETTE : 55 [3], 188
MARTINOT : 296, 297
MEYER : 40, 41, 126
MILCH : 147, 173, 227
MILLET : 149
MILLS & SON : 121
MORAIN : 93
MORKEL : 82
NADAR : 54
NAHMIAS : 114
NELSON : 146
NOVOSTI (AGENCE DE PRESSE) : 102, 121, 178, 200, 215
RÉUNION DES MUSÉES NATIONAUX : 43, 92, 156, 224, 259, 289, 294
REUTLINGER-HACHETTE : 20 [3]
ROGER-VIOLLET : 14 [1, 2, 3, 4], 15 [2, 3, 4]
SALMON : 28 [6]
SCHNAPP : 12 [1], 13 [1], 17 [2, 3], 18 [2, 4], 19 [4, 5], 24 [1]
SIROT : 18 [1, 5], 19 [1, 2, 3], 20 [1], 21 [3], 28 [2], 29 [1]
SNARK : 20 [3], 21 [1], 93
STUDIO ADRION : 149
VAERING : 127, 174
WEBB : 39, 57, 172, 225, 243, 254, 274 [3], 282
WILDENSTEIN : 42, 47, 193, 290, 296
WILLI PETER : 32, 33, 34, 35, 43, 44, 45, 46, 49, 50, 51, 54, 62, 67, 75, 79, 80, 81, 84, 86, 90, 91, 96, 97, 103, 104, 106, 107, 112, 116, 118, 124, 129, 136, 137, 138, 139, 141, 142, 146, 149, 150, 153, 162, 164, 166, 182, 183, 184, 195, 197, 198, 199, 207, 212, 213, 214, 216, 225, 232, 233, 234, 245, 246, 253, 258, 259, 261, 265, 273 [2], 274 [1, 2], 277, 281, 286, 287, 288, 293, 299
WYATT : 192
ZIOLO : 179

Table des matières

6 Préface de René Huyghe
de l'Académie française, professeur au Collège de France

8 Introduction

11 Les événements, les hommes

30 Les précurseurs

Chapitre I
52 Le point de vue de l'artiste se déplace

Chapitre II
88 Objets et paysages s'interpénètrent

Chapitre III
144 La couleur conquiert son autonomie

Chapitre IV
186 L'œuvre est un morceau de nature
qui se prolonge au-delà du cadre

Chapitre V
220 Le peintre écrase la perspective

Chapitre VI
270 L'artiste sollicite le nerf optique du spectateur

Annexes :

302 Leur cote, *par François Duret-Robert*

312 Index des peintres

Cet ouvrage a été élaboré
dans le cadre des éditions Hachette Réalités
Il a été écrit et réalisé par Jean Clay
La maquette est de Jean-Louis Germain

Achevé d'imprimer le 5 Novembre 1985
sur les presses de G.E.A. à Milan
sur papier couché mat
Composition Linofilm Réalités

Imprimé en Italie

ISBN n° 2.85108.339.2
Dépôt légal n° 8202 - Novembre 1985
Editeur n° 34.08.0499.02

34.0499.3
84-IV